FIVE HUNDRED YEARS
OF CHAUCER CRITICISM
AND ALLUSION
1357–1900

VOLUME III
CONTAINING
PARTS IV, V
AND INDEX

PORTRAIT OF CHAUCER ON VELLUM
DATE PROBABLY THE LATE 16TH CENTURY
MS. Add 5141 (British Museum)

FIVE HUNDRED YEARS OF CHAUCER CRITICISM AND ALLUSION

1357–1900

By

CAROLINE F. E. SPURGEON

DOCTEUR DE L'UNIVERSITÉ DE PARIS; HON. LITT. D. MICHIGAN;
HILDRED CARLILE PROFESSOR OF ENGLISH LITERATURE IN THE
UNIVERSITY OF LONDON

WITH
TWENTY-FOUR
COLLOTYPE ILLUSTRATIONS
INTRODUCTION, NOTES, APPENDICES
AND GENERAL INDEX

IN
THREE VOLUMES
VOLUME III

New York
RUSSELL & RUSSELL
1960

FIVE HUNDRED YEARS OF CHAUCER
CRITICISM AND ALLUSION: 1357–1900

appeared as Series 48–50, 52–56 of The Chaucer Society publications in 1908–1917. Subsequently, the sections were gathered into three volumes and published in 1925 by Cambridge University Press. The present edition is published by Russell & Russell, Inc., in 1960 by arrangement with Cambridge University Press.

PRINTED IN THE U. S. A.

CONTENTS

LIST OF ILLUSTRATIONS

Vol. III

APPENDIX A.

INTRODUCTORY NOTE.

FOR many of the additional entries of the sixteenth and seventeenth centuries we are indebted to Professor Hyder E. Rollins, of New York, who very kindly placed at our disposal a collection which he had made while working on the Elizabethan ballad-writers and on the influence of Henryson.

In a prefatory note Professor Rollins says:—

"By far the majority of these allusions is to *Troilus and Criseyde*, and the number could be almost indefinitely increased. In her *Chaucer devant la Critique en Angleterre et en France* (1911) . . . Miss Spurgeon shows clearly enough that the *Troilus* up to 1700 (and later, for that matter) 'est de beaucoup le plus populaire, le plus généralement connu et le plus fréquemment cité de tous les poèmes de Chaucer.' But in the *Chaucer Allusions* her treatment of *Troilus and Criseyde* is not wholly satisfactory. Wherever possible, she has rigidly excluded every line that savors, or seems to savor, of Henryson's *Testament of Cresseid*, although from 1535 to 1650 this poem was, by almost all readers and editors, thought to be Chaucer's own work, and it so completely changed the course of Chaucer's narrative that after about 1560 Henryson's Cresseid, not Chaucer's Criseyde, was the heroine always thought of, whether or not her leprosy was explicitly mentioned. Only a few allusions to Henryson's Cresseid have crept in here, but by excluding them one cannot hope justly to show the influence of Chaucer's own poem.

There are, to be sure, a number of tests by which one can separate allusions to Chaucer's story from allusions to Henryson's —if one is determined to adopt so modern and unjustifiable an attitude. When, for example, George Gascoigne wrote:

> I found naught else but trickes of *Cressides* kinde,
> Which playnly proude that thou weart of hir bloud.
> I found that absent *Troylus* was forgot,
> When *Dyomede* had got both brooch and belt,
> Both gloue and hand, yea harte and all, God wot,
> When absent *Troylus* did in sorowes swelt,

he was certainly thinking of the *Testament*, from which he borrowed the 'belt' and its riming-mate 'swelt.' But these lines are closely followed by three others which imitate verses in Chaucer's *Troilus* (see No. 27). Again, in a passage quoted by Miss Spurgeon (p. 110), Gascoigne refers to Cressid's unchastity with mention of both Chaucer and 'Lollius,' only to continue (in lines not quoted in the *Chaucer Allusions*) with a brief summary of Henryson's story. Gascoigne evidently thought that his information came from Chaucer; and the two allusions which Miss Spurgeon gives from the *Posies* utterly fail to indicate the enormous fascination the Troilus-Cressida story, as told in every edition of Chaucer's works known to Gascoigne, had upon him. Miss Spurgeon remarks, to be sure, that 'there are several references to Cresside in Gascoigne's poems; these are possibly to Chaucer's poem, but no special reference is made to him.' When, however, Gascoigne wrote even such an insignificant line as

> As *Pandars* niece (if she wer here) would quickly giue hir place,[1]

he was definitely referring to Chaucer. For Chaucer invented the niece-fiction, and Pandar is not once mentioned in the *Testament*. So, too, when poets tell us that Troilus knew in love no law until he saw Cressid praying at the church (Nos. 16, 18, 22) or that Troilus 'by help of his friend Pandarus' gained Cressid's love (No. 36), they are indisputably referring to Chaucer, however unimportant the allusion may be.

Peculiarly enough, too, the *Chaucer Allusions* contains only one quotation from George Turbervile—a bare reference in his *Book of Falconry* (1575) to 'a Canterbury tale'; whereas the Troilus-Cressida story influenced Turbervile even more than Gascoigne. He alluded to it constantly, though, like Gascoigne, he usually had the Cresseid of the Scotch poet in mind (see Nos. 19, 26, 40). Some distinction, of course, must be made between allusions to genuine and to uncanonical works, but in drawing a sharp distinction between *Troilus and Criseyde* and the *Testament of Cresseid,* an allusion book might almost defeat its own purpose."

It is, however, only partly true that we have drawn a distinction between Chaucer's genuine and uncanonical works. It seemed to us that where a writer expressed an opinion about one of the latter, he was, if he attributed it to Chaucer, and not otherwise, expressing an opinion about Chaucer. And false and unfounded opinions about him may be as significant as true and well-founded ones. Thus it is surely of the greatest interest to

[1] *Complete Poems of Gascoigne*, ed. Hazlitt, I. 55.

note the rise and decay of the legend based on the acceptance as genuine of the *Court of Love* and *Testament of Love ;* and all such allusions are carefully collected here.   Allusions to the story of Troilus which do not clearly point to Chaucer's story are really on the border-line ; they may be taken in the main as involving a tacit attribution of Henryson's poem to him, and so far Professor Rollins's criticism is just.   Considerations of time and space, however, prevent us from making a special search for additions which would be numerous and of very minor importance.   But with this reservation we have gratefully incorporated nearly all Professor Rollins's entries ; they are distinguished by their numbers in his series, to facilitate the references in his note quoted above.

1391, June 17.   *Writ commanding Chaucer to deliver to John Gedney the office of Clerk of the Works.* Exch. Q.R. Accounts, Works $\frac{502}{10}$. (Kirk 236.)

1412-20. Lydgate, John. *The hystorye, sege and dystruccyon of Troye.* MS. Cott. Aug. 4, fol. 48 *b*.   [*See* pt. i, pp. 23, 24 above.   These are additional references.]

[fol. 48 *b*, col. 1, last line quoted in pt. i, p. 23 above.]

To take on me it were but hiȝe foly
In any wyse to adde more þer-to
For wel I wot anoon as I haue do
Þat I in soth no þanke disserue may
Because þat he [Chaucer] in writyng was so gay
And but I write I mote þe trouþe leue
Of troye boke and my mater breue
And ouer-passe and nat go by and by

[col. 2]

As Guydo doþ in ordre ceryously
And þus I most don offencioun
Þoruȝe necligence or presumpcioun
So am I sette euene amyddes tweyne
Gret cause haue I & mater to compleyne.

[7 following lines are quoted in pt. i, p. 24 above, ending]

To god I pray þat he his soulë haue
After whos help of nede I most crave
And seke his boke [*Troilus*] þat is left be hynde
Som goodly worde þer in for to fynde
To sette amonge þe crokid lynys rude
Whiche I do write as by similitude

Þe ruby stant so royal of renou*n*
W*ith* Inne a ryng of copur or latou*n*
So stant þe makyng of hym doutles
Among oure bokis of englische perles
Þei arn ethe to knowe þei ben so excellent
Þer is no makyng to his equipolent
We do but halt who so takeþ hede
Þat medle of makyng w*ith* oute*n* any drede
Whan we wolde his stile cou*n*terfet
We may al day oure colour grynde & bete
Temp*re* our aȝour and vermylou*n*
But al I holde but presumpciou*n*

[*c.* 1420 ?] **Unknown.** *Inscription* on MS. Cotton Galba E., ix, fol. 1 *b*.
[Quoted in J. Hall's Poems of Laurence Minot, 1914, p. vii.]

[Rollins 1.]

Chaucer, Exemplar emendate scriptum.

1430. Lydgate, John. *Fall of Princes.*

He wrot also / ful many a day agone,
Dante in y*n*glyssh / hym-sylff so doth exp*r*esse,
The pitous story of Ceix and Alcyone . . .

[*See* pt. i, p. 38. We believe that Professor Kittredge has pointed out, though not in print, that Lydgate here does not say that Chaucer wrote "Dante in English," but is merely calling Chaucer "our English Dante," and repeating Chaucer's own statement in *Prol. L.G.W.* that he had wiitten *Ceyx and Alcyone.* In any case the *Hous of Fame* is far more French than Italian.]

[*c.* **1444. Lydgate,** John.] *Poem on the truce of* 1444.

Comoun Astrologeer . . .

[*See* pt. i, p. 46. Professor Tatlock points out that this phrase for the Cock is from *Troilus,* iii, 1415.]

[*c.* 1445 ? **De la Pole,** William, *Duke of Suffolk ?*] *How the louer ys sett to serve the floure,* stanzas 3 and 4. MS. Fairfax 16, Bodleian Library, fol. 326. [Printed by Dr. H. N. MacCracken in Publications of the Modern Language Association of America, vol. xxvi, No. 1, March 1911, p. 169.]

So wolde god, that my symple connyng
   Ware sufficiaunt this goodly flour to prayse,
For as to me ys non so ryche a thyng
   That able were this flour to countirpayse,
   O noble Chaucer, passyd ben thy dayse,
Off poetrye ynamyd worthyest,
And of makyng in alle othir days the best.

Now thou art gon, thyn helpe I may not haue ;
    Wherfor to god I pray, ryght specially,
Syth thou art ded, and beryde in thy graue,
    That on thy soule hym lyst to haue mercy.
    And to the monke of bury now speke I,—
For thy connyng, ys syche, and eke thy grace,
    After Chaucer to occupye his place.

[For the question of authorship see the article by Dr.
H. N. MacCracken referred to above, *An English Friend
of Charles of Orléans,* in Publications of the Modern Language Association of America, vol. xxvi, pp. 142 *et seq.* Dr.
MacCracken thinks Suffolk was the translator of Charles
d'Orléans's poems (MS. Harleian 682). With regard to the
Chaucer reference in these English poems in the Roxburghe
edn., *see* above, pt. ii, sect. i, p. 167, 1827, Taylor.]

[c. 1445.] Unknown. *Headline to ' Lack of Stedfastness.'*

[In MS. Bodley Hatton 73 there is an older title to *Lack
of Stedfastness* discovered by Dr. H. N. MacCracken by
applying acid. The revived title reads :]

Geffrey Chauncier sende these Balades to kyng Richard.

[See *Modern Language Notes,* Nov. 1908, p. 214.]

[a. 1450.] Unknown. *The Tale of Beryn. The Prologue, or the
mery adventure of the Pardonere and Tapstere at the Inn at Canterbury.* Duke of Northumberland's MS.. fol. 188, verso. (Chaucer
Society, ed. F. J. Furnivall and W. G. Stone, 1887, p. 22, ll. 680–4.
The transcript is taken from this edition, not from the MS.)

Now, q*uod* þe hoost of Southwork [MS. Southword],
                    & to þe feleshipp bent.
Who sawe evir so feir, or [evir] so glad a day ?
And how sote this seson is, entring in to may,
*[When Chauceres daysyes sprynge. Herke eek the
                    fowles syngyng,]
The thrustelis & the thrusshis, in þis glad mornyng.

[The Tale of Beryn is a supplement to the Canterbury
Tales, and in the prologue Chaucer's characters (the Pardoner,
Sompnour, Reve, the Clerk, of 'Oxinforth,' the Knyȝt, the
Miller, etc., and the ' Hoost of Southwork ') are depicted at
Canterbury, and we see their adventures there. On the way
back they decide not to draw lots as to who shall tell a tale,
and the Merchant offers to tell the tale of Beryn. The

---

* This line is not in Urry, and was apparently supplied by Dr. Furnivall.

Prologue is thus an indirect appreciation of Chaucer's work, in its sincerest form, imitation.   It opens thus :]

When aƚƚ this ffressh[e] feleship were com to Cauntirbury,
As ye have herd to-fore, with talys glad & merry,
(Som of sotiƚƚ centence, of¹ vertu & of¹ love,
And som of¹ othir myrthis, for hem þat hold no store
Of wisdom, ne of¹ holynes, ne of¹ chiualry,
Nethir of¹ vertuouse matere, but [holich] to foly
Leyd wit & lustis aƚƚ, to such [e nyce] Iapis
As Hurlewaynes meyne in every hegg that capes
Thurgh unstabiƚƚ mynde, . . .)
They toke hir In, & loggit hem at mydmorowe, I trowe
Atte " Cheker of¹ the hope " þat many a man doith knowe.

[c. 1450.] **Burgh**, Benedict.   *Translation of Cato's Disticha Moralia,* stanza 41.   [MS. Harl. 4733, fol. 9 b.]

The lymytour þat vysiteth the wyfys
Ys wyse y-nough of hym a man may ler*e*
To ʒeue gnidelis [needles] pynnys and knyuys
This craff is good thys doth the sely frer*e*
ʒeuith thyngys smale for thyngys þat ben*e* der*e*
ʒif thu resceyue ʒeue ay sumwhat agayn*e*
And that wull noryssh frendys der*e* sertayn*e*.

[According to Caxton's prologue to his own translation of Cato, 1483, Burgh made his for William, Viscount Bourchier ; the latter was probably not born much before 1435, and was married in 1466.   It is likely that this translation was made for him during his youth.   The reference is to *Prol.*, ll. 233-4.]

1450[–51]. **Cumberworth**, Sir Thomas.   *Will*, made 15 Feb. 1450–51. [In Bishop Marmaduke Lumley's Register at Lincoln ; printed in *Lincoln Diocese Documents*, 1450–1544, ed. Andrew Clark, E. E. T. Soc., 1914, p. 49.]

And I will my nese Annes . . . haue . . . my boke of the talys of cantyrbury.

[c. 1450.] **Shirley**, John.   *Headline to Stanza* in Lord Ellesmere's Lydgate MS., fol. 3, foot.

To yowe Chaucer.

[This comes at the foot of the page, and the verso is blank. Possibly the stanza intended to follow it was the 'commendacions of Chaucer' from Lydgate's *Life of Our Lady. See* above, 1409–11.]

[*c.* 1450.] **Unknown.**   *Headline to ' Truth.'*

[In MS. Bodley Hatton 73, there is an older headline to Truth, discovered by Dr. H. N. MacCracken.   It reads:]

'Chauncier [his?] balade up on his deth bed.'

[This is interesting, as the statement is thus placed on an earlier and firmer basis than John Shirley's word in MS. Tr. Coll. R. 3. 20; for Hatton is not derived from Shirley. See *Modern Language Notes*, Nov. 1908, p. 214.]

[*c.* 1450.] **Unknown.**   *A Song between Palamon, Ersyte, and Emlyn.* [Five stanzas, "copied from a MS. of the time of Henry VI. preserved in the library of Trinity College, Dublin," and printed in Wright and Halliwell's *Reliquiae Antiquae*, vol. ii, p. 11.]

[Rollins 2.]

[st. 4]   O thou, Emlyne, thi fayrenes
               Brought Palamon and Ersyte in gret distresse;
               In a garden whan thou didist syng
               So fresshely in a May mornyng.

[*c.* 1470?] **Unknown.**   *Selections and alterations* in the manuscript of Chaucer's *Monkes Tale* in Trinity College, Cambridge MS., R. 3, 19.
     [On folio 170 *b* a *prohemium* begins,

               Worshipfull and dyscrete that here present be
               I wyll yow tell a tale, two or thre,

which continues in the terms of the monk's opening speech, Oxford Chaucer, B. 3158–3180. The first line as here given, and the alteration in the second line are the work of the person who made the extracts; the rest are all Chaucer's. There follows the *Monkes Tale*, B. 3181–3196 (De Lucifero). Then, because Chaucer has not done justice to Adam in his one poor stanza, the scribe substitutes Lydgate's long account of Adam in the *Fall of Princes*, and certain envoys from the same source, in Bk. I, chaps. 1, 3, 4, 8 (in part). This takes up to folio 179*a*, where the scribe goes back to *Monkes Tale* and completes it (with the exception of ll. 3565–3588, and l. 364 which are omitted) from Sampson to Cresus, B. 3205–3956.
     Having completed the *Monkes Tale*, and added his *Explicit*, the scribe goes on with the extracts and envoys from the *Fall of Princes*, in the following order: Books I, chapters 6, 7, 9, 11, 12, 14, 18, 23; II, 2, 4, 6, 12, 13, 15, 21, 22, 25, 27, 30; III, 5, 9, 10, 14, 17, 20.
     This is notable as an indication of the taste which

could select this tale of all others for reading, and then substitute Lydgate for Chaucer.

See note by Dr. H. N. MacCracken in *Modern Language Notes*, March 1908, p. 93, from which this is summarised.]

[1474.] Caxton, William. *The Recuyell of the Historyes of Troye.* (Ed. H. O. Sommer, vol. ii, pp. 601, 604.)

[Rollins 3.]

[p. 601]   Calcas that by the comandement of Appolyn had lefte the troians / had a passing fayr doughter and wyse named breseyda / Chaucer in his booke that he made of Troylus named her creseyda.

[p. 604]   Ther was neuer seen so moche sorowe made betwene two louers at their departyng / who that lyste to here of alle theyr loue / late hym rede the booke of troyllus that chawcer made / wherin he shall fynde the storye hooll / whiche were to longe to wryte here.

1476–7. Spirleng, Geoffrey and Thomas. *Colophon* to MS. Hunterian 197. *Canterbury Tales.* (Catalogue of the Manuscripts in the . . . Hunterian Museum, 1908, p. 140.)

[f. 102vo.]   Orate pro salute animarum Galfridi Spirleng Ciuis Norwici Court holder Clerici maioratus et Comitatis dicte Comitatis ac Thome Spirleng filij sui qui scribendo hunc librum compleuerunt mense Januarij anno domini Millesimo cccc^{mo} lxxvj° que [quo?] tempore dictus Galfridus quasi quinquaginta et dictus Thomas quasi Sedecimo etatis extiterunt annorum.

[c. 1490.] Colet, John. *Study of Chaucer.* *See* supra, pt. i, p. 73, Erasmus, **1519.**

[In pt. i, p. 73, this is entered under 1519, the date of Erasmus's letter; but it should have been entered as c. 1490; for Erasmus distinctly refers to the period of Colet's life prior to his journey to Italy in 1493.]

[c. 1500.] Unknown. *A ryght pleasaunt and merye Historie of the Mylner of Abyngdon, with his wife, and his fayre daughter: and of two poor scholers of Cambridge . . . Imprinted at London by Rycharde Ihones.*

[The unique copy of this edition is in the Bodleian; that of Wynkyn de Worde's, also undated, was at Britwell. The poem is probably much older than any printed edition.

The plot is that of the *Reves Tale*, but it may be independently derived from a French fabliau. *See* the reprint in Thomas Wright's *Anecdota Literaria*, 1844.]

1501. Douglas, Gavin. *The Palis of Honoure.* (Poetical Works, ed. J. Small, 1874, vol. i, p. 22.) [1st ed. in B.M., Copland [1553], sig. C 4 b.]

[Rollins 5.]

Thair wes Arsyte, and Palemon alswa
Accumpanyit with fare Emylya,
The quene Dido with hir fals luf Enee,
Trew Troylus, vnfaythfull Cressida.

[Mr. Rollins says : "The context makes it almost certain that Douglas had in mind the *Legend of Good Women* (cf. Miss Spurgeon's quotation, p. 71, from Douglas) as well as the *Troilus* and the *Knight's Tale*. There are other allusions in Douglas similar to this." *See* also above, pt. i, p. 65.]

[n.b. 1506.] Unknown. *Verses*, written on the flyleaf of a copy of Durandus, *Rationale Divinorum Officiorum*, Lyons, 1506, printed in *Notes and Queries*, ser. i, vol. vii, pp. 568-9, 11 June 1853, by W. H. G.

[Stanza 4th and last begins :]

O ye imps of Chynner [i. e. Chaucer], ye Lydgatys pene,
With the spright of bookkas ye goodly inspirryd,
Ye Ynglyshe poet [etc.].

[c. 1507.] Skelton, John. *Phyllyp Sparowe.* (Works, ed. A. Dyce, 1855, I, 84-85), ll. 672 ff. [Earliest ed. in B.M., Kele [1545?], sig. B 8ᵇ–C 1ᵇ.] [*See* also above, pt. i, p. 68.]

[Rollins 6.]

And though I can expounde
Of Hector of Troye, . . .
And of the loue so hote
That made Troylus to dote
Vpon fayre Cressyde,
And what they wrote and sayd,
And of theyr wanton wylles
Pandaer [*sic*] bare the bylles
From one to the other ;
His maisters loue to further,
Sometyme a presyous thyng,
An ouche, or els a ryng ;
From her to hym agayn
Somtyme a prety chayn,

Or a bracelet of her here;
Prayd Troylus for to were
That token for her sake ;
How hartely he dyd it take,
And moche therof dyd make
And all that was in vayne,
For she dyd but fayne ;
The story telleth playne . . .
Disparaged is her fame ;
And blemysshed is her name,
In maner half with shame ;
Troylus also hath lost
On her moch loue and cost,
And now must kys the post ;
Pandara [*sic*], that went betwene,
Hath won nothing, I wene,
But lyght for somer grene ;
Yet for a speciall laud
He is named Troylus baud,
Of that name he is sure,
Whyles the world shall dure.

[*c.* 1510.] **Skelton**, John. *Skelton Lauriate Defend[er] Agenst M. Garnesche Challenger, et Cetera.* (Works, ed. Dyce, 1843, 2 vols., vol. i, p. 117.)

[Rollins **7.**]

.   .   .   your semely snowte doth passe,
Howkyd as a hawkys beke, lyke Syr Topyas.

[*Sir Thopas*, ll. 17-18.]

[Skelton possibly had these verses also in mind when he later wrote of Garnesche (*Works*, vol. i, p. 130) :

For thow hast a long snowte,
A semely nose and a stowte.]

1516. **Cornish**, William. *The Story of Troylous and Pandor* [*sic*]. [Unpublished. *See* C. W. Wallace, Evolution of the English Drama up to Shakespeare, Berlin, 1912, pp. 48, 50–2, 54.]

[Rollins **8.**]

[This comedy was played by fifteen actors on Twelfth Night, 1515/16. Cornish took the rôle of Calchas. " The children acted the rôles of Troilus, Cressid, Diomed, Pandor [*sic*], Ulysses, and others not named. . . . The play was a free adaptation of the love-theme of Chaucer's *Troilus and Criseyde.* . . . Even Chaucer's ' Criseyda in widowes habite blak' remained in the account of the furnishings as ' Kryssyd imparylled lyke a wedow of onour, in blake sarsenet and other abelements for seche mater.' " Other borrowings from Chaucer are also discussed by Professor Wallace.]

[*c.* **1520.**] **Unknown.** *Here is the boke of mayd Emlyn that had .v. Husbandes and all kockoldes,* John Skot, n.d.   (Ed. E. F. Rimbault, Percy Society, 1842, vol. vi, pp. 13-29.)

[Rollins 9.]

[p. 15]
     mayde Emlynne,
   That had husbandes fyue,
   And all did neuer thryue.

[p. 16]
   She coude byte and whyne.

[*Cf.* " For as an hors I coude byte and whyne."
Wife of Bath's Prologue, i, 386.]

[Rimbault, p. viii, remarks that this poem " bears some slight resemblance " to the *Wife of Bath's Prologue.* The resemblance is far from slight. Chaucer's poem no doubt suggested this *Mayd Emlyn.* The whole tone of the two poems is the same, although the author has greatly debased Emlyn.]

1523. Skelton, John. *Skelton, Laureate, &c. Howe the Douty Duke of Albany. Lyke a Cowarde Knyght, Ran Awaye Shamfully, with an Hundred Thousande Tratlande Scottes and Faint Harted Frenchmen, beside the Water of Twede, &c.* (Works, ed. A. Dyce, 1855, ii, 330.)

[Rollins 10.]

   But hyde thé, sir Topias,
   Nowe into the castell of Bas,
   And lurke there, like an as.

1528. Tyndale, William. *The Obedience of a Christen Man,* To the Reader, f. xx, *recto.* (Ed. by R. Lovett [1888], Christian Classics Series, no. v, p. 67.)

They [the ecclesiastical authorities] permitte & sofre you to reade Robyn hode & bevise of hampton, hercules, hector and troylus with a tousand histories & fables of love & wantones & of rybaudry . . .

1531-2. Gaunte, William. *Will* of 12 March 1531-2 (proved 16 April 1532), [in] *Lincolnshire Wills,* 1500–1600, ed. A. R. Maddison, 1888, p. 8.

[In this will William Gaunte, of Biddlethorpe, Lincolnshire gives his son John]

Certain inglysh bokes: Legenda aurea, Crownacles, Canterbury tales, and lyttylton teners.

[This was perhaps a copy of one of Caxton's editions.]

[*n.a.* **1534.**] **Unknown.** *The Payne and Sorowe of Euyll Maryage* Wynkyn de Worke (Percy Society reprint, 1840).

[Rollins 12.]

[Wynkyn de Worde died in 1534.]

[st. 14] . . . Salamon sayth there be thynges thre,
Shrewde wyves, rayne, and smokes blake
Make husbandes ofte theyr house to forsake.

[Possibly a reference to *Wife of Bath's Prologue,* ii, 278 81, but the passage in Proverbs was very often quoted.]

[st. 16] They them rejoyce to se and to be sene,
And for to seke sondrye pylgrymages,
At greate gaderynges to walke on the grene,
And on scaffoldes to sytte on hygh stages,
If they be fayre to shewe theyr vysages.

[Possibly a reference to *Wife of Bath's Prologue,* ii, 555–559.]

1538. Smyth, Walter. *Will.* (P. C. C. Wills, 8 Cromwell, 1538.)

To John More, Chauscer of Talles.

[Walter Smyth, the author of the *Twelve Merry Jests of the Widow Edith,* was a member of the household of Sir Thomas More.]

[*a.* **1542.**] **Wyatt,** Sir Thomas. *Influence of Chaucer.*

[The influence on Wyatt of Chaucer's verse as read in Pynson and Thynne is very marked. *See,* for a detailed examination of this, *A Study of Sir Thomas Wyatt's Poems,* by A. K. Foxwell, London, 1911, chaps. vi and vii. There are also resemblances in phrase and in word forms, *see ibid.,* pp. 53–6 ; and one poem of Wyatt's, ' If thou wilt mighty be, flee from the rage ' (Tottel's Miscellany, Arber's reprint, 1895, p. 224) is probably founded on Chaucer's prose translation of Boethius, though it may be translated from the Latin original ; *see ibid.,* p. 57. For Wyatt, *see* above, pt. i, p. 83.]

1542. Leland, John. *Naeniae in mortem Thomæ Viati equitis incomparabilis,* Aij *recto.*

Ioannis Lelandi Antiquarii carmen ad Henricum Houardum Regnorum comitem iuuenem tum nobiliss. tum doctis, simum.

> Accipe Regnorum comes illustrissime carmen,
> Quo mea Musa tuum laudauit moesta Viatum
> Non expectato sublatum funere terris.
> Nominis ille tui dum vixit magnus amator.
> Tu modo non viuum coluisti candidus illum,
> Verum etiam vita defunctum carmine tali
> Collaudasti, quale suum Chaucerus auitæ
> Dulce decus linguæ vel iuste agnosceret esse.

[c. **1545.**] **Leland,** John. [*Life of Chaucer* in] *Commentarii de Scriptoribus Britannicis,* ed. A. Hall, Oxford, 1709, pp. 419–26.

Cap. DV. *De Gallofrido Chaucero.*

[p. 419]   GALLOFRIDUS *Chaucerus,* nobili loco natus, & summæ spei juvenis, *Isiacas* scholas tam diligenter, quam qui maxime, celebravit : id quod ut faceret, academiæ vicinitas quodammodo invitavit.   Nam quibusdam argumentis adducor ut [p. 420] credam, *Isiacam* vel *Berochensem* provinciam illius natale solum fuisse. Hinc acutus dialecticus, hinc dulcis rhetor, hinc lepidus poeta, hinc gravis philosophus, hinc ingeniosus mathematicus (qua parte & à *Joanne Somaeo,* & *Nicolao Carmelita Linensi,* viris in mathesi eruditis, quos in libro de *Sphæra* nominat, instructus fuit) hinc denique sanctus theologus evasit.   Maxima equidem sum locutus ; at quisquis ejus libros curiosa manu evolverit, me bonæ fidei præconem facile judicabit.   Ingenue tamen fatebor sic eum *Isiaci* studuisse, ut & alibi etiam longo studiorum usu multa ad scientiæ cumulum adjecerit.   Constat utique illum circa postremos *Richardi* secundi, cui non incognitus erat, annos in *Gallia* floruisse, magnamque ex assidua in literis exercitatione gloriam sibi comparasse : tum præterea eadem opera omnes veneres, lepores, delicias, sales, ac postremo gratias linguæ *Gallicæ* tam alte coimbibisse, quam cuiquam vix credibile.   Laus ista *Gallofridum* in *Angliam* reversum sequebatur, tanquam comes ejus virtutis individua. Ejusmodi igitur lætus successibus forum *Londinense* &

collegia leguleiorum, qui ibidem patria jura interpretantur, frequentavit, ut & ante *Galliam* cognitam forsitan fecerat.

Illis temporibus inter forenses clarissimus erat *Joannes Goverus,* cujus vitam præscripsimus, homo venerandæ ætatis, & qui mirum in modum *Anglicæ* linguæ politiei studebat. Hic, perspecta indole & examinata *Gallofridi* probitate, illum in familiarem sibi accivit, illum ulnis amplexus est, illum etiam in honestis deliciis habuit, illum denique tanquam *numen aliquod* modo non veneratus est. Ut ego taceam, ipsemet *Goverus* in libro, qui titulo *Amantis* inscribitur, abunde satis declarat, quanti suum *Chaucerum* fecerit ; quem accuratissime prius laudatum, eximium vocat poetam, & sui operis quasi *Aristarchum* facit. Ecce tibi, lector, pulcherrimum virtutis certamen, nam ut *Goverus,* honorem parum sibi tribuens, lucubrationes, quas consummaverat *Gallofridi* judicio modeste submisit : sic rursus *Chaucerus* Amores Troili *Goveri* & *Strodæi* calculis subjecit. Sed quis hic *Strodæus* fuerit, apud autorem nullum hactenus legi. At memini interim legisse me illustria de *Strodæo, Maridunensis* societatis ad *Isidis Vadum* alumno, in poesi [p. 421] eruditissimo, qui & in catalogo *Maridunensium* postremis *Eadveardi* tertii annis adscribitur. Tantum apparet ex *Gallofridi* versiculis philosophiæ studiosum fuisse. Adde huc, quod quemadmodum *Chaucerus* admirator simul & sectator *Goveri,* ita . . . [stops as in text] *Schoganus,* cujus sepulchrum Visimonasterii extat, vir ad omnes facetias & sales compositus, *Chauceri* admirator ac imitator fuit. At rursus, quanto discipulus *Chaucerus* major *Govero* præceptore suo, tanto minor erat *Schoganus Chaucero.*

Nunc vero orationis series postulat, ut aperte doceamus quem scopum *Gallofridum* studiis præfixerit. Profecto ejus scopus unicus fuit, ut linguam *Anglicam* numeris omnibus quam ornatissimam redderet, viderat enim *Goverum* in eodem negotio belle processisse. Quare nullum non movendum sibi lapidem putabat, quo ad supremam felicitatis metam perveniret. Et quoniam poesim præter cætera semper dilexit, amavit, coluit ; visum est ei vel commodissimum per illum ad ipsa eloquentiæ culmina viam patefacere. Tale etenim est poesis, ut tropos, elegantias, ornamenta, copiam, & quicquid venerum & leporum est, non modo admittat, verum, quod multo majus, suo quodam jure poscat.

Adde huc, quod *Italos* & *Gallos*, qui plurima suis linguis terse, nitide, ac eleganter scripserunt, in partem operis evocaverit. Tantum est inclytos habere duces, quos sequaris.   *Petrarcha* circa hæc tempora in *Italia* claruit, cujus opera lingua ibidem vernacula eo elegantiæ perducta est, ut cum ipsa *Latina* de eloquentiæ palma contenderit.   Quidam etiam *Alanus* linguam *Gallicam* infinitis modis expoliebat.   Uterque istorum (multos alios clarissimæ notæ homines, qui eadem fecerunt, omitto) calcar *Chaucero*, alioqui sua sponte satis currenti, addidit. Bonis igitur avibus incepto operi incubuit, nunc libellos *Gallica* lingua compte, ornate, diserte scriptos in patrium sermonem transferens; nunc *Latinos* versus *Anglicis*, sed docte, sed apte, sed canore exprimens; nunc multa è suo capite nata, & *Latinorum* felicitatem æquantia, victuris chartis commendans; nunc lectori ut prodesset nervis omnibus contendens, & vicissim ut eundem delectaret sedulo curans: nec antea finem fecit, quam linguam nostram ad eam puritatem, ad eam eloquentiam, ad eam denique brevitatem ac gratiam perduxerat, ut inter expolitas gentium [p. 422] linguas posset recte quidem connumerari.   Itaque in libris meorum *Epigrammatôn* his versibus ejus gloriæ assurgo :

> Prædicat *Aligerum* merito *Florentia Dantem*,
>   Italia & numeros tota, *Petrarche*, tuos :
> *Anglia Chaucerum* veneratur nostra poetam,
>   Cui veneres debet patria lingua suas.

Et rursus :

> Dum juga montis aper, frondes dum læta volucris,
>   Squamiger & liquidas piscis amabit aquas :
> *Mœonides, Grœcœ* linguæ clarissimus autor,
>   *Aonio* primus carmine semper erit.
> Sic quoque *Virgilius Romanæ* gloria musae
>   Maxima, vel *Phœbo* judice, semper erit.
> Nec minus & noster *Galfridus* summa *Britannæ*
>   *Chaucerus* citharæ gratia semper erit.
> Illos quis nescit felicia sæcla tulisse,
>   Hunc talem & tantum protulit hora rudis.
> Tempora vidisset quod si florentia musis,
>   Æquasset celebres, vel superasset avos.

Neque hic pigebit in medium adducere Hendecasyllabos, ex eodem fonte petitos, quos aliquot ab hinc annis, orante

Thoma Bertholeto, typographo cum diligenti tum erudito, scripsi :

Cum novum brevis *Atticus* leporem
Invenisset, & undecunque *Græcam*
Linguam perpoliisset, insolenter
Barbaros reliquos vocare cœpit.
Cujus vestigia impiger *Quirinus*
Ter certo pede persequens, *Latinum*
Sermonem bene réddidit venustum ;
Et cum *Græco* alios rudes vocavit.
At quanto mihi rectius videtur
Fecisse officium suum disertus
Chaucerus, brevitate primus apta
Linguam qui patriam redegit illam
In formam, ut venere & lepore multo,
Ut multo sale, gratiaque multa
[p. 423] Luceret, velut *Hesperus* minora
Inter sidera ; nec tamen superbe
Linguæ barbariem exprobravit ulli.
Quare vos juvenes manu *Britanni*
Læta spargite nunc rosas süave–
Spirantes, violasque molliores,
Et vestro date, candidi, poetæ
Formosam ex hedera [citi] coronam.

Sed jam satis nostrarum nugarum adposuimus.   Alius ille sortis homo erat, quam ut meæ præconio musæ meritas laudes accipere queat.   O quanto citius sub æquo judice à suis operibus justam consequetur laudem.   Ideoque optarem quidem nostram linguam poetis *Latinis* familiarem esse: tunc facile inquam, facile in meam sententiam irent.   At quoniam quod opto vix fieri potest, tantum exoratos volo, ut mihi *Latinarum* literarum amatori aliquid in hac parte fidei habeant.   Quo auspicio non gravabor ejus lucubrationum inscriptiones *Latinitate* donare ;   ut sic saltem leonem, quemadmodum in proverbio est, ex ipsis æstiment unguibus.

Quanquam priusquam id, quod modo sum pollicitus, præstitero, non alienum meo erit instituto palam facere *Gulielmum Caxodunum*, hominem nec indiligentem, nec indoctum, & quem constat primum *Londini* artem exercuisse typographicam, *Chauceri* opera, quotquot vel pretio vel precibus comparare potuit, in unum volumen collegisse.

Vicit tamen *Caxodunicam* editionem *Bertholetus* noster
opera *Gulielmi Thynni* ; qui, multo labore, sedulitate, ac
cura usus in perquirendis vetustis exemplaribus, multa
primæ adjecit editioni. Sed nec in hac parte caruit *Brianus
Tucca*, mihi familiaritate conjunctissimus, & *Anglicæ* linguæ
eloquentia mirificus, sua gloria, edita in postremam im-
pressionem præfatione elimata, luculenta, eleganti. Sequar
igitur codicem paucis ab hinc annis impressum, & promissum
adponam syllabon.

Fabulæ *Cantianæ* xxiv.

quarum duæ soluta oratione scriptæ ; sed *Petri Aratoris*
fabula, quæ communi doctorum consensu *Chaucero*, tanquam
vero parenti, attribuitur, in utraque editione, quia malos
sacerdotum mores vehementer increpavit, suppressa est.

[p. 424] De Arte amandi, alias *Romaunce of the Rose.*
Amores *Troili* & *Chrysidis* lib. 5.
Testamentum *Chrysidis* & ejusdem Lamentatio.
Amores Heroidum.
De Consolatione Philosophiæ, soluta oratione.
Somnium *Chauceri,*
Chorus Avium.
Flos Humanitatis,
qui libellulus à multis, tanquam nothus, rejicitur.
De Pietate mortua, & ejus Sepultura.
Chorus Heroidum.
De Astrolabio ad *Ludovicum* filium suum, prosa.
Querela Equitis Cogn. *Nigri.*
Encomium Mulierum.
De Fama lib. 3.
Testamentum Amoris, lib. **3.**
Threni *Magdalenæ.*
De Remedio Amoris.
Querelæ *Martis* & *Veneris.*
Epistola *Cupidinis.*
Cantiones.

Hactenus de nomenclatura ejus librorum, qui hodie passim
leguntur. Præter illos tamen, quos ego recensui, ipsemet
in prologo, *Amoribus Heroidum* præfixo, fatetur se scripsisse
libellum de *Morte Blanchæ* ducis : tum etiam *Origenis de*

Magdalena opusculum transtulisse : quod ego, (si modo *Origenes* tale quidquam scripsit) idem esse arbitror cum *Lamentatione Magdalenæ*, de qua superius in syllabo mentionem feci.

Forsitan hic aliquis finem dicendi à me expectaret, sed ego pauca adhuc habeo, quæ *Chaucerum* posteritati magnifice commendabunt. Nam, quemadmodum *Richardo Burdegalensi, Anglorum* regi, cognitus, & virtutum nomine charus fuit ; ita etiam *Henrico* quarto, & ejus filio, qui de *Gallis* triumphavit, eisdem titulis commendatissimus erat. Quid quod & tota nobilitas *Anglica* illum, tanquam absolutum torrentis eloquentiæ exemplum, suspexit. Accessit insuper ad ejus gloriam, quod sororem habuerit, quæ *Gulielmo Polo* (nisi me nomen fallit) *Sudovolgiæ* duci, nupsit, ac magno in splendore *Aquelmi* vitam egit ; ubi postea, fatis sic volentibus, diem quoque obiit, &, ut ego aliquando accepi, sepulta est.

[p. 425] Inter hæc *Chaucerus* ad canos devenit, sensitque ipsam senectutem morbum esse ; qua ingravescente, dum is *Londini* causas suas curaret, mortuus est, & *Visimonasterii* in australi insula basilicæ, D. *Petro* sacræ, sepultus.

Ludovicum autem reliquit fortunarum suarum, quas utcunque amplas habebat, hæredem, & præcipue villæ suæ *Vodestochæ*, regiæ admodum vicinæ. Aliquanto post tempore *Gulielmus Caxodunus Chauceri* monimentum hoc disticho inscribi fecit.

> *Galfridus* CHAUCER vates, & fama poesis
> Maternæ, hac sacra sum tumulatus humo.

Hi duo versus desumpti fuerunt ex quadam nænia, quam *Stephanus Surigonus, Mediolanensis*, poeta suo tempore clarus, rogante *Gulielmo Caxtono*, scripsit. Quare juvat totam ipsam næniam, quoniam tersa, canora, & rotunda est, in præsentia recitare. Sic enim *Chaucerus*, qui re vera maximus fuit, nobili testimonio externi scriptoris major videbitur :

[Quotes Surigo's Latin epitaph, beginning :

 ' *Pierides* musæ, si possunt numina fletus.'

See *a.* 1479, vol. i, p. 59, *ante.*]

[p. 426] Habes nunc, humanissime lector, elegos in nivea tabella

depictos, quos *Surigonus Visimonasterii* columnæ, *Chauceri*
sepulchro vicinæ, adfixit. Tu sæpe eosdem in nostri vatis
gratiam legas. Sic tibi quisquis eris, faveat suadela,
leposque.

[A translation of this earliest account of Chaucer is given
in Lounsbury's *Studies in Chaucer* (1892), vol. i, pp. 133–42.]

[*n.a.* **1547.**] **Howard,** Henry, Earl of Surrey, *Influence of Chaucer
upon,* in The Poems of Henry Howard, Earl of Surrey, [ed. by]
F. M. Padelford (Univ. of Washington Publ., Lang. & Lit., vol. i),
1920, critical notes, *passim.*

[*n.a.* **1547.**] **Howard,** Henry, Earl of Surrey. *Complaint of a diying*
[sic] *louer,* [a poem, in] Songes and Sonettes [Tottel's Miscellany],
1st ed., 5 July, 1557, in Bodl. ; 2nd ed, 31 July, 1557, 1st in B.M.,
sign. Ci*b.* (Ed. E. Arber, 1870, p. 18.)

[Rollins 14.]

Chreseids loue, king Priams sonne, ye worthy Troilus.

1548. Bale, John. [*Life of Chaucer,* in] *Illustrium Maioris Britanniæ
Scriptorum . . . Summarium,* ff. 198, 233.

Galfridus Chaucer, Anglus, eques auratus, uir tam bonis
disciplinis quam armata militia nobilis, exquisita quadam
Anglici sermonis eloquentia, ætatem suam multo quam
antea ornatiorem reddidit. Præter Mathesim quam ingenue
callebat, poeta lepidus erat. Ac talis apud suos Anglos,
quales olim fuere apud Italos, Dantes & Petrarcha. Patrij
sermonis restaurator, potius illustrator (& merito quidem)
habetur adhuc primus. Boetium de consolatione philosophiæ transtulit ad filium suum Ludouicum Chaucerum,
& poemate uario, in lingua materna perappositæ ac compte
tractatus hos fecit, ut partim uidi, partim ab amico quodam
fideliter accepi.

Trophæum Lombardicum, li. **1.**
De principum ruina,   li. 1.
Emblemata moralia,   li. 1,
Amatoria carmina,   li. 1.
De curia Veneris,   li. 1. In Mai ocum uirescerent, &c.
Chryseidæ testamentum, trac. 1. Diuturnis horis donec dolo.
Chryseidæ quærimoniam, trac. 1. O tristem & cruentam lethi.
Laudes bonarum mulierum, trac. 1. Mille uicibus accepi muli.
Cleopatræ uitam, trac. 1. Post mortem Ptolemei regis.

Vitam Thysbes Babylonicæ, trac. 1. Babyloniæ quam Semi-
rannis [sic].
Vitam Didonis Carthaginensis, trac. 1. Tuo sit nomine Vergili.
De Hipsyphile & Medæa, trac. 1. Sinistri amoris radix Iason.
Vitam Lucretiæ Romanæ, trac. 1. Fingendum mihi est
Romano.
De Ariadna Cretensi, trac. 1. Cretensium rex Minos infer.
[fol. De Phylomela Atheniensi, trac. 1. formarum fabricator, qui.
198b] De Phyllide Thracensi, trac. 1. Tam argumento quam autori.
De hypermestra Ægyptia, trac. 1. In Græcia duo fratres erant.
Somnium Chauceri, trac. 1. Admirari hercle sat nequeo.
Volucrum conglobationem, trac. 1. Tam brevis est uita, ars.
Vrbanitatis florem, trac. 1. In februario cum luna.
De misericordiæ sepultura, trac. 1. Quæsitam a multis annis.
Carmen facetum, trac. 1. In somno semisepultus au.
De Augea & Telepho, trac. 1. Immictis belligerantium deus.
Choream dominarum, trac. 1. Dum in Septembri uirgulta.
De Astrolabij ratione, trac. 1. Fili mi Ludouice, certis.
Quæremoniam, nigri militis, trac. 1. In Maio dum Flora
regina.
Fœminarum Encomion, trac. 1. Quibus animus est de muli.
Narrationes diuersorum, trac. 1. In comitatu Lyncolniensi.
De Troilo & Chryseida, trac. 1.
De Cæyce & Halcyona, trac. 1.
In obitum Blanchiæ ducissæ, trac. 1.
Tragœdias graues,   li. 1.
Comœdias leues,   li. 1.
Satyras & Iambos,   li. I.
Facecias & Iocos,   li. 1.
Elegias & pœmata [sic],   li. 1.

De ceteris nihil accepi. A Guilielmo Whyte atque alijs
tunc uerbi ministris talia hausisse fertur, quod monachorum
otia, missantium turbam ingentem, horas non intellectas,
reliquias, ac cęremonias parum probauerit. Ad annum
humanę redemptionis, 1450, uixisse perhibetur sub Henrico
sexto.

      .   .   .   .

[fol. 233b.] Thomas Wyet[sic], ex illustri prosapia eques auratus, cum
animi nobilitate literas Cantabrigiæ coniungens, in illu-
stratione patrij sermonis, Chaucerum plane adæquabat.

[*Free translation of above :*

Geoffrey Chaucer, an English knight, distinguished both for his courtesy and military talents, exhibited consummate skill in the handling of the English language, and adorned the age in which he lived.   Besides mathematics, in which he was proficient, he excelled as a poet, and rightly enjoys to this day in England the same reputation as Dante and Petrarch possessed of old in Italy, as having restored, nay added, glory to his mother tongue.   He translated for his son, Lewis Chaucer, the treatise of Boethius on the Consolation of Philosophy, and composed in English with great appositeness and grace, the following poems in various styles, some of which I have seen and the others heard of on good authority from a friend.

[List of works follows.]

Of his other works I have not heard.   It is related by William White and other contemporary divines that Chaucer by no means approved of the idleness of that great crowd of mumblers, the monks, nor of their unintelligible prayers, their relics and ceremonies.   He is said to have lived until the year 1450 of the Christian Era, in the reign of Henry VI.

Thomas Wyat, knight, of illustrious ancestry, combined scholarship, gained at Cambridge, with loftiness of mind, and equalled Chaucer in adorning his native tongue.]

1557.   Unknown.   *A comparison of his loue with the faithfull and painfull loue of Troylus to Creside,* ([a   poem,   in]   Songes   and Sonettes [Tottel's Miscellany].   (1st ed. 5 June, 1557, in Bodl. ; 2nd ed., 31 July, 1557, 1st in B.M., f. 81.   Ed. Arber, pp. 192–194.)

[Rollins 16.]

[The author borrowed Chaucer's details up to the point where Cressid "yielded grace" to Troilus.   He tells, *e. g.*, how Troilus fell in love with Cressid at first sight, and how he was so lovelorn that]

> His chamber with his common walke,
> Wherein he kept him se[c]retely,
> He made his bedde the place of talke.

1557.   Bale, John.   *Scriptorum   Illustrium   Maioris   Brytanniæ . . . Summarium,* Basle, 1557–9, vol. i, pp. 525–7 [*Life of Chaucer* in Bale's 2nd edition], 702.

Galfridus Chavcer, xxiiii

Galfridus Chaucer, nobili loco natus, & summæ spei iuuenis, Oxonienses scholas tam diligenter quàm qui

maximè celebrauit : id quod ut faceret, academiæ uicinitas
quodammodo inuitauit. Nam quibusdam argumentis
adducebatur Lelandus, ut crederet Oxoniensem uel Baro-
chensem prouinciam, illius fuisse natale solum. Hinc acutus
dialecticus, hinc dulcis rhetor, hinc lepidus poeta, hinc
grauis philosophus, ac sanctus denique theologus euasit.
Mathematicus insuper ingeniosus erat, à Ioanne Sombo
& Nicolao Lynna, Carmelitis Lynnensibus, uirisque in
Mathesi eruditis, instructus : quos ipse in libro suo de
Sphaera celebrat, & clericos reuerendos uocat. Constat
utique, illum circa postremos annos Ricardi secundi in
Galliis floruisse, magnamque illic ex assidua in literis
exercitatione gloriam sibi comparasse. Tum præterea eadem
opera, omnes ueneres, lepôres, delicias, sales, ac postremò
gratias linguæ Gallicæ tam altè imbibisse, quàm cuiquam
uix credibile. Laus ista Galfridum in Angliam reuersum
sequebatur, tanquam comes eius uirtutis indiuidua. Eius-
modi igitur lætis successibus, forum Londinense & collegia
leguleiorum, qui ibidem patria iura interpretantur, frequent-
auit, familiaremque amicum inter eos Ioannem Gouerum mox
habuit. Horum duorum unicus erat studiorum scopus, ut
linguam Anglicam numeris omnibus quàm ornatissimam
redderent. Nec antea finem fecerant, quàm linguam illam ad
eam eloquentiam, ad eam denique breuitatem perduxerant,
ut inter expolitas gentium linguas posset rectè quidem
connumerari. Huius Chauceri lucubrationum inscriptiones
non grauabor hic latinitate donare : ut sic saltem leonem,
ut in prouerbio est, homines ex ipsis æstiment unguibus.
Adponam ergo syllabon, composuit enim,

Fabulas Cantianas, 24, Lib. 1. Olim erat, ut ueteres historæ
innuunt.

Præfationes earundem, Lib. 1. Dum imbribus suauibus Aprilis.
Aratoris narrationem, Lib. 1. Agricola tulit aratrum, dum
essent.

De arte amandi, Romane, Lib. 1. Plerique fatentur in som-
nijs meras.

Amores Troili & Chrysidis, Lib. 5. Vt demonstrarem Troili
duplicem.

Testamentum Chrysidis, Lib. 1. Diuturnis horis donec dolo.
Lamentationem Chrysidis, Lib. 1. O gemitus offella mœrore im.

Amores Heroidum, Lib. 1.

De consolatione philosophiæ, Lib. 5. Carmina quæ quondam
studio.

Somnium Chauceri, Lib. 1. Admiror hercle plurimum, quali.

Chorum auium, Lib. 1. Vita tam breuis est, artis tam.

Vrbanitatis florem, Lib. 1. In Februario cum cornuta esset.

De pietate mortua. Lib. 1. Oh, quod pietatem tandiu quæsi.

Heroidum Chorum, Lib. 1. In Septembri, dum folia uirgulta.

[p. 526]De astrolabio, ad filium, Lib. 1. Fili mi Ludouice, certis signis.

Querelam equitis nigri, Lib. 1. In Maio, dum Flora regina
terram.

Encomium mulierum, Lib. 1. Quibus animus est, mulieres.

De fama, & eius domicilio, Lib. 3. Vertat nobis Deus somnia in.

Testamentum amoris, Lib. 3. Multi sunt qui patulis auribus.

Threnos Magdalenæ, Lib. 1. Mœstitiæ lethiferæ uoraginibus.

De remedio amoris, Lib. 1. Viso multiplici incommodo, quod.

Querelam Martis & Veneris, Lib. 1. Congratulemini amatores,
pullu.

Epistolam Cupidinis, Lib. 1. Cupido, ad cuius nutum gener.

Cantiones quoque, Lib. 1. Mille historias adhuc recensere.

De Meliboeo & prudentia, Lib. 1. Iuuenis quidam Meliboeus,
pontem.

De peccatis ac remedijs, Lib. 1. Hieremiæ 6. State super uias.

Laudes bonarum mulierum, Lib. 1. Mille uicibus ab hominibus
atque.

Cleopatræ uitam, Lib. 1. Post mortem Ptolemæi regis magni.

Vitam Thisbæ Babylonicæ, Lib. 1. Babyloniæ quandoque contigit.

Vitam Didonis Carthaginensis, Lib. 1. Gloriosum sit Vergili
Mantuane.

De Hypsiphile & Medea, Lib. 1. Dissimulantium amatorum
radix.

Lucretiæ Romanæ uitam, Lib. 1. Narrare nunc oportet
auxilium.

De Ariadna Cretensi, Lib. 1. Discerne, infernalis Cretæ rex.

De Philomela Atheniensi, Libi. 1. Formarum fabricator qui
formasti.

De Phyllide Thracensi. Lib. 1. Tam argumento quàm authori-
tate.

De Hypermnestra Aegyptia, Lib. 1. In Græcia aliquando duo
fratres.

Carmen Chauceri, Lib, 1. Probæ educationis amantissima.
Super impia domina, Lib. 1. Me dormientem aureus sopor.
De Annelida & Arcyto, Lib. 1. Immitis belligerantium Deus.
De cuculo & philomela, Lib. 1. Amorum Deus, quàm potens.
Octo questiones & responsa,   Lib. 1.   In Græcia quandoque tam
                                           nobili.
Chronicon conquestus Anglici, Lib. 1.   Ea   ætate,   ut
                                        ueteres annales.
De curia Veneris, Lib. 1. In Maio cum uirescerent, &c.
Epigrammata quoque, Lib. 1. Fugite multitudinem, ueri.
Narrationes diuersorum, Lib. 1. In comitatu Lyncolniensi fuit.
De Ceyce & Halcyona,   Lib. 1.
In obitum Blanchiæ ducissæ, Lib. 1.
De Vulcani ueru,   Lib. 1.
De leone & eius dignitate,   Lib. 1.
Vitam D. Ceciliæ,   Lib. 1.
Hymnos amatorios,   Lib. 1.
Amores Palæmonis & Arcyti, Lib. 1.
De Thisbæ amore,   Lib. 1.
De castello dominarum,   Lib. 1.
Comœdias & Tragœdias,   Lib. 1.
Facetias & iocos,   Lib. 1.
Dantem Italum transtulit,   Lib. 1.
Petrarchæ quædam,   Lib. 1.
Origenis tractatum,   Lib. 1.

    Aliaque plura fecit, in quibus monachorum ocia, missantium tam magnam multitudinem, horas non intellectas, reliquias, perigrinationes, ac cæremonias parum probauit. Inter hæc Chaucerus ad canos deuenit, sensitque ipsam senectutem morbum esse. Qua ingrauescente, dum Londini [p. 529] causas suas curaret, mortuus est, & Vuestmonasterij in australi Basilicæ parte sepultus. Vixit anno Domini 1402, ut in charta Cupidinis refert. In quodam libro suorum Epigrammaton his uersibus Lelandus illum celebrat :

    Prædicat Algerum meritò Florentia Dantem
      Italia & numeros tota Petrarche tuos.
    Anglia Chaucerum ueneratur nostra poetam,
      Cui ueneres debet patria lingua suas.

APPENDIX.

Ex Lelandi Catalogo : Illis temporibus inter Forenses,
clarissimus erat Ioannes Gouerus, historicus ac poeta
moralis, cuius uitam præscripsimus, homo uenerandæ ætatis,
et qui mirum in modum Anglicæ linguæ politiei studebat.
Hic perspecta indole & examinata Galfridi probitate, illum
in familiarem sibi acciuit, illum ulnis amplexus est, illum
etiam in honestis delicijs habuit, illum denique tanquam
numen aliquod propemodum uenerabatur.   Et ut ego (inquit)
taceam, ipsemet Gouerus in libro qui titulo Amantis inscribitur, abundè satis declarat, quanti suum Chaucerum fecerit :
quem accuratissime prius laudatum, eximium poetam uocat,
& sui operis quasi Aristarchum facit.   Ecce tibi lector,
pulcherrimum uirtutis certamen.   Nam ut Gouerus, homo
parum sibi tribuens, lucubrationes quas consummauerat,
Galfridi iudicio modestè submissit : sic rursus Chaucerus,
Amores Troili, Goueri & Strodi calculis subiecit, &c.   Et
quoniam poesim præter cætera semper dilexit, amauit, coluit :
uisum est ei uel commodissimum, per illam ad ipsa eloquentiæ culmina uiam patefacere.   Tale etenim quiddam est
poesis, ut tropos, elegantias, ornamenta, copiam, & quicquid
uenerum & leporum est, non modò admittat : uerùm quod
multo maius est, suo quodam iure poscat.   Adde huc, quòd
Italos & Gallos, qui plurima suis linguis terse ac nitidè scripserunt, in partem operis euocauerit.   Dantes & Petrarcha
Italicam linguam, Alanus Gallicam, Ioannes Mena His-
panicam, atque alij alias, infinitis modis tunc expolierant :
hi Chaucero calcar addiderunt.   Bonis igitur auibus incæpto
operi incubuit : nunc libellos Gallica lingua scriptos, in
patrium sermonem transferens : nunc Latinos uersus Anglicis, sed doctè, exprimens : nunc multa è suo capite nata,
& Latinorum fœli[ci]tatem æquantia, uicturis chartis commendans, lectorique neruis omnibus prodesse contendens.
Accessit etiam ad eius gloriam, quòd sororem habuerit
quæ Guilhelmo Polo Sudouolgiorum duci nupsit, ac magno
in splendore Aquelmi uitam egit, &c.

[p. 702.]   [In list of Nicolas Grimoald's works :]
           Troilum ex Chaucero, comœdiam.   Lib. 1.

[*Translation of Bale's Life of Chaucer*, 1557–59.

GEOFFREY CHAUCER, a nobleman by birth, gave much promise as a youth. At Oxford, where he studied, he was one of the most diligent scholars of his day. The vicinity of the university proved an incentive to him, if as was surmised by Leland from certain information, he was a native of Oxfordshire or Berkshire.

He left the university a keen dialectician, a graceful rhetorician, an elegant poet, a profound philosopher, and a devout theologian.

He was, moreover, a clever mathematician, having been taught by John Some and Nicholas Lynn, Carmelite friars of Lynn, and skilled mathematicians. He paid tribute to them in his book on the Astrolabe, and called them venerable clerics.

It is well known that towards the last years of Richard II's reign, he attained great fame in France through his diligent pursuit of letters. Further, he succeeded to an almost incredible degree by the same means in acquiring the attractiveness, the grace, the wit, and finally the charm of the French language. This is the kind of praise which followed Geoffrey upon his return to England, the inevitable accompaniment, as it were, of his attainments.

He then frequented the London law-courts, and among the members of the Inns of Court, where the laws of the country are studied, he soon found an intimate friend in John Gower. These two men had but one aim in their studies, which was to enrich the English tongue in all kinds of verse. Nor did they desist until they had brought the language to such a degree of eloquence and brevity that it might be fit to take its place amongst the most polished languages of all nations.

I shall not deem it troublesome to give the titles of his works in Latin, for, as the proverb says, you know the lion by his claws. I shall, therefore, append the list.

[Here follows the list, see above, Latin version.]

And he wrote many other works in which he showed his disapproval of that great multitude of mumblers, the monks, of their idleness, their unintelligible prayers, their relics, pilgrimages and ceremonies.

Meanwhile Chaucer grew older, and felt that old age was an illness, which continued to increase, until one day, while he was attending to his affairs in London, he died. He was buried in the south part of Westminster Abbey. He was still alive in the year 1402, as he himself testifies in his letter of Cupid. In his book of Epigrams Leland praises Chaucer in the following lines—[quotes Leland's verses].

APPENDIX.

From the Catalogue of Leland

Among the lawyers in those days the most celebrated was

John Gower, whose life we have written. An historian and a moral poet, he had attained to a venerable age, and his special aim was to add finish to the English language.

He, knowing the character of Chaucer, and having proved its uprightness, admitted him into a close friendship, took him to his heart, showed him the most honourable affection—in fact, he almost revered him as a god. Gower himself, in his book entitled *Amantis*, gives abundant evidence of the high regard he had for his friend Chaucer.

Having first of all praised him most fully, he calls him an excellent poet, and constitutes him a sort of Aristarchus of his work. Behold, reader, a beautiful rivalry in virtue. For, just as Gower, thinking little of his own merit, modestly submitted his works to Chaucer's criticism, so in turn Chaucer referred the *Loves of Troilus* to the criticisms of Gower and Strode. And since he loved and honoured poetry above all things, it seemed to him to be the most suitable road through which he could reach the heights of fame. For this, indeed, is the nature of poetry, that it not only admits of figures, grace of style, adornments in abundance and all that is pleasing and beautiful, but that it demands it all as a right. Add to this that he made use of the Italians and the French, who have written tersely and beautifully in their own languages. Dante and Petrarch in Italian, Alain [Chartier] in French, John Mena in Spanish, and the many others who at that time had written in polished language, were a spur to Chaucer. It was, therefore, under good auspices that he set to work upon his task, now translating books from the French, now skilfully rendering Latin verses into English, now embodying the numerous creations of his own imagination in imperishable works, equalling the most felicitous productions of the Latins, endeavouring in every way to be of some use to his readers. This also added to his reputation— that he had a sister, who married William Pole, Duke of Suffolk, and spent her life in splendour at Ewelme.]

1559. Elderton, William. *The panges of Loue and louers F*[*i*]*ttes* [a ballad]. [Reprinted in J. P. Collier's *Old Ballads,* Percy Society, vol. i, p. 25, and in H. L. Collmann's *Ballads and Broadsides,* Roxburghe Club, 1912, p. 111.]

[st. 2]

> Know ye not, how Troylus
> Languished and lost his joye,
> With fittes and feuers meruailous
> For Cresseda that dwelt in Troye;
> Tyll pytie planted in her brest,
>   Ladie! ladie!
> To slepe with him, and graunt him rest,
>   My dear ladie.

[This ballad was enormously popular, and is constantly quoted by Elizabethan writers. A Scottish version is preserved in the *Bannatyne MS.* (1568), ed. J. B. Murdoch, Hunterian Club, vol. iii, p. 612. A moralized version, " Ane Dissuasion from Vaine Lust," in *The Gude and Godlie Ballatis*, 1567 (ed. A. F. Mitchell, Scottish Text Society, 1897, p. 213), begins :]

> Thocht Troylus Cressed did enjoy,
> As Paris Helene did lykewise ;
> Zit leuit he not lang in Troy,
> Bot that Fortoun did him dispise.
> Quha wald then wirk accordinglie ?
>   Allace, allace !
> Sic plesoure bringis miserie,
>   As come to pas.

1561. Sackville,Thomas, and **Norton,** Thomas. *The Tragedie of Ferrex and Porrex [Gorboduc]*, imprinted at London by John Daye . . . [1570 ? First acted 1561], sign. F ii b.

> Then saw I how he smiled with slaying knife
> Wrapped under cloke.

[Cf. Chaucer's *Knights' Tale*, 1. 1999. This resemblance is noted by Hazlitt in his *Lectures on the Dramatic Literature of the Age of Elizabeth. See* above, 1820, pt. ii, sect. i, p. 123.]

1562. Bale, John. *MS. notes* by Bale, printed by Thomas Hearne in *Johannis de Trokelowe, Annales Edvardi II.,* 1729. Appendix iii, pp. 286–7 [*see* above, pt. i, p. 97].

[p. 286]   Galfridus Chaucer] Hic Tullius minor dicebatur, tam erat artis dicendi peritus, Thomam Ocklevum Scribam olim habuit.

Epitaphium Chauceri MS.

> Qui fuit Anglorum Vates ter maximus olim,
>   Galfridus Chaucer, conditur hoc tumulo.
> Annum si quæras Domini, si tempora mortis,
>   Ecce notæ subsunt, quæ tibi cuncta notant.

26 Octobris anno Domini 1400.

Nicolaus Brigam Westmonasterii hos fecit Musarum nomine sumptus.

Super ejus Sepulchro,
Si rogites, quis eram, forsan te fama docebit,
Quodsi fama negat, Mundi quia gloria transit,
Hæc Monumenta lege.

.   .   .   .   .

Thomas Occleve] Joannis Goweri et Galfridi Chauceri
[p. 287] Discipulus erat, ut in suo Libro de Regimine Principum
refert . . .

1562. Brooke, or **Broke,** Arthur. *Influence of Chaucer* in *The
Tragicall Historye of Romeus and Iuliet, written first in Italian by
Bandell, and nowe in Englishe by Ar. Br.* [Brooke's poem was
one of the main sources of Shakespeare's *Romeo and Juliet.* For
a fuller account of Brooke's debt to Chaucer, see *Romeus and Juliet,*
'Shakespeare Classics,' ed. by J. J. Munro, 1908. Mr. Munro has
kindly supplied the following notes:]

[Brooke's debt is of two kinds: (*a*) where he amplifies a
suggestion in his original (Boaistuau) with the help of
Chaucer's *Troilus*; and (*b*) where he derives a suggestion
from Chaucer only.]

(*a*) Boaistuau (ed. 1559), p. 43 : l'amour qu'il portoit à sa
premiere damoiselle demoura vaincu par ce nouueau feu.

Brooke, ll. 207–9 : [1]

And as out of a planke a nayle a nayle doth driue :
So nouell loue out of the minde the auncient loue doth riue
This sodain kindled fyre in time is wox so great : etc.

Troilus & Criseyde, iv, 415 :

The newe love out chaceth ofte the olde.

Troilus & Criseyde, iv, 422 :

The newe love, labour or other wo,
Or elles selde seinge of a wight,
Don olde affectiouns alle over-go.[2]

Boaistuau, p. 45 *b* : ie suis vostre, estāt preste & diposée
de vous obeyr en tout ce que l'honneur pourra souffrir.

---

[1] The line-references to Brooke are to the 'fourteeners,' each of which
is printed as two lines in the original edition.
[2] From Boccaccio's *Filostrato,* but originally from Ovid : Successore
novo vincitur omnis amor. (Remed. Amor. 462.) Brooke's lines were
copied by Shakespere in *Two Gentlemen of Verona, Romeo,* and *Julius
Cæsar.*

Brooke, l. 314 :

(My honor saued) prest tobay [*i. e.* to obey] your will, while
     life endures.

Troil. iii, 480 :

            . . . but elles wol I fonde,
Myn honour sauf, please him fro day to day ;

Troil. iii, 159 :

               she . . .
         . . . sayde him softely,
'Myn honour sauf,' I wol wel trewely, etc.

[Juliet in Brooke, and Criseyde in *Troilus*, both make
frequent insistence that their lovers' conduct must be
honorable.]

Boaistuaŭ, p. 52 : de sorte que s'ils eussent peu com-
mander au ciel comme *Iosué* fist au soleil, etc.

Brooke, l. 824 :

So that I deeme if they might haue (as of *Alcume* [*sic* for
     Alcmene] we heare)
The sunne bond to theyr will ; etc.

Troil. iii, 1427–8 :

O right, allas ! why niltow over us hove
As longe as whanne *Almena* lay by Jove ?[1]

[This under similar circumstances in both poems : *i. e.* in
connexion with the lovers' nocturnal meeting.]

(*b*) *Brooke*, l. 332 :

Of both the ylles to choose the lesse,
I wene the choyse were harde.

Troil. ii, 470 :

Of harmes two, the lesse is for to chese.

Brooke, l. 393 :

[Juliet] A thousand stories more, to teache me to beware,
In Boccace and in Ouids bookes too playnely written are.

Troil. iii, 297 :

[Criseyde] A thousand olde stories thee alegge
Of women lost, through fals and foles bost.

[Romeus and Troilus, while waiting for the help of Laurence or Pandare, are both like the patient waiting for the leech's salve.]

Brooke, l. 613 :

The wounded man that now doth dedly paines endure :
Scarce pacient tarieth whilst his leech doth make the salue
    to cure.
So Romeus, etc.

Troil. i, 1086 :

Now lat us stinte of Troilus a stounde,
That fareth lyk a man that hurt is sore,
And is somdel of akinge of his wounde
Y-lissed wel, but heled no del more :
And, as an esy pacient, the lore
Abit of him that gooth aboute his cure ;
And thus he dryveth forth his aventure.

[The first night of parting between the lovers.]

Brooke, 1 : 1537 :

But on his brest her hed doth ioylesse Iuliet lay,
And on her slender necke his chyn doth ruthfull Romeus
    stay.

Troil. iv, 1150 :

' Help, Troilus ! ' and ther-with-al hir face
Upon his brest she leyde, and loste speche.

[The two scenes throughout are very similar.]

[Brooke's additions to the Romeo story.
    These are not important so far as the story is concerned, but they form the best cases of borrowing. In the now lost earlier play (?) on Romeo which Brooke mentions and which both Brooke and Shakspere appear to have used, there was a scene at Laurence's cell in which Romeo *lamented*. In Brooke he becomes savage : this is taken from a similar scene with Troilus just before the entry of Pandare, as the references show.]

Brooke, l. 1291 :

These heauy tydinges heard, his golden lockes he tare :
And like a frantike man hath torne the garmentes that he
    ware.

And as the smitten deere in brakes is waltring found :
So waltreth he, and with his brest doth beate the troden
    grounde.
He rises eft, and strikes his head against the wals,
He falleth downe againe, and lowde for hasty death he cals.
Come spedy death (quoth he) ; etc.

    Troil. iv, 239 :

Right as the wilde bole biginneth springe
Now here, now there, y-dexted to the herte,
And of his deeth roseth in compleyninge,
Right so gan he aboute the chaumbre sterte,
Smyting his brest ay with his festes smerte ;
His heed to the wal, his body to the grounde
Ful ofte he swepte, him-selven to confounde.

      .   .   .   .

    l. 250 :

' O deeth, allas ! why niltow do me deye : '

    Brooke, l. 1325 :

Fyrst nature did he blame, the author of his lyfe,
In which his ioyes had been so scant, and sorowes aye so
    ryfe :
The time and place of byrth, he fiersly did reproue,
He cryed out (with open mouth) against the starres aboue :
The fatall sisters three he said, had done him wrong ; etc.

      .   .   .   .

    l. 1335 :

And then did he complaine on Venus cruel sonne.

      .   .   .   .

    l. 1343 :

On Fortune eke he raylde, he calde her deafe, and blynde
Vnconstant, fond, deceitfull, rashe, vnruthfull, and vnkynd.
And to him self he layd a great part of the falt :
For that he slewe, and was not slayne, in fighting with
    Tibalt.
He blamed all the world, and all he did defye,
But Iuliet, for whom he liued for whom eke would he dye.

    Troil. v, 204 :

And there his sorwes that he spared hadde
He yaf an issue large, and ' deeth ! ' he cryde ;
And in his throwes frenetyk and madde

He cursed Ioue, Appollo, and eek Cupyde,
He cursed Ceres, Bacus, and Cipryde,
His burthe, him-self, his fate, and eek nature,
And, save his lady, every creature.

[Laurence to Romeus.]

Brooke, l. 1353 :

Art thou quoth he a man ? thy shape saith, so thou art :
Thy crying and they weping eyes, denote a woman's hart.

[Pandare to Troilus.]

Troil. iii, 1098 :

' O theef, is this a mannes herte ? '
And of he rente al to his bare sherte.

[Criseyde to Troilus.]

Troil. iii, 1126 :

                    'is this a mannes game ?
What, Troilus ! wol ye do thus, for shame ? '

[The other innovation made by Brooke is Romeus's sorrow
in his exile, copied from Troilus. Both Troilus and Romeus
sigh and weep at night ; etc.]

Brooke, l. 1755 :

Eche night a thousand times he calleth for the day,
He thinketh Titans restles stedes of restives do stay ;
Or that at length they haue some bayting place found out,
Or (gyded yll) haue lost theyr way and wandred farre about.

Troil. v. 659 :

The day is more, and lenger every night,
Than they be wont to be, him thoughte tho ;
And that the sonne wente his course unright
By lenger wey than it was wont to go ;
And seyde ' y-wis, ne dredeth ever-mo,
The sonnes sone, Pheton, be on-lyve,
And that his fadres cart amis he dryve.

[It should be remembered that *Troilus* is in many respects
quite parallel to *Romeo*. In each story two lovers are secretly
betrothed and meet at night in the lady's house. They
vacillate between joy and sorrow and are comforted and
helped by a philosophical friend. One of them is banished,
and they have a final night together and part at dawn. It
was at these points of contact that Brooke was able to
derive suggestions from Chaucer.]

1565. **Googe**, Barnaby, *The Preface to the vertuous and frendely Reader*, [in] The Zodiake of Life . . . by the . . . Poet Marcellus Pallingenius . . . newly translated into Englishe verse by Barnabæ Googe, sign (‡) 3 b.

Louing and frendly reader . . . be not so straight of iudgement as I know a number to be that can not abyde to reade anye thing written in Englishe verse, which nowe is so plenteously enriched wyth a number of eloquent writers, that in my fansy it is lyttle inferiour to the pleasaunt verses of the auncient Romaines. For since the time of our excellente countreyman Sir Geffray Chaucer who liueth in like estimation with vs as did olde *Ennius* wyth the Latines. There hath flourished in England so fine and filed phrases, and so good & pleasant Poets as may counter-uayle the doings of Virgill, Ouid, Horace, Iuuenal, etc.

[This reference is not in the edition of 1561, and the verses with the Chaucer reference in that edition quoted in vol. i, p. 96 (Unknown) are not given here.]

[1566.] **Unknown.** *A Ballad* beginning, " When Troylus dwelt in Troy towne." Bodleian MS. Ashmole 48 (*Songs and Ballads*, ed. T. Wright, Roxb. Club, 1860, pp. 195–197.)

[Rollins 18.]

[st. 3]
Tyll at the last he cam to churche,
    Where Cressyd sat and prayed-a ;
Whose lookes gaue Troylus such a lurche,
    Hys hart was all dysmayde-a !

.   .   .   .

[st. 6]
And to hys neece he [Pandar] dyd commend
    The state of Troylus then-a ;
Wyll yow kyll Troylus ?   God defend !
    He ys a nobell man-a.

.   .   .   .

[st. 13]
Then Pandare, lyke a wyly pye,
    That cowld the matter handell,
Stept to the tabell by and by,
    And forthe he blewe the candell.

[These stanzas are chosen only for illustration. The entire ballad, as has long been known, is modelled on Chaucer's *Troilus*. The ballad was registered at Stationers' Hall (Arber's *Transcript*, vol. i, p. 300), in 1565–66 as " the history of Troilus Whose throtes [*i. e.*, trothes] hath Well bene tryed."]

[**1567-79 ?**] **Harvey**, Gabriel. *Marginal notes* in Gabriel Harvey's
handwriting [in] M. Fabii Quintiliani. . . Institutionum oratori-
arum Libri xii, Parisiis, 1548, at the foot of p. 643 [printed 543]
[B.M. C. 60. 1. 11]. (Gabriel Harvey's Marginalia, ed. G. C. Moore
Smith, 1913, p. 122.)

> Tria viridissima Britannorum ingenia, Chaucerus, Morus,
> Juellus : Quibus addo tres florentissimas indoles, Heiuodum,
> Sidneium, Spencerum. Qui quærit illustriora Anglorum in-
> genia, inueniet obscuriora. Perpaucos excipio ; eorumque
> primos, Smithum, Aschamum, Vilsonum ; Diggesium, Blun-
> deuilum, Hacluitum, mea Corcula.

[*c.* **1567.**] **Turbervile**, George. *Epitaphes, Epigrams, Songs and
Sonets.* (1567 ed., ' newly corrected, with additions,' 1st known ;
1570 1st in B.M. ; ff. 6b, 30b, 61b, 71a, b ; Ed. J. P. Collier
[1867 ?] pp. 10, 54, 108–9, 126–27.)

[Rollins 19.]

[p. 10]
> Pause, pen, a while therefore,
>   and use thy woonted meane :
> For Boccas braine, and Chaucers quill
>   in this were foyled cleane.

[p. 54]
> Let Cressed myrror bee, that did forgo
> Hir former faythfull friend, King Priam's sonne
> And Diomed the Greeke imbraced so,
> And left the loue so well that was begonne :
> But when hir cards were tolde and twist ysponne,
> She found hir Trojan friend the best of both,
> For he renounst hir not, but kept his oth.

[There are very many other allusions to Cressid in Turbervile's *Epitaphes*. Most of them refer to her as a leper, but
there can be no doubt that Turbervile regarded Chaucer as
the author of the story which tells of her leprosy.]

1568. **Fulwood**, William. *A constant Louer doth express His gripyng
griefes, which still encrease*, [a model letter, in] *The Enimie of
Idlenesse*, pp. 187–8. (P. Wolter's *William Fullwood*, Diss. Rostock,
Potsdam, 1907, pp. 72–73.)

[Rollins 22.]

> As Troylus did neglect the trade
>   of Louers skilfull lawe,
> Before such time that Cresseid faire
>   with fixed eyes he sawe.

•   •   •   •   •   •

But sith I lacke some such a friende
as he of Pandor had,
Who brought his purpose well about,
and made his minde full glad.

[This poem is undoubtedly indebted to Chaucer's *Troilus*.]

1568. **Howell,** Thomas. *The Arbor of Amitie.* [Ed. 1568 not in B.M.]
(Poems, ed. A. B. Grosart, 1879, pp. 10, 32.)
[For John Keeper's prefatory verses to *The Arbor of Amitie,
see* above, pt. i, p. 102.]

[Rollins 23.]

[p. 10]   If I had Tullies tongue
and thousand wittes thereto :
If Chaucers vaine, if Homers skill,
if thousand helpers mo :
Yet tongue, not wyt nor vaine,
nor skill nor helpe at all
Can well descrie your due desarte,
in praise perpetuall.

[p. 32]   To leaue behinde a picture fine to see
It may small time well stande in steede for thee.
But picture faire of noble actes of minde,
That farre excelles to learne to leaue behinde,
Which will maintaine a noble name for aye
As *Tullis* tongue and *Cæsars* acts can saye.
As *Chaucer* shewes and eke our morall Gowre
With thousands more, whose fame shal stil endure.

[*Cf.* O moral Gower, this booke I directe.—*Troilus* v, l. 1856.]

1568. **Stewart.** *Furth ouer the Mold at Marrow as I ment,* [a poem,
in] *the Bannatyne MS.* (Ed. Hunterian Club, 1896, [1873–1901],
4 vols., vol. iv, pp. 774–76.)

[Rollins 21.]

[The poet says that as he was walking out he met a man :]
I sperit his name and he said, Panderus,
That sumtyme seruit the gud knycht Troyelus.

[Pandarus then launches into a tirade against women.]

1568. **Unknown.** *Quhair Love is kendlit confortles* [a poem, in the]
Bannatyne MS. (Ed. J. B. Murdoch, Hunterian Club, vol. iii,
p. 705 ; Sibbald's *Chronicle of Scottish Poetry,* vol. iii, p. 177.)

[Rollins 20.]

Trew Troyallus, he langorit ay,
Still waitand for his luvis returne,
Had nocht sic pyne, it was bot play.
As daylie dois my body burne.

[There are various other allusions similar to this in
the MS.]

1568.   Wedderburn. *My Luve was fals and full of Flattry,* [a poem,
signed] "*Finis quod Weddirburne,*" [in the] *Bannatyne MS.* (Ed.
Murdoch, Hunterian Club, vol. iv, p. 760; also in Sibbald's
Chronicle of Scottish Poetry, vol. iii, p. 235.)

[Rollins 24.]

[st. 3]   The skorne that I gatt micht bene maid ane farss,
Quhilk excedit the skorne of Absolone,
Quhen the hett culter wes schott in his herss,
Be clerk Nicolus and his luve Allesone,
As Canterberry Tailis makis mentioun;
Yit I suspekkit nocht bot scho wes trew,
Bot I wes all begylit, quhilk sair I rew.

[Cf. *The Miller's Tale.*—In Stanza 7 of this same poem
the author refers to, and quotes a line from, the *Testament
of Cresseid,* rather conclusive proof that he, too, thought
that work to have been written by Chaucer.]

[1569.]   Turbervile, George.   *Epitaphes and Sonnettes,* [written in
1569, added to his] *Tragicall Tales,* f. 164b. (Edinburgh, 1837,
p. 330.)

[Rollins 40.]

Farewell thou shamelesse shrew,
fair *Cresides* heire thou art:
And I Sir *Troylus* earst haue been,
as prooueth by my smart.
Hencefoorth beguile the Greekes,
no Troyans will thee trust:
I yeeld thee vp to *Diomed,*
to glut his filthie lust.

[There are striking allusions to Henryson's Cressida on
pp. 334, 369. The *Tales* first appeared before 1575, but
the 1587 edition is the first extant in a complete copy, that
of 1576 being only known from a fragment.]

[1570.]   B., R.   *A new balade entituled as foloweth.   To such as write
in Metres.* . . .   [B.M. Huth 50 (13).]

[Rollins 25.]

Wyshyng all them that wyll adresse
Their pen to metres, let them not spare
To follow Chawcer, a man very rare,
Lidgate, Wager, Barclay and Bale,
With many other that excellent are,
In these our dayes, extant to sale.

[Licensed on or soon after July 22, 1570. *See* B.M. Cat. Huth Bequest, 50 (35).]

[*n.a.* 1572.] **Gascoigne**, George. *A Hundreth sundrie Flowers*, [1573],
pp. 321, 352–3, 418. (Complete Works, ed. J. W. Cunliffe, 1907–10,
2 vols., vol. i, pp. 54, 90, 101.)

[Gascoigne revised and reissued these poems (under the title of *Posies*) in 1575,
q.v. above, pt. i, pp. 110-11, and below, 1575. There are many other allusions
to *Troilus and Criseyde* scattered about Gascoigne's poems.]

[p. 90]   [References to "trusty Troylus," and "Pandar's niece,"
who would give place to the author's mistress.]

[p. 101]   [The passage from *The delectable history of . . . Dan
Bartholmew of Bath* quoted in pt. i, p. 110, under the 2nd
edn. (*Posies*) of 1575, should have been quoted from
this 1st edition.]

1572. **T**[urbervile ?], G[eorge ?]. *The Letter of G. T. to his very friend
H. W. concerning this worke*, [dated August 10, 1572, prefixed to
George Gascoigne's] *The aduentures of Master F. I.* [*Ferdinando
Jeronimi*, in] *A Hundreth Sundrie Flowers*, [1573] p. 203. (Com-
plete Poems of Gascoigne, ed. W. C. Hazlitt, vol. i, p. xxxix.)

[Rollins 26.]

And the more pitie, that amongst so many toward wittes
no one hath bene hitherto encouraged to followe the trace of
that worthy and famous Knight *Sir Geffrey Chaucer*, and
after many pretie deuises spent in youth, for the obtayning
a worthles victorie, might consume and consummate his age
in discribing the right pathway to perfect felicitie, with the
due preseruation of the same.

1575. **Churchyard**, Thomas. *A discourse of vertue*, [and] *Churchyardes
Dream*, [in] *The Firste parte of Churchyardes Chippes*, ff. 71b, 82a.
[Reprinted by J. P. Collier (1870 ?), pp. 154, 177.]

A discourse of vertue.

[p. 154]   True dealing was but cauld a doult,
               or els Gods foole, in deade :
          Dame Flattery claymed frindships place,
               Yet faild her frinde at neade.

And robbry was good purchace helde
   and lust was sollace sweete :
And they were calld the lively laddes,
   that had the quickest sprete.

Som said lords hestes were held for lawes,
   but those were *Chawsers* woordes :
And faith did faile in old priestes sawes,
   tushe all this was but boordes.

Churchyardes Dreame.

[Rollins 28.]

[p. 177]   Howe shuld I hit in *Chausers* vayn,
          Or toutche the typ, of *Surries* brayn
          Or dip my pen, in *Petrarkes* stiell,
          Sens conning lak I all the whiell?

1575. **[Edwards,** Richard?] *A new Tragicall Comedie of Apius and Virginia,* by R. B. [misprint for R. E., *i.e.* R. Edwards?]

[The plot was probably taken from the *Phisiciens Tale. See* C. W. Wallace, Evolution of the English Drama, 1912, pp. 108–9.]

[1575.] **Gascoigne,** George. *Dan Bartholmew of Bathe,* [in] *The Posies of George Gascoigne, Esquire, corrected, perfected and augmented* . . . 1575, p. cxii. (Complete works, ed. J. W. Cunliffe, 1907–10, 2 vols., vol. i, p. 137.) [This passage is not in the 1st edn., *A Hundreth sundrie Flowers,* [1573], *q.v.* above, pt. i, pp. 110–11, and App. A., [*n.a.* 1572.] The publisher there adds a note that *Dan Bartholmew of Bathe* is incomplete.]

[Rollins 27.]

[p. 137]   Thus unto thee these leaues I recommend,
        To reade, to raze, to view, and to correct :
      Vouchsafe (my friend) therein for to amend
        That is amisse . . .

[Cf. *Troilus,* v., st. 262, 263.]

1576. **L.,** R. *Beyng in Loue, he complaineth,* [a poem, in] *The Paradyse of daynty deuises . . . deuised* [edited] by *M.* [Richard] *Edwardes.* (Ed. 1578, 1st in B.M., p. 48 ; ed. J. P. Collier, 1867, p. 132.)

[Rollins 31.]

Vnto whose grace yelde he, as I doe offer me,
Into your hands to haue his happ, not like hym for to be :

But as kyng Priamus [sonne?], did bind hym to the will,
Of Cressed false whiche hym forsoke, with Diomed to spill.

[The four lines that follow these allude to the Cressid of
the *Testament*, and refer to her "Lazares death."]

1576. Unknown. *An excellent and pleasant Comedie, termed after the
name of the Vice, Common Conditions.* [Licensed 1576.] (Ed.
Tucker Brooke, 1915, sign. D.) [Only copy of original, now in
America, lacks title.]

[Rollins 29.]

[Ll. 800–823 refer to the stories of Medea and Jason,
Troilus and Cressida, Eneas and Dido, Theseus and Ariadne.
The probability that the author's information about all these
lovers came from Chaucer is strengthened by the fact that
Cressid is referred to as a leper : the author had certainly
read the *Testament of Cresseid*, and this was accessible only
in an edition of Chaucer.   Cf. also Brooke's note, p. 70.]

1576. Whetstone, George. *Epilogus* [to] *The Castle of Delight* [being
the first part of] *The Rocke of Regard, diuided into foure parts.*
[No imprint or date : the preface is dated October 15, 1576]. (Ed.
J. P. Collier, p. 90.)

[Rollins 30.]

Loe ! here the fruits of lust and lawlesse love,
Loe ! here their faults that vale to either vice ;
Loe ! ladyes here, their falles (for your behove)
Whose wanton willes sets light by sound advice.

[Cf. *Troilus*, v, st. 265.   One of the poems to which these
lines form part of the epilogue is "Cressids Complaint," an
extremely bitter attack on the leprosy-stricken girl, *q.v.*
above, pt. i, p. 113.]

1577. Holinshed, Raphael. *The Firste (the Laste) volume of the
Chronicles of England, Scotlande, and Irelande,* vol. i, f. 5, col. 2,
vol. ii, f. 1118, col. 2.
[*See also* above, pt. i, p. 114.]

[vol. i, f. 5, col. 2] Afterward also, by the diligent traueile of Geffray
Chauser, and John Gowre in the time of Richard the
second, & after thē of John Scogā, & John Lydgate monke
of Berry, our tong was brought to an excellent passe.

[vol. ii, f. 1118, col. 2] [Among the writers of the reign of Richard II was] John
Moone an Englishman borne, but a student in Paris, who
compyled in the French tongue the Romant of the Rose,
translated into English by Geffrey Chaucer.

1577. Unknown. [*Annotations*, dated 1577, on the flyleaf of a copy of] The Vision of Pierce Plowman, 1561, [printed in] Notes and Queries, Sept. 18, 1858, 2nd ser. vol. vi, pp. 229–30.

2. Mention is made of Peerce Plowghman's Creede, in Chawcers tale off the Plowman.

3. I deeme Chawcer to be the author [*i.e.* of the Tale?].
I think hit not to be on ond the same y^t made both . . .

4. . . . G. Chawcerus vivit [*sic*] 1402 . . .

[**1578.**] **Lyly,** John.   *Influence of Chaucer.*

[There seems little doubt that Lyly knew and liked Chaucer well, from the reminiscences of the older poet to be found in his works.   The following passages are specially to be noted; the references are to the Complete Works of John Lyly . . ed. . . R. Warwick Bond, 1902. 3 vols.

(1) *Euphues*, vol. i, p. 316.   The letter to Alcius about true 'gentilesse.'   Cf. *Wyf of Bathes Tale*, D. 1109–64.

(2) *Euphues*, vol. ii, p. 83, l. 9.   Cf. *Wife's Prologue*, D. 466.

(3) In *Gallathea* is to be found the story of the Alchemist, and his desertion by Peter, clearly borrowed (possibly viâ Reginald Scot) from the *Canon's Yeomans Prologue* and Tale [*see* Introduction to play, in Lyly's works, vol. ii, pp. 423–4], wherein the exclamation ' Peter,' [l. 665], may have suggested the name of Lyly's rascal, while the name of Robin, the miller's son, and the tale of the Astronomer falling into a pond, may be taken from *The Miller's Tale.*

(4) Fairies in *Gallathea* and in *Endimion*.   Cp. *Wyf of Bathes Tale*.   *See* also Notes to Lyly's Works, vol. i, p. 525.

(5) *Endimion*, character of Sir Tophas 'follows closely, though not obviously, the main lines of Chaucer's Sir Topas.' R. Warwick Bond.   *See* his notes to the play, Lyly's Works, vol. iii, pp. 503–4.   *See* also John Lyly, par A. Feuillerat, Cambridge (1910), p. 318 and *note.*

(6) *Mother Bombie*, i, 1. 73–5.   Memphio's remark: ' Now for my wife ; I would have kept this from her, else I shall not be able to keepe my house from smoake,' may be reminiscent of *Wife of Bathes Prologue*, D. 278–80.   Also iii, 4. 13–4.   Rixula's proverb about the 'gray goose in the lake.'   Cf. *Wife of Bathes Prologue*, D. 269–70.

(7) *Euphues*, vol. ii, p. 92, l. 8, and *Gallathea*, iv, 1. 46, ' hee must halt cunninglie, that will deceive a cripple.'   Cf. *Troilus* and *Criseyde*, iv, 1458.

(8) *Gallathea*.   Terms of alchemy and technical details owe

much to *Ch. Yeoman's Tale. See The Alchemist* by Ben
Jonson, ed. C. M. Hathaway, N. York, 1903, pp. 73–4.
Mr. Hathaway gives some details of Lyly's debt to Chaucer
in this respect, and maintains that Lyly 'studied his alchemy
almost altogether in the *Chanouns Yemannes Tale.*'
For fuller notes on Lyly's debt to Chaucer, *see* Lyly's
Works, ed. R. Warwick Bond, biographical appendix, vol. i,
p. 401, of which the above is a summary.]

1578. **[Procter]**, T[homas].   *The Louer in the prayse of his beloued, etc.*
[in] *A gorgious Gallery of gallant Inuentions.* [No early ed. in
B.M.]   (Three Collections of English Poetry [ed. Sir Henry Ellis],
Roxb. Club, 1844, sign. G. iv b.)

[Rollins 32.]

> Nor shee whose eyes did pearce true *Troylus* brest,
> And made him yeeld, that knew in loue no law . . .

[This allusion is unmistakably to Chaucer's *Troilus.*
There are many other allusions in this work to Troilus
and Cressida, most of them, however, written with the
Testament in mind.]

1579. **A Student in Cambridge.** [C., J. ?]   *A poore Knight his
Pallace of priuate pleasures.* . . . . Written by a student of Cam-
bridge, and published by I. C. Gent. [No early ed. in B.M.]
(Ellis's Three Collections, sign. B iiii *b.*)

[Rollins 33.]

> And as I pryed by chaunce, I saw a damsell morne,
> With ragged weedes, and Lazers spots, a wight to much
>   forlorne.
> Quoth *Morpheus* doost thou see, wheras that caytiffe
>   lyes,
> Much like the wretched *Crocodill,* beholde now how shee
>   cryes.
> That is *Pandare* his Nice, and Calcas only childe,
> By whose deceites and pollicies, young *Troylus* was
>   beguilde.
> Shee is kept in affliction where many other are,
> And veweth *Troylus* lying dead, vpon the Mount of *Care.*
> Shee wepte, shee sighed, shee sobd, for him shee doth
>   lament,
> And all too late, yet to to vaine, her facte she doth
>   repent :
> How could that stedfast knight, (quoth I) loue such a
>   dame ?

> *Morpheus* replied in beauty bright, shee bare away the
>   fame :
> Till that shee had betrayed, her *Troylus* and her dere,
> And then the Gods assigned a plague, and after set her
>   here.

[This remarkable combination of Chaucer's and Henryson's stories is equalled by another passage at sign. F. For
one at sign. C iii *b*, *see above*, pt. i, p. 119.]

1580. Unknown. *A Complaint* (by "Troylus") and "A Replye"
(by "Cressida"), [a ballad in two parts printed in 1580 edn. (not
in B.M.) of] *The Paradyce of daynty deuyses.* [Not in the 1st edn.
of 1578.] (Ed. Sir E. Brydges, 1812. pp. 100–102 ; W. C. Hazlitt's
Complete Poems of George Gascoigne, vol. ii, pp. 331–333.)

[Rollins 34.]

[This ballad was very probably "A proper ballad Dialoge
wise betwene Troylus and Cressida" which Edward White
registered for publication on June 23, 1581 (Arber's *Transcript*, vol. ii, p. 394).   It has some interest as showing the
popular conception of Cressida, though most of its details are
borrowed from Henryson rather than from Chaucer.]

[*c.* **1582.**] **Unknown.** *The Rare Triumphes of Loue and Fortune.*
Plaide before the Queenes most excellent Maiestie [between
Christmas 1581 and Feb. 1582].   At London.   Printed by E. A.
for Edward White . . . 1589.   (Dodsley's *Old Plays*, ed. Hazlitt,
vol. vi, p. 155.)

[Rollins 35.]

[The unique copy of the original is the Bridgewater-Huntington, and is in
America.]

Enter the show of Troilus and Cressida.

MERCURY [speaks :]

Behold, how Troilus and Cressida
Cries out on Love, that framed their decay.

[**1584–88. Puttenham,** George.] *The Arte of English Poesie*, 1589,
p. 69.   (Ed. Arber, 1869, p. 97.)

[Rollins 41.]

[*See also* above, pt. i, p. 125.]

. . . blind harpers or such like tauerne minstrels that
giue a fit of mirth for a groat, & their matters being for the
most part stories of old time, as the tale of Sir *Topas*, the
reportes of *Beuis* of *Southampton*, . . . & such other old
Romances or historicall rimes, made purposely for recreation
of the common people . . .

1584. Tomson, I. *The Louer complaineth the losse of his Ladie* [a poem in] *A Handefull of pleasant delites*, by Clement Robinson, and diuers others, sign. B 8 *b.* (Spenser Society reprint, 1871, p. 32.)

[Rollins 36.]

> If *Venus* would grant vnto me,
> such happinesse :
> As she did vnto *Troylus,*
> By help of his friend *Pandarus,*
> To *Cressids* loue who worse,
> Than all the women certainly
> That euer liued naturally,
> Whose slight falsed faith, the storie saith,
> Did breed by plagues, her great & sore distresse,
> For she became so leprosie,
> That she did die in penurie.
> Because she did transgresse.

[The first few lines of this passage certainly refer to Chaucer's own poem : there is no Pandar in Henryson.]

1584. Unknown. *A warning for Wooers,* [and] *The Louer being wounded with his Ladis beutie, requireth mercy,* [poems in] *A Handefull of pleasant delites,* sign. C 7 *a,* D 4 *b.* (Spenser Society reprint, pp. 45, 56.)

[Rollins 37.]

[p. 56]
> The wofull prisoner *Palemon,*
> And *Troylus* eke kinge *Pyramus* sonne,
> Constrained by loue did neuer mone :
> As I my deer for thee haue done.

[1585–1590 ?] Harvey, Gabriel. *MS. notes* in Gabriel Harvey's handwriting, in his copy of The mathematical Iewel, [by John Blagrave, 1585. [B.M., C. 60. o. 7.] (Gabriel Harvey's Marginalia, ed. G. C. Moore Smith, Stratford-upon-Avon, 1913, p. 211.)

[On preliminary page headed ' Margarita Mathematica,' in Harvey's handwriting :]

Chawcers Conclusions of the Astrolabie, still in esse. Pregnant rules to manie worthie purposes.

[c. 1586.] Sidney, Sir Philip. [*A sonnet,* first printed in] *Works,* 1598, p. 479. (*Elizabethan Sonnets,* ed. Sir Sidney Lee, in An English Garner, 1904, 2 vols., vol. i, p. 120.

[Rollins 38.]

Are poets then, the only lovers true ?
Whose hearts are set on measuring a verse ;
Who think themselves well blest, if they renew
Some good old dump, that *Chaucer's* mistress knew . . .

1586. Whetstone, George.   *The English Myrror*, Lib. 3, ch. 7, p. 235·

[Rollins 39.]

I haue in many places of my booke shewen sundrie ex-
amples of their [*i. e.*, husbandmen's] vnconstancie, and
therefore heere will only set down what CHAUSER writeth
of their dispositions vnder.

O sterne people, vniust, and vntrue,
Ay vndiscreete, and chaunging as a fane,
Delyting euer in rumours that be new :
For like the Moone you euer wax and wane,
Your reason halteth, your iudgement is lame
Your dome is false, your constance euil preueth.
A ful great foole is he that on you leueth.

[Clerkes Tale, ll. 995–1001.]

1588. Dale, Valentine.   *Letter to Lord Burghley*, June 21, 1588.
(Record Office MS. Quoted by J. L. Motley in *The United Netherlands;* Works, 1904, 9 vols., United Netherlands, vol. ii, p. 451.)

In the meantime, as the wife of Bath saith in Chaucer by
her husband, we owe them [the King of Spain's Commis-
sioners] not a word.

[1589-1603.] Shakespeare, William.   *Influence of Chaucer.*

[Although Shakespeare never refers to Chaucer by name,
and only once to the title of one of his works (the House of
Fame, in Titus Andronicus, *see* under 1589–90, above pt. i,
p. 131), yet there are many indications that he knew Chaucer
and was indebted to him.   For literature on this subject, *see*
J. H. Hippisley in Chapters on Early English Literature,
1837, pp. 60–72 ; J. W. Hales in Quar. Review, Jan. 1873 ;
W. W. Lloyd in Critical Essays on Shakespeare, 1875 ; W.
Hertzberg in Shakespeare Jahrbuch, 1871, pp. 201–209 ;
O. Ballmann in Chaucers einfluss auf das englische drama,
Anglia, xxv, 1902 ; G. Sarrazin in Anglia, Beiblatt, vii, p. 265 ;
R. A. Small in The Stage Quarrel, Forschungen zur eng.
sprache, E. Kölbing, Heft I, 1899 ; E Stache in Das Ver-
hältniss von Shakespeare's Troilus und Cressida zu Chaucer's
gleichnamigen Gedicht, progr. des Realgymn. zu Nord-

hausen, reviewed in Anglia, Beiblatt, 1894, p. 269 ; H. R. D. Anders in Shakespeare's Books, Berlin, 1904, chap. 3 ; H. Ord, Chaucer and the Rival Poet in Shakespeare's Sonnets, 1921.

In addition to the four Shakesperian references given *ante* (under 1589–90, 1596–7, 1599, 1610–11), the following may be specially noted.

[1593–4.] *Lucrece.*

' And fellowship in woe doth woe assuage
As palmers' chat makes short their pilgrimage.'

This is a possible allusion to the C. Tales. For other Chaucer resemblances in this poem, *see* O. Ballmann in Anglia xxv, pp. 10–13, and G. Sarrazin in Anglia, Beibl. vii, p. 266.

[1593–4.] *A Midsummer-Night's Dream* certainly shows knowledge of the Theseus-Hippolyta part of Chaucer's Knight's Tale. *See* Chapters on Early English Literature, by J. H. Hippisley, pp. 60–2, also Quarterly Review, Jan. 1873, p. 249, and O. Ballmann in Anglia, xxv, pp. 5–9.

[1603.] *Troilus and Criseyde.*

Shakespeare undoubtedly used Chaucer's poem as a main source of his Troilus story ; see specially on this point, R. A. Small in the Stage Quarrel, Forschungen zur eng. sprache, Heft. I, 1899, pp. 154–6. Dr. Small holds that ' the whole character of Pandarus . . is taken directly from Chaucer's japing Pandarus,' that Shakespeare's play 'follows the order of Chaucer's story exactly, contains many passages obviously suggested by it . . . and owes to it one aspect of the character of Troilus.' *See* also Critical Essays on Shakespeare, by W. W. Lloyd, 1875, pp. 322–6.]

1592. Jeffes, Abel. *Entry in the Register of the Stationers' Company* of Chaucer's Works. (A Transcript of the Registers, etc., ed. by E. Arber, 1875–94, 5 vols., vol. ii, p. 621.)

[Rollins 42.]

vj^to die Octobris. Abell Jeffes. Entred for his copie . . . Chaucers workes to Print for the companye.

[For the transfer of this licence to Adam Islip *see* below, 1594, Islip.]

1594. Islip, Adam. *Entry in the Register of the Stationers' Company* of Chaucer's Works. (A Transcript of the Registers, etc., ed. by E. Arber, 1875–94, 5 vols., vol. ii, p. 611.)

xx° die Decembris. Adam Islip. Entred to him for his copie to printe for the companye. Chawcers workes . . . by the appointment of Abell Jeffes, to whom this copie was first entred, and yf hereafter there be any Comentary or other thinge written upon the same booke then the same Adam shall have the offer of the same.

[For Jeffes's entry *see* above, App. A, 1592.]

1594. Percy, William. *Sonnets to the Fairest Cœlia.* Sonnet viii. (Elizabethan Sonnets, ed. Sir Sidney Lee, in An English Garner, 1904, 2 vols., vol. ii, p. 145.)

> Strike up, my Lute . . .
> Rehearse the songs of forlorne amor'us
> Driv'ne to despaire by dames tyrannicall,
> Of *Alpheus* losse, of woes of *Troilus* . . .

1595. Churchyard, Thomas. *A Praise of Poetrie,* [in] *A Musicall Consort of Heauenly harmonie . . . called Churchyards Charitie.* [No old ed. in B.M.] (*Frondes Caducae,* vol. iv, 1817, p. 40.)

[Rollins 43.]

> Of heauenly things that earthly men
>   Can scarcely vnderstand
> Did not our Chausers golden pen
>   (That beautifide this land)
>
> Reach to the sunne and highest star
>   And toucht the heauens all
> A poets knowledge goes so far
>   That it to mind can call.

[*See* also above, pt. i, p. 141. "The Author to his booke" (at the end of *Churchyards Charitie*) begins "Go now plaine booke, where thou maist welcom find," possibly in imitation of *Troilus,* v, st. 256.]

1596. Lodge, Thomas. *Wits Miserie, and the Worlds Madnesse,* sign. F iij *b.* (*Works,* ed. Hunterian Club, 1879, vol. iv, p. 44.)

[Rollins 44.]

She [Cousenage] is the excellent of her age at a ring & a basket: & for a baudie bargain, I dare turne her loose to CHAUCER's *Pandare.*

1596. Spenser, Edmund. *The Faerie Queene,* bk. vi, canto 3, st. i.

> True is, that whilome that good poet sayd,
> The gentle mind by gentle deeds is knowne.
> > [*Wife of Bath's Tale,* l. 1170.]

1596. W., D. [*Verses*] *To the Author*, [in] *Sir Francis Drake, His Honorable lifes commendation, and his Tragicall Deathes lamentation* [by Charles FitzGeffrey], sig. A 4 recto, st. 3.

[Rollins 46.]

Old GEFFREY CHAUCER, *Englands* auncient Muse,
  And mirrour of the times that did ensue,
Yeelded to death, that nere admits excuse ;
  But now in thee he seemes to live anewe,
(If grave Pythagoras sage sawes be true :)
  Then sith old GEFFREY'S spirite lives in thee,
Rightlie thou named art FITZ-GEFFERY.

[For another example of this conceit applied to FitzGeoffrey, *see* above, pt. i, p. 216, Haxby, 1636.]

1597. Gerarde, John. *The Herball*, bk. ii, p. 424.

The first kinde, of Pennywoort . . . groweth vpon Westminster Abbay, ouer the doore that leadeth from Chaucer his tombe to the olde palace.

1598. Harington, Sir John. *The Most Elegant and Wittie Epigrams of Sir John Harington, Knight*, [written about 1598, printed 1633] bk. i, ep. 8.

[Rollins 47.]

Chawcers jest.

[1598-1600 ?] Harvey, Gabriel. *MS. notes* in Gabriel Harvey's handwriting, in his copy of 'The Workes of . . . Geffrey Chaucer, newly Printed,' . . . 1598. [Speght's first edn. of Chaucer.] (Gabriel Harvey's Marginalia, collected and edited by G. C. Moore Smith, 1913, Appendix II, pp. 224–34.)

[There are a good many notes in this book ; Professor Moore Smith gives them in full. Only those bearing directly on Chaucer or his work are printed here. There are difficulties in fixing with any certainty the dates of these notes. Probably they were written at different times between 1598, when Speght's *Chaucer* came into Harvey's possession (as proved by his autograph with date), and 1600 or even 1608. This latter date might be the earliest possible for the note on the *Shipman's Tale*, where Harvey quotes from the 1608, not the 1590, edition of the *Cobler of Canterburie*. As, however, the book was licensed on June 12, 1600, there may have been an intermediate edition in that year. For a full discussion of the date of Harvey's notes, with the views of Bishop Percy and Edmund Malone, see *Gabriel Harvey's Marginalia*, ed. G. C. Moore Smith, 1913, Preface, pp. viii-xi, and Notes, p. 304.]

[p. 226]   [At end of *Chaucer's Life* :—]

Amongst the sonnes of the Inglish Muses ; Gower, Lidgate, Heywood, Phaer, & a fewe other of famous memorie, ar meethinkes, good in manie kindes : but abooue all other, Chawcer in mie conceit, is excellent in euerie veine, &

Dan Chaucer, Well of English vndefiled,
On Fames eternal beadrole worthy to be fiied.
I follow here the footing of thy feet,
That with thy meaning so I may the rather meet.

And once againe I must remember M. _Camdens_ authority, who as it were reaching one
hand to Maister _Ascham_, and the other to Maister _Spenser_, and so drawing them togither
vttereth of him these words. _De Homero nostro Anglico illud vere asseram, quod de_
Homero eruditus ille Italus dixit:

    ————Hic ille est, cuius de gurgite sacro
Combibit arcanos vatum omnis turba furores.

And that wee may conclude his praises with the testimony of the most worthiest Gentleman that the Court hath afforded of many yeares : Sir Philip Sidney in his Apologie
for Poetry saith thus of him. Chaucer vndoubtedly did excellently in his Troylus and
Creseid ; of whom truly I know not, whether to meruaile more, either that he in that mi-
stie time, could see so clearely, or that we in this cleare age walke so stumblingly after him.
Seeing therefore that both old and new writers haue carried this reuerend conceit of our
Poet, and openly delared the same by writing, let vs conclude with Horace in the eight
Ode of his fourth booke :

    Dignum laude virum musa vetat mori:

Amongst the sonnes of the English Muses; Gower, Lidgate, Heywood, Phaer,
& a fewe other of famous FINIS. *memorie, as meethinkes, good in*
manie kindes: but aboue all other, Chaucer in mie conceit,
is excellent in euerie veine, & humour: & none so like him for gallant
varietie both in matter, & forme, as Sir Philip Sidney: if all the Exercises
which he compiled after Astrophil, & Stella, were consorted in one
volume. Workes in mie phansie, worthie to be intituled,
The flowers of humanitie & Axiophilus in one of his
English discourses.

humour : & none so like him for gallant varietie, both in matter, & forme, as Sir Philip Sidney. . .

On '*Arguments to euery Tale and Booke*,' on 'The Argument to the Prologues ' [written by Speght].

Pleasant interteinement of Time, with sociable intercourse of Tales, stories, discourses, & merriments of all fashions, Gallant varietie of notable veines, & humors in manie kinds, su*pra* to his loouing frend, concerning his obseruation of the [p. 227] art of Decorum in his Tales. A fine discretion in the autor : & a pithie note in the Censor, utrumq*ue* scitum.

[Speght, in this ' Argument,' remarks on Chaucer's ' decorum ' in speech (*see* below, App. A. 1598). Francis Beaumont, who, in his prefatory letter, signs himself Speght's 'loving friend,' asserts also that Chaucer observes decorum in suiting his speeches and stories to his characters (see above, vol. i, p. 146), hence Harvey's remark.]

[On ' *The Knights Tale*,' on the words ' deeds of Armes, and loue of Ladies : '—]
Heroical pageants.

[On ' *The Millars tale :* '—]
Comical tricks. The Prior disguised like a scull, shamefully discouered, in the new Canterburie Tales.

[On ' *The Reues Tale :* '—]
Such a reueng vpon Marian of Cherryhynton, bie Sir Rowland of Peters hostell in Cambridg. In the new Canterburie Tales, called The Cobler of Canterburie   A Tragedie for a Comedie.

Tria grata ; Nouitas, Varietas, breuitas.

[On ' *The man of Lawes Tale :* '—]
Courtlie practises.

[On ' *The Squiers Tale :* '—]
Heroical, & magical feates.

[On ' *The Merchaunts Tale* ' :—]
Comical.

[On ' *The Fryars Tale*,' on the words ' inuective against the briberie of the spirituall Courts ' :—]
Ecclesiastical iurisdiction, J.C.

[On ' *The Somners Tale* ' :—]
An od iest in scorne of friars.

[On ' *The Clarke of Oxfords Tale* ' :—]
Moral, & pathetical.

[On '*The Frankelins Tale*,' on the words 'The scope of this tale seemeth a contention in curtesie':—]

A generous Emulation. Magical feates bie the way.

[On '*The second Nonnes Tale*':—]

An Ecclesiastical Legend. The life of S. Crispin, in honour of the gentle Craft, for varietie. The lines of Eunapius, Philostratus, or such like.

[p. 228] [On '*The Chanons Yeomans Tale*':—]

A chymical discourse, & discouerie of a cunning impostour. One of Axiophilus memorials: with that lost labour of Aurelius. Two notable discourses of cunning withowt effect.

['Axiophilus' is probably Harvey himself, see Gabriel Harvey's Marginalia, ed. G. C. Moore Smith, p. 306. Aurelius is the squire in the *Frankeleynes Tale*.]

[On '*The Shipmans Tale*':—]

The Smithes Tale, in the new Canterburie Tales. A iealous Cobler, cunningly made a Cuckold. In the Cobler's Tale, the Eight orders of Cuckholds. Cuckhold Machomita. Heretick. Lunatick. Patient. Incontinent. Bie consent. Bie parlament. Innocent.

[On '*Chaucers Tale*':—]

Morall.

[On '*The Monkes Tale*', on the words 'A Tragicall discourse on such as haue fallen from high estate to extreame miserie':—]

The Mirrour of Magistrates.

[On '*The Manciples Tale*':—]

No Tales like the Tales of Cunning Experiments, or straung exploits, or queint surprises, or stratagems, or miracles, or sum such rare singularities.

[On '*The Persons Tale*':—]

Moral and penitential. The last of his Canterburie Tales, with Lidgates tragical storie of Thebes.

[On '*Troylus and Creseid*':—]

A peece of braue, fine & sweet poetrie. One of Astrophils Cordials.

[This alludes to Sidney's criticism. *q.v.* above, vol. i, pp. 121-2, 1581.]

[p. 229] [On '*The Legend of good women*':—]

Heroical & Tragical Legends.

[On ' *The Astrolabe* ' :—]
An astronomical discourse.

[On ' *The Testament of Loue* ' :—]
A philosophical discourse in the Veine of Boetius, &
sumtime of Seneca.

[After ' *Finis* ' :—]
All notable Legends in one respect, or other : & worthie
to be read, for theire particular invention, or elocution :
& specially for the varietie both of matter, & manner, that
delightes with proffit, & proffites with delight.   Though I
could haue wisshed better choice of sum arguments, and
sum subjects of more importance.

⋅   ⋅   ⋅   ⋅   ⋅   ⋅   •   •   ⸱   •

[On the text of the poems :—]
[' *The Millers Tale* ' :—]
A student of Astrologie.

[' *The Squiers Tale* ' :—]
The Spring : vt su*pra* in*fra.*
Cunning Compositions bie Natural Magique.

[' *The Frankeleins Tale* ' :—]
A cunning man, & arch-magician.

[' *The Tale of the Chanons Yeman* ' :—]
Alchymie.
The great Alchymist.

[' *The Tale of the Nonnes Priest* ' :—]
The spring.   The prime of day.

[' *The Parsons Prologue* ' :—]
The description of the howre.   ut su*pra* 17.
Contritio cordis.

[' *The Romant of the Rose* ' :—]
Excellent descriptions of Beautie.   Richesse.   Largesse.
[p. 230]   Fine Optiques.
Jelosies architecture.

[' *The Fifth Booke of Troilus* ' :—]
A cold spring.

[' *The Prologue* ' (*to the Legend of Good Women*) :—]
The daisie, his looue.
The Golden Legends of famous Ladies and Worthie
Woomen.

Chaucer's Works in honour of Woomen.

.   .   .   .

[p. 231]   [At the end of the poems :—]

Not manie Chawcers, or Lidgates, Gowers, or Occleues, Surries, or Heywoods, in those dayes : & how few Aschams or Phaers, Sidneys or Spensers, Warners or Daniels, Siluesters or Chapmans, in this pregnant age. But when shall we tast the preserued dainties of Sir Edward Dier, Sir Walter Raleigh, M. Secretarie Cecill, the new patron of Chawcer; the Earle of Essex, the King of Scotland, the soueraine of the diuine art ; or a few such other refined wittes & surprising spirits ?

.   .   .   .

More of Chaucer, & his Inglish traine in a familiar discourse of Anonymus [= Harvey?].

[p. 232]   And now translated Petrarch, Ariosto, Tasso & Bartas himself deserue curious comparison with Chaucer, Lidgate & owre best Inglish, auncient & moderne.

1598. Speght, Thomas. *The Workes of our Antient and lerned English Poet, Geffrey Chaucer.* [Additional extracts.]

[Sign. c. iiii.]   Arguments to every Tale and Booke.   [48 in all.]

The Argument to the Prologues—

The Authour in these Prologues to his Canterbury Tales, doth describe the reporters thereof for two causes : first, that the Reader seeing the qualitie of the person, may iudge of his speech accordingly : wherein Chaucer hath most excellently kept that *decorum*, which Horace requireth in that behalfe. Secondly to shew, how that euen in our language, that may be perfourmed for descriptions, which the Greeke and Latine Poets in their tongues haue done at large. And surely this Poet in the iudgement of the best learned, is not inferiour to any of them in his descriptions, whether they be of persons, times, or places. Vnder the Pilgrimes, being a certaine number, and all of differing trades, he comprehendeth all the people of the land, and the nature and disposition of them in those daies ; namely, giuen to deuotion rather of custome than of zeale. In the Tales is shewed the state of the Church, the Court, and Countrey, with such Arte and

Heywoods prouerbs, with His, & Sir Thomas Mores Epigrams, may serue for sufficient supplies of manie of theis deuises. And now translated Petrarch, Ariosto, Tasso, & Bartas himself deserue curious comparison with Chaucer, Lidgate, & owre best Inglish, auncient & moderne. Amongst which, the Countesse of Pembrokes Arcadia, & the Faerie Queene ar now freshest in request: & Astrophil, & Amyntas ar none of the idlest pastimes of sum fine humanists. The Earle of Essex much commendes Albions England: and not unworthily for diuerse notable pageants, before, & in the Chronicle. Sum Inglish, & other Histories nowhere more sensibly described, or more inwardly discouered. The Lord Mountioy makes the like account of Daniels peece of the Chronicle, touching the usurpation of Henrie of Bullingbrooke. Which in deede is a fine, sententious, & politique peece of Poetrie: as proffitable, as pleasurable. The younger sort takes much delight in Shakespeares Venus, & Adonis: but his Lucrece, & his tragedie of Hamlet, Prince of Denmarke, haue it in them, to please the wiser sort. Or such poets: or better: or none.

Villa miretur vulgus: mihi flauus Apollo Pocula Castaliae plena ministret aquae: quoth Sir Edward Dier, betwene iest, & earnest. Whose written deuises farr excel most of the sonets, and cantos in print. His Amaryllis, & Sir Walter Raleighs Cynthia, how fine & sweet inuentions? Excellent matter of emulation for Spencer, Constable, France, Watson, Daniel, Warner, Chapman, Siluester, Shakespeare, & the rest of owr florishing metricians. I looke for much, aswell in verse, as in prose, from mie two Oxford frends, Doctor Gager, & M. Hackluit: both rarely furnished for the purpose: & I haue a phansie to Owen's new Epigrams, as pithie as elegant, as pleasant as sharp; & sumtime as weightie as briefe: & amongst so manie gentle, noble, & royall spirits meethinkes I set sum heroical thing in the clowdes: mie soueraine hope. Axiophilus shall forgett himself, or will remember to leaue sum memorials behinde him: & to make an use of so manie rhapsodies, cantos, hymnes, odes, epigrams, sonets, & discourses, as at idle howers, or at flowing fitts he hath compiled. God knowes what is good for the world, & fitting for this age.

MS. NOTES BY GABRIEL HARVEY
IN HIS COPY OF SPEGHT'S CHAUCER, 1598. FOL. 394 BACK

cunning, that although none could deny himselfe to be touched, yet none durst complaine that he was wronged. For the man being of greater learning then the most, and backed by the best in the land, was rather admired and feared, then any way disgraced. Whoso shall read these his works without preiudice, shall find that he was a man of rare conceit and of great reading.

.   .   .   .

[Sign. c. v.]   *The Plowman's Tale.*

A complaint against the pride and couetousnesse of the cleargie : made no doubt by Chaucer with the rest of the Tales. For I haue seene it in written hand in Iohn Stowes Library in a booke of such antiquity, as seemeth to haue beene written neare to Chaucers time.

[Sign. c. v b.]   *The Legend of Good Women.*

For that some Ladies in the Court tooke offence at Chaucers large speeches against the vntruth of women, the Queene enioyned him to compile this booke in the commendation of sundry maydens and wiues, who shewed themselues faithfull to faithlesse men.

[In the second edn. of Speght's Chaucer, 1602, these ' Arguments' were removed from their place immediately after the 'Life,' and placed at the beginnings of the respective works.]

1599. Dekker, Thomas, and **Chettle, Henry,** *Troilus and Cressida* ["Troyeles & creassedaye," "Troyelles & cresseda," a play mentioned in Henslowe's Diary (ed. W. W. Greg., vol. i, pp. 104, 109) on April 7 and 16, 1599.]

[Rollins 48.]

[Probably indebted to Chaucer's *Troilus.* A rough plot preserved among the *Henslowe Papers* (ed. Greg., p. 142), shows clearly enough that the *Testament of Cresseid* was used.]

[1600 ?] Atkinson, ——, of Cambridge ? [About this time was christened Troilus Atkinson, later a bookseller. *See* Bibl. Soc. Dictionary of Printers, 1668–1725. His parents' names and the date of his birth are unknown. There was also a Sir Troilus Turberville, a Royalist, who was killed in the Civil War, and who was probably rather younger. These are the only definitely Chaucerian christian names that we have found.]

[*n.a.* 1600. **Moore**, Paul?] *The Wanton Wife of Bath, To the tune of Flying Fame, &c.* [Ballad.] Percy's *Reliques*, ed. 1765, Bk. II, No. 12; ed. 1767, III, 145; the Ballad Society's *Roxburghe Ballads*, VII, 212. Cf. also No. 79, below.

[Rollins 49.]

In *Bath* a wanton Wife did dwell,
As *Chaucer* he doth write,
Who did in pleasure spend her dayes,
And many a fond delight.

[The following entry appeared in the Stationers' *Registers* (Arber's *Transcript*, vol. ii, p. 831) on]

25. Junij [1600.]

Yt is ordered touchinge a Disorderly ballad of *the wife of Bathe*, printed by Edward aldee and william white and sold by Edward white: That all the same ballates shalbe brought in and burnt / And that either of the printers for theire Disorders in printinge yt shall pay v^s A pece for a fine. And that master white for his offence and Disorder in sellinge it shall pay x^s for a fine . xx^s.

And ther Imprisonment is respited till another tyme /

[The ballad, then, is as least as old as 1600. It is also interesting to observe that on June 24, 1632, Henry Goskin, of London, was summoned before the Court of High Commission for printing this ballad, "wherein the histories of the Bible are scurrilously abused," and was sent to Bridewell.—See J. S. Burns's *High Commission*, London, 1865, p. 47, and S. R. Gardiner's *Reports*, Camden Society, 1886, p. 314.

It was frequently reprinted, and more than once rewritten and enlarged. It describes the Wife of Bath's journey to Heaven and her retorts to the Biblical characters who refuse her admittance. For a Scotch version, "The Wanton Wife of Beith," *see* above, 1700, vol. i, p. 288.

The authorship is attributed to Paul Moore in a MS. copy written in the Huth (now B.M.) copy of Phillips' 'Satyr against Hypocrites,' 1655; but this may refer only to a contemporary version of the ballad.

The earliest extant printed text is a sheet printed for W. Thackeray, about 1670.]

1600. **Thynne**, Francis, *Emblemes and Epigrams*, epigram 61. [The autograph MS. has dedication dated 1600. (Ed. F. J. Furnivall, E.E.T.S., 1876, p. 82.)

[Rollins 51.]

ffor in this cottage rurall muse doth reste ;
here dwelleth *Cherill*, and *Topas* the Knighte,

[1600?] Unknown, *A ballad of Cresus* [i.e. *Cressida* ; in the Percy Folio MS.] (Ed. Hales and Furnivall, vol. iii, pp. 301–2.)

[Rollins 50.]

[st. 1]   Cressus : **was** the ffairest of Troye,
         whom Troylus did loue !
      the K*n*ight was kind, & shee was coy,
         no words nor worthes cold moue,
      till Pindaurus soe playd his p*a*rt
      *tha*t the K*n*ight obtained her hart . . .

[*n. b.* 1602. Goddard, William. *Verses* written on the back of the portrait in a copy of Chaucer's works, 1602, being No. 117 in a list, *c.* 1917, of books offered for sale by Mr. G. H. Last, of Bromley.]

    If thou yll-rellishe Chaucer for his ryme,
    Consider when he liud, the age and time,
    And thou't saie old Geffrye neatlie writt
    And shows both elloquence and curious witt,
    Noe age did ere afford a merryer vaine,
    Yet divd into a deepe and sollid straine.

                      Willyam Goddard.

1602. Scott, Robert, Junior Dean of Trinity College, Cambridge. *Sermon* [quoted by John Manningham in his Diary for 1602, (ed. J. Bruce, Camden Soc., 1868, p. 11).]

[Rollins 52.]

    All our **new** corne comes out of old feilds, and all our new learning is gathered out of old bookes. (*Chaucer.*)
    [*Parl. Foules*, ll. 22–25.]

1603. H[arsnet], S[amuel]. *A Declaration of egregious Popish Impostures*, pp. 12, 25.

[Rollins 53.]

[p. 12]   *Trayford* cryes out by the way *water, water,* as the Frier [*sic*] did that by *Absolon* in *Chawcer* was scalded. . . .

                         [*Milleres Tale*, ll. 620 ff.]

[p. 25]   [" Cressida," meaning a mistress.]

[*See* also above, vol. i, p. 173.]

[1603?] Shakespeare, William. *Troilus and Cressida* [written about 1603. For Shakespeare's debt to Chaucer *see* H. E. Rollins, "The Troilus-Cressida Story from Chaucer to Shakespeare," in the Publications of the Modern Language Association of America, Sept. 1917, vol. xxxii, pp. 383–429].

[c. 1604. Fowler, William?] [*The Laste Epistle of Creseyd to Troyalus.* (*Works*, ed. H. W. Meikle, Scottish Text Society, 1914, vol. i, pp. 379–387.)

[Rollins 54.]

[This curious poem aims at completing Henryson's *Testament*, to which it is chiefly indebted. It retells Henryson's story, with various borrowings from Chaucer and, apparently, from Lydgate's *Troy Book*.]

1604. Unknown. *A Pleasant Comoedie, Wherein is merily shewen: The wit of a Woman*, sig. E 4b (Malone soc. reprint, 1913, ll. 1154, 5).

[Rollins 55.]

Issa[bella]. Is not this a prettie world? *Ianuary* and *May* make a match.

[1605. Bedell, William, Bishop?] *The Shepherd's Tale of the Pouder-Plott. A Poem in Spenser's Style.* [Written in 1605, printed in 1713, as "A Protestant Memorial, or The Shepherd's Tale," etc.]

[Alexander Clogie, in his *Speculum Episcoporum* (*q. v.* below, [c. 1675–6]) attributes this poem to Bishop Bedell, and says that it is "conceived in the old dialect of Tusser and Chaucer." The pastoral dialogue is imitated from Spenser; the tale may possibly be considered to be imitated from Chaucer; it is in very rough couplets: *e. g.*]

In Italy (mought I tell it right)
An ancient City stands that *Rome* hight;
Who hath not heard by Report of Fame,
Wide in the World of this *Rome* the Name?

1606. *Licence to print The Ploughman's Tale* (as Chaucer's), [in] *Registers* of the Stationers' Company of London (Arber's *Transcript*, III, 310).

[Rollins 57.]

17. Januarij [1605/6]

Samuel Macham
Mathue Cooke.   **Entred** for their copy . . . A book called *the*
ploughmans tale shewinge by the doctrine and lyves
of the popishe clergie that the pope is Ante christ and they
his Ministers. written by Sir Geffrey Chawcer amongst
his *Canterbury Tales* and nowe sett out apart from the
rest with *A short exposition of the woordes and matter for*
the capacity and vnderstandinge of the sympler sort of
readers . . . . vj^d

[For the edition *see* above, vol. i, p. 177.]

1606. [**Chapman**, George ?] *Influence of Chaucer* on the author [George
Chapman ?] of *Sir Gyles Goosecappe.* Notes by Professor G. L.
Kittredge on Sir Gyles Goosecappe in "Notes on Elizabethan
Plays," in the Journal of Germanic Philology, vol. ii, 1898,
pp. 10–13.

[The source of the plot is the first 3 books of Chaucer's
Troilus and Criseyde.] It is sufficiently curious to see the
skill with which the anonymous playwright has adapted his
original to the fashions of Elizabethan comedy conversation.
Act i, sc. 4 (pp. 21–28) contains the confession of Clarence
(in reply to protestations of long-standing friendship on
the part of Monford) that he is in love with Monford's
niece Eugenia. The narrative corresponds in general to
Troilus, i, 547–1071, but it is much condensed and shows
few, if any, verbal resemblances. Act ii, sc. 1 contains the
visit of Monford to his niece's house. The agreement here
is closer. One has but to read *Troilus* ii. 78 ff. to recognize
the source of the scene.]

Sir Gyles Goosecappe.	*Troilus.*
Mom. I, and I could tell you a thing would make your Lady-ship very dancitive. p. 32	'As ever thryve I,' quod this Pandarus, Yet coude I telle a thing to doon you pleye. 'Now uncle dere,' quod she, 'tel it us
Eug. But I pray tell me my Lord could you tell me of a thing would make me dance say you? p. 32	For goddes love.' 2. 120–23 'Ye, holy god!'' quod she, 'what thing is that?' 2. 127

Mom. Well—farewell, sweet Neece, I must needs take my leave in earnest.

Eug. Lord blesse us, heres such a stir with your farewels.

Mom. I will see you againe within these two or three dayes a my word Neece.

Eug. Cods pretious, two or three days? Why this Lord is in a maruallous strange humor. Sit downe, sweet Vnkle; yfaith I have to talke with you about greate matters.   p. 32

And with that word tho Pandarus, as blyve,
He took his leve, and seyde, ' I wol go henne.'
' Nay, blame have I, myn uncle,' quod she, thenne.
What eyleth yow to be thus wery sone,
And namelich of wommen? wol ye so?
Nay, sitteth down; by god, I have to done
With yow, to speke of wisdom er ye go.'   2. 208–14

·   ·   ·   ·   ·   ·   ·

[pp. 32–3 are then compared with *Troilus* ii. 274–80.]

Mom. Never trust me, if all things be not answerable to the prediction of a most Divine fortune towards her; now if she have the grace to apprehend it in the nicke; thers all.
        p. 33

' Good aventure, O bele nece, have ye
Ful lightly founden, and ye conne it take;
And, for the love of god, and eek of me,
Cacche it anoon; lest aventure slake.'   2. 288–91

Mom. Neece, *Clarence, Clarence*, rather my soule than my friend Clarence, of two substantiall a worth, to have any figures, cast about him (notwithstanding, no other woman with Empires could stirre his affections) is with your vertues most extreamely in love; and without your requitall dead.
        p. 33

'Now, nece myn, the kinges dere sone,
The goode, wyse, worthy, fresshe and free,
Which alwey for to do wel is his wone,
The noble Troilus, so loveth thee,
That, bot ye helpe, it wol his bane be.'   2. 316–20

Eug. Ay me poor Dame, O you amase me Vnkle.

'This false world, alas! who may it leve?

Is this the wondrous fortune you presage?

What man may miserable women trust?　　p. 34

' What? is this al the Ioye and al the feste?

Is this your reed, is this my blisful cas?

Is this the verray meede of your beheste.'　　2. 420-3

Mom. But now I see how you accept my motion : I perceive (how upon true triall) you esteeme me.　　p. 34

' I see ful wel that ye sette lyte of us.'　　2. 432

In act iii, sc. 2 (pp. 51, 52), Clarence writes a letter at the suggestion of Monford (cf. *Troilus*, ii. 1002, 1023 ff.), which the latter undertakes (p. 54) to deliver to Eugenia. In act iv. (pp. 57 ff.) Monford delivers the letters :

Eug. What winde blowes you hether troe?

Mom. Harke you, Madam, the sweet gale of one *Clarences* breath, with this his paper sayle blowes me hether.　　p. 57

' What maner windes gydeth yow now here?'　　2. 1104

He seyde hir thus, and out the lettre plighte,

' Lo, he that is al hooley youres free.

Him recomaundeth lowly to your grace,

And sent to you this lettre here by me.'　　2. 1120-23

Eug. Aye me, still in that humour? beshrewe my heart, if I take anie Papers from him.　　p. 57

' Scrit ne bille,

For love of god, that toucheth swich matere,

Ne bring ne noon.'　　2. 1130-32

Mom. Kinde bosome doe thou take it then.

Eug. Nay then never trust me.

Mom. Let it fall then or cast it away, you were best, that everybody may discover your love suits, doe, theres somebody neare, you note it.　　p. 57

' Refuse it nought,' quod he, and hente her faste,

And in her bosom the lettre doun he thraste,

And seyde hir, ' now cast it away anoon,

That folk may seen and gauren on us tweye.'

Quod she, ' I can abyde till they be goon.'　　2. 1154-8

[There follows the account of Eugenia's writing a reply to Clarence's letter (pp. 58–61), which should be compared with *Troilus* ii. 171 ff. The pretended sickness of Troilus (*Troilus* ii. 1513 ff., 3. 8 ff.) and the supper at Pandarus's house (*Troilus* ii. 554 ff.) are combined in the fifth act, with some important modifications. A contract of marriage is made between Eugenia and Clarence, and the play closes with a 'measure' and a song.]

1606. Craig, Alexander. *The Amorose Songes, Sonets, and Elegies:* Of M. Alexander Craige, Scoto-Britane. (Works, Hunterian Club, 1873, pp. 82, 111.)

[Rollins 58.]

[p. 82] To LAIS.

When *Cressid* went from *Troy* to *Calch*[*a*]*s* tent,
and *Greeks* with *Troians* were at skirmidg hot
Then *Diomed* did late and aire frequent
Her companie, and *Troil* was forgot.

[Craig must have had *Troilus and Criseyde* in mind. *See* next quotation.]

[p. 111] To LAIS.

Braue *Troilus* the *Troian* stout and true,
As more at length in *Chauser* wee may find,
Dreamd that a faire White Bull, as did insue,
Had spoyld his Loue, and left him hurt behind . . .

[Cf. *Troilus*, v, st. 178, 207 ff.]

1607. C., R. *The Epistle Dedicatorie* [to] *A World of Wonders* [translated from the French of Henri Estienne], sign ¶ 3.

They [our ancestors] thought him [Herodotus] worthy to be read at the games of Olympus. These men [*i. e.* modern critics] reade him but as a Canterburie tale, to hold children from play, and old folkes from the chimney corner.

1607. Dekker, Thomas, and **Webster,** John. *West-Ward Hoe,* Act v, sign. G 4b. (Dekker's Plays, ed. Pearson, 1873, vol. ii, p. 348.)

[Rollins 59.]

No remedy trusty *Troylus :* and it greeues mee as much, that youle want your false *Cressida* to night, for heeres no sir *Pandarus* to vsher you into your Chamber.

[1608 ?] Beaumont, Francis. *The Triumph of Honor* [the first of] *Four Plays or Moral Representations in One,* [first printed in Beaumont and Fletcher's] Comedies and Tragedies. (Works, ed. A. R. Waller, 1905–12, 10 vols., vol. x, pp. 292, etc.)

[Based on the *Frankeleynes Tale,* the name of Dorigen being retained for the heroine. This and the second Triumph are attributed to Beaumont.]

1609. Heywood, Thomas. *Troia Britanica: Or Great Britaines Troy, A Poem,* Canto xi, p. 254 *n.*

[Rollins 60.]

The passages of Loue betwixt Troylus and Cressida, the reuerent Poet Chaucer hath sufficiently discourst, to whom I wholy refer you, hauing past it ouer with little circumstance.

["This passage was kindly copied for me," says Professor Rollins, "by Dr. J. B. Munn, of Harvard."]

[c. 1610.] Unknown. *Troilus and Cressida,* [a Welsh Play, in MS. Peniarth 106, National Library of Wales].

[For this curious and important work, which is said to borrow freely from both Chaucer and Henryson, see J. S. P. Tatlock's article in the *Modern Language Review,* vol. x (1915), pp. 265 ff.]

[1611 ?] Davies, John, of Hereford. *The Scourge of Folly,* p. 109. (Works, ed. A. B. Grosart, 1875–78, vol. ii, pp. 34, 57.)

[Rollins 63.]

[p. 34]   EPIG. 288 [*sic,* for 228].

She . . . loues to bourd, or iest,
(Or as Sir Chaucer tearmes it) with the best.

[p. 57]   *To my tenderly beloued friend Mr Nicholas Deeble.*
Hend Nicholas (quoth Chaucer) kinde to me . . .

[*Milleres Tale.*]

1611. Sydenham, George. *Note to a Poem* in *Coryat's Crudities,* sign. F 2b.

[A coarse phrase in the text is described as "a Chaucerisme."]

1611. Sylvester, Joshua. [*Lines interpolated by Sylvester* in] Du Bartas his Deuine Weekes and Workes Translated . . . by Josuah Sylvester. Now thirdly corrected & augm., 1611, p. 69. (Complete Works, ed. A. B. Grosart, 1880, vol. i., p. 43). These lines are not in the earlier editions of 1605 or 1608, but are first inserted in the 1611 edition].

And little LAMBE'S-BOURN, though thou match not Lers,
Nor had'st the Honor of DU BARTAS' Verse,
If mine have any, Thou must needst partake,
Both for thine Owne, and for thine Owner's Sake;
Whose kinde Excesses Thee so neerely touch,
That Yeerely for them Thou doost weep so much
All Summer-long (while all the Sisters shrink)
That of thy teares a million daily drink;
Besides thy waast which then in haste doth run
To wash the feet of CHAUCER's Donnington:

[This is quoted in the Gentleman's Magazine, Nov. 1743, *q. v.* below.]

1612. Johnson, Richard. *A New Sonnet of a Knight and a Faire Virgin*, [a ballad, in] *A Crowne-Garland of Goulden Roses.* (Ed. 1631, 1st in BM ; Percy Soc. ed., 1842, pp. 68–71.)

[Rollins 64.]

[Johnson tells the *Wife of Bath's Tale*, closely following Chaucer.]

1612. Unknown. [*A Poem on Troilus and Cressida*, added to the 1612 edn. (B.M.) of Deloney's *Strange Histories.*]

[This poem covers the whole plot of the Troilus story, in outline, the earlier part being told in a dialogue between the lovers. Cressida's leprosy is mentioned at the end.]

1613–16. Browne, William. *Influence of Chaucer on Browne.* William Browne, his Britannia's Pastorals, by F. W. Moorman (Quellen und Forschungen, lxxxi, 1897), pp. 59–62, 120.

[pp. 59–62.] [Browne's Song iii, describing the Golden Age, drawn in some points from Chaucer, especially the *Boethius.*]

[p. 120.] [The concert of birds based on the *Assemble of Foules.*]

1613. Dekker, Thomas. *A Strange Horse-Race*, sign. C 3b. Non-Dramatic Works, ed. A. B. Grosart, vol. iii, pp. 336–337.)

[Rollins 65.]

[Dekker quotes the *Frankeleynes Tale*, ll. 1243–1254.]

1613. Pits [or] Pitseus, John.   *Relationum Historicarum de Rebus Anglicis tomus primus,* Parisiis, 1619.   *De illustribus Angliæ Scriptoribus,* pp. 572–5 [life of Chaucer], 576 [Gower], 632 [Lydgate], 670 [Caxton].

[The author's colophon reads : Huic operi finem imposui mense Septembri i, Anno Domini 1613. Ioannes Pitseus.]

[p. 572]   De Galfredo Chaucero.

1400
730.
Galfredus Chaucerus apud Wodstoc non longè ab Oxonio in Anglia claris parentibus natus, patrem habuit Equestris ordinis virum, & ipse tandem auratus factus est Eques.   Vir belli pacisque artibus mirè florens.   Cùm ab ipsa pueritia præclaram ostenderet indolem, ad scholas Oxionienses excolendi ingenij causa adolescens missus est.   Vbi tanta cum industria, tanta cum fœlicitate florentes annos in optimarum litterarum studijs collocauit, vt nihil eorum omiserit, quæ ad ornatum ingenij sui longè cultissimi facerent.   Nam iam antequam virilem ætatem attigisset, erat Poëta elegans, & qui Poësim Anglicam ita illustrauit, vt Anglicus Homerus meritò haberetur.   Rhetor etiam disertus, Mathematicus peritus, Philosophus acutus, Theologus denique non contemnendus.   Exquisitissimos in his omnibus scientijs habuit præceptores, quos & ipse propter miram animi alacritatem ad studia, & singularem ingenij promptitudinem ac fœlicitatem, ita consecutus est, vt eorum cuique in cuiusque facultate par & æqualis, si non superior, euaserit.   In scientijs Mathematicis legentes audiuit Ioanem Sombum [*sic*] & Nicolaum Linnam Carmelitas Linnenses, viros per illa tempora pereruditos, & Mathematicorum illius ætatis facilè principes, quos Chaucerus in sua sphæra reuerenter admodum compellat, & cum honore nominat.   Absolutis autem in Anglia studijs, transfretauit in Galliam, tum vt linguam addisceret, & exterorum mores videret, tum etiam vt nihil reliqui faceret ad accuratissimam scientiarum perfectionem, si quid ei forsan suppeditaret Gallia, quod Anglia non haberet.   Ibi omnes hominis ingenium, eruditionem, vrbanitatem, morum suauitatem, aliasque insignes dotes admiratione simul & amore prosecuti sunt.   Ille interim quæ è re eius erat, non neglexit, didicitque linguam, lepores, sales, omnesque Gallorum argutas facetias.   Qua supellectile cumulatè instructus, & quasi quibusdam floribus nitidè ornatus, redijt in Angliam.   Deindè Londini agens patrijs iuribus studuit, & Collegia

iurisperitorum illic inuisit, historias etiam non omittens, ad
excolendam patriam linguam se contulit. Inter hæc incidit
[p. 573] in Ioannem Gouerum (de quo mox dicendum) virum nobilem,
doctu*m*, Galfredo ferè per omnia similem, quique eundem
prorsus habuit omnium studioru*m* suorum propositum finem.
Deprehenditur facilè morum similitudo, initur citò amicitia,
concurritur in idem propositum, coniunguntur labores, fre-
quens fit congressus, quotidiana familiaritas, omnis conatus
eò refertur, vt materna excolatur lingua, & in Anglico ser-
mone eloquentiæ Romanæ expressa appareant vestigia. Et
attulerunt certè hi duo viri nostro idiomati tantum splen-
doris & ornamenti, quantum ante illos prorsus nemo. Nam
sibi mutuò calcar addiderunt, & vter patriæ plus afferre
honoris, vterque vinci & vincere ambiens, amanter conten-
derunt. Non solum memores, sed etiam imitatores illius

> *Quod lingua Catonis & Enni*
> *Sermonem patrium ditauerit, & noua rerum*
> *Nomina protulerit.*

Et quia sua vel patrum memoria nouerant multos iam
linguas vulgares industria cultura exornasse : Nam Da*n*tes
& Petrarcha Italicam, Alanus Gallicam, Ioannes Mena His-
panicam linguas iam cultiores reddiderant : operæ precium
igitur putaba*n*t isti, idem in Anglica linguæ præstare, quod
viderant alios in suis linguis magna cum laude, & posteri-
tatis incom*p*arabili vtilitate gnauiter præstitisse. Itaque
alia ex alijs linguis transferendo, alia imitando, alia in-
ueniendo, & proprio Marte componendo, comptè, tersè, politè
scribere Anglico idiomate conati sunt. Et profectò in multis
Latinorum elegantiam, si non sint plenè consecuti, at certè
non infœliciter imitati. Vterque tamen minùs sibi tribue-
bat, quàm alteri. Vndè factum est, vt alter alterius iudicio
scripta sua mutuò subijceret, & si quid in altero deesset,
alter suppleret, atque ità communicatis consilijs, vtriusque
lucubrationes, sæpiùs sub incude vocatæ, emendatiores in
publicum prodierunt. Vnum hîc, licet à nostro proposito
forsan alienum videri quibusdam poterit, adnotare non
piget. Licet Chaucerus tantum esset ordinis Equestris,
tamen sororem habuit Guilhelmo Polo Illustrissimo Suffol-
censium Duci in matrimonio longè supra suam sortem fœli-

cissimè splendidissimèque collocatam. Quod connubium illa
magis virtutibus & doctrinæ fratris, quàm splendori suorum
natalium habuit acceptum. Nunc restat videre quibus litterarum monimentis, hanc nominis immortalitatem, quam
habet, consecutus sit. De quo Lelandus noster inter epigrammata sua sic scribit

> *Prædicat Algerum meritò Florentia Dantem,*
> *Italia & numeros tota Petrarcha tuos.*
> *Anglia Chaucerum veneratur nostra Poëtam,*
> *Cui veneres debet patria lingua suas.*

Scripsit autem cultissimus noster Chaucerus pleraque
Anglicè, sed quoniam omnia ferè Latina facta sunt, operum
titulos & exordia Latinè ponam.

[Then follow a list of Chaucer's works, pp. 574–5, and
a few words on his tomb and epitaph. For these see
Chaucer, by E. P. Hammond, pp. 15–17.]

1615. Gordon, Patrick. *The Famous Historie of* . . . *Prince Robert
surnamed the Bruce*, Preface, sign. *iija.

It [the old poem of the Bruce] was in old ryme like to
Chaucer.

[1617 ?] Campion, Thomas. *The Third and Fourth Booke of Ayres.*
Preface "to the Reader" of the Fourth Book of Ayres. (Thomas
Campion, Songs and Masques, ed. A. H. Bullen, 1903, p. 111.)

If any squeamish stomachs shall check at two or three
vain ditties at the end of this book, let them pour off the
clearest and leave those as dregs in the bottom. Howso-
ever, if they be but conferred with the *Canterbury Tales*
of that venerable Poet *Chaucer*, they will then appear
toothsome enough.

[n. a. 1617.] Unknown. [*A Poem in praise of tobacco*, attributed to
Chaucer. *See* the answer to it, "Chaucer's Incensed Ghost," by
Richard Brathwait, 1617, above, vol. i, p. 192. We have not been
able to identify the original.]

1623. Painter, William. *Chaucer new painted.*

[Rollins 66.]

[This was licensed on 14 May to Eld and Flesher, not, as
stated in pt. i, on 23 May to Serle. (Stationers' Register,
Arber's Transcript, vol. iv, p. 96.)]

1631. Weever, John.   *Ancient Funeral Monuments,* pp. 595–96, 661.

[Rollins 67.]

[pp. 595–96]   The next vnto them be knights eldest sonnes : and such an Esquire was the knightes sonne in *Chaucer,* who attended his father on pilgrimage to *Thomas Beckets* Shrine, as doth appeare by their characters in the Prologues to the Canterbury tales.   Of which so much as tends to this purpose. [He then quotes the *Prologue,* ll. 43–46, 77–82, 99–100.]

Geffrey Chaucer Brother in Law by marriage to John, Duke of Lancaster.   [p. 661]   This Sir *Payne Roet* had issue, the aforesaid Dutchesse [of Lancaster], and *Anne* who was married to *Geffrey Chaucer,* our famous English Poet, who by her had issue, Sir *Thomas Chaucer,* whose daughter *Alice* was married to *Thomas Montacute,* Earl of Salisbury, . . . and after to *William de la Pole* Duke of Suffolke . . .

[*See* also above, vol. i, p. 204.]

1631. Shirley, James.   *Changes: Or, Love in a Maze. A Comedie,* sign. B 4 *b*–C 1 *a.*

[Rollins 68.]

Cap[*erwit*].   Though I were borne a Poet I will study to be your servant in Prose, yet if now and then my braines doe sparkle, I cannot helpe it, raptures will out ; . . . the midwife wrapt my head up in a sheet of Sir *Philip Sidney* that inspired me, and my nurse descended from old *Chaucer.*

1633. Ware, Sir James.   *The Historie of Ireland,* collected by three learned authors, [edited by Sir James Ware], Dublin, Preface to Spenser's View of Ireland, sign. ¶ 3b.

[Spenser buried by Chaucer, " whom he worthily imitated ;" his epitaph (*q. v.* above, vol. i, p. 163) quoted.]

[*n. a.* **1634.**] **Coke,** Edward, Lord [*d.* 1634].   [*Opinion on Chaucer,* cited by Emerson, Conduct of Life (Works, Centenary Ed., vol. vi, p. 132).]

Lord Coke valued Chaucer highly because the Canon Yeman's Tale illustrates the Statute fifth Hen. IV. chap. 4 against alchemy.

[We have not been able to trace the origin of this.]

1635. Kynaston, Sir Francis.   [*Dedications and Prefatory address to*] *Amorum Troili et Creseidæ libri duo,* Oxoniæ, 1635.   Dedication ' Clarissimo . . . Dn Patricio Iunio ', sign. A 2*b*–A 3*b* ; Preface to the reader (dated Dec. 1634), sign. † 1*a* ; [Here follow the dedi-

catory verses, *see* above, vol. i, pp. 207–215,] Dedication to Book ii,
' Eruditissimo . . . viro Iohanni Rous ', sign. P 2*b*.

Clarissimo et
Ornatissimo
Viro
Dn° Patricio Iunio
Bibliothecario Regio,
Franciscus Kinaston ;
S.P.D.

. . . .

[sign. A 2*b*]   Quare cùm ita se res habeat, Eroticum hoc poema, cuius
frontem tuo amicissimo nomine decoramus, ævi injuria
obliteratum ferè, & inter deperdita recensendum, ad te .&
tuum patrocinium inter alia priscorum opera & pegmata non
immeritò confugere videtur ; cuius duo nomina sunt totidem
bona omina, quæ authorı *Chaucero* & mihi aliquid fausti
portendunt . . .

. . . .

[sign. A 3*b*]   Quod reliquum est, gratiam & æstimationem, quam inculta
hæc carmina, quoad versionem, apud exteros, vel ab authore
Chaucero, vel à me eius vmbra sperare nequibant, (vt vatis
celeberrimi & popularis tui Buchanani aureis vtar verbis)
Debebunt Genio forsitan illa tuo. Vale.

Candido Lectori
Franciscus Kinaston,
Eques Auratus & Regii
Corporis Armiger,
S.P.D.

[sign. † 1*a*]   Cvm tantus sit, Lector amice, apud omnes, venerandi
æquè ac vetusti Poetæ nostri honos & existimatio, vt nec
doctissimorum censuram metuat, nec potentissimorum
virorum patrocinium flagitet : nil superest, quin vt te paucis
moneam de hâc meâ versione huius poematis in Linguam
Latinam ; nempe quo consilio eam aggressus sim, & cui bone,
quo modo hosce duos libros priores novo & hactenus in-
tentato apud Latinos carminis genere absolverim, quæ
occurrerint difficultates, denique in quibus erratum sit, &
venia tua exoranda.

  Hæc omnia libens lubens facio, eo quod non solum adhuc sit

incertum : quam gratum exteris futurum sit hoc poemation
& nostra qualiscun*que* versio, sed quod incertior sit vitæ
meæ meta, cuius continuationem vix fas est sperare adeò
diuturnam, vt ad operis incœpti consummationem extendatur.
Ob eamq*ue* causam, dum meimet ipsius contemplatione cæter-
orum omnium statum labentem intueor, ecce, video *Chaucerum*
nostrum, huius Insulæ ornamentum & Poeseos decus egreg-
ium, non solum senescentem, & sub obsoleto & iam spreto
Anglici vetusti Idiomatis vestimento vilescentem ; sed (proh
dolor) prorsus tabescentem & ferme emortuum.   Cuius de-
ploratæ conditioni dum aveo ferre suppetias, & æterne suæ
memoriæ conservationi prospicere : Visum est mihi con-
sultissimum, illum novâ linguâ donare, & novato rythmi &
carminis genere decorare ; eumq*ue* perenni Roman eloquij
columnâ fulcire, & per omnia secula (quantum in nobis
est) stabilem & immotum reddere.

Enimverò, potuissem (idq*ue* facillimè) verba obsoleta per
totum hoc poema passim sparsa in nova mutare, & omnes
phrases & dictiones desuetas verbis purioribus, & quæ hodiè
obtinent, reddere, & ad captum præsentis ævi, non tantum
Anglicè, sed etiam & metricè accommodare.   Nec enim sine
exemplari errassem, si hoc præstitissem, cum Poema quoddam
Gallicum, cui titulus *Legenda Rosea*, à quodam Gulielmo de
Lorris trecentis fere ab huic annis inchoatum, & post quadra-
ginta annos opera Iohannis de *Mohun* absolutum, septies ex
eo tempore Gallicè editum, & phrasi uniuscuiusq*ue* seculi
aptatum, & quasi de novo scriptum fuerit.   Sed peccatum
inexpiabile in *Manes Chauceri* admisisse me existimarem,
si vel minimum Iota in eius scriptis immutassem, quæ sacra
& intacta in æternum manere digna sunt.

. . . .

[Dedication of Book ii.]   Eruditissimo et generosissimo
viro Iohanni Rous.

_{[sign.}   Sed tandem (vt plerunq*ue* fit) cessit amori pudor, &
_{P 2*b*]} gratitudo vicit verecundiam, adeò vt temperare mihi non
potuerim, quin te simul Authoris venerandi lectorem, ac
versionis meæ barbarae & incomptæ Patronu*m* deligerem et
avidè exoptarem ; Quam si benignè adspexeris, & vmbra*m*
patrocinii tui non plane indignam existimaveris, quicquid
alii oggannient, non multum morabor, neq*ue* rigidos delicati
huius sæculi Aristarchos, aut illorum censura*m* verebor.

[sign.
P 3]
Quibus si versus nonnulli claudicare & pedes *Agrippinos*
habere videbuntur, cùm tamen sensum genuinum *Chauceri*
patris & mentem integram tanquam ex traduce derivatam
cum accuratissima rythmorum Anglicorum observatione
in versione Latinâ (quae mihi præcipue curæ fuit) vbique
à me retentam esse deprehenderint : si æqua lance momenta
omnia perpenderint, vel ipsi vnius aut alterius paginæ
periculum fecerint, rem non adeo proclivis & facilis negotii
mecum fortasse fatebuntur.

[Specimen of Kynaston's Latin translation of *Troilus.*]

AMORUM TROILI ET CRESSIDÆ
LIBER PRIMUS.

1.

Dolorem Troili duplicem narrare,
Qui Priami Regis Trojæ fuit gnatus,
Vt primùm illi contigit amare,
Vt miser, felix, & infortunatus
Erat, decessum ante sum conatus.
Tisiphone fer opem recensere
Hos versus, qui, dum scribo, visi flere.

2.

Te invoco, & numen tuum infestum,
Dira crudelis, dolens semper pœnis,
Me iuva, qui sum instrumentum mæstum,
Amantes queri docens his camœnis :
Nam conuenit humentibus & genis,
Tristem habere tremulum pauorem,
Historiam mœstam, vultus & mœrorem.

1635. Wentworth, Thomas, Earl of Strafford. *Letter to Mr. Secretary
Coke,* [dated] Dublin, 14 Dec., 1635, [printed in The Earl of
Strafforde's Letters and Despatches, 1739, 2 vols., vol. i, p. 497,
quoted in Robert Browning's Prose Life of Strafford (Browning
Soc.) 1892, p. 197].

There is no more to be added in his [Sir Piers Crosby's]
Case, but these two Verses of old Jeffery Chaucer,

A busier than he none was,
And yet he seem'd more busy than he was.

[*Prol.* ll. 321-2.]

1636. Conway, Edward, 2nd Viscount. *Letter to Thomas Wentworth Earl of Strafford,* [dated] Sion, 22 Jan. 1636, [printed in The Earl of Strafforde's Letters and Despatches, 1739, 2 vols., vol. ii, p. 47, quoted in Robert Browning's Prose Life of Strafford (Browning Soc.), 1892, p. 129].

Now if I were a good Poet, I should with Chaucer call upon Melpomene
>To help me to indite
>Verses that weepen as I write.

1637. Wentworth, Thomas, Earl of Strafford. *Letter to the Lord Viscount Conway,* [dated] Dublin, 6 Jan., 1637, [printed in The Earl of Strafforde's Letters and Despatches, 1739, 2 vols., vol. ii, p. 145, quoted in Robert Browning's Prose Life of Strafford (Browning Soc.), 1892, pp. 196–7].

At my Lord Mountnorris his departure hence, he seemed wondrously humbled, as much as Chaucer's Friar, that would not for him any Thing should be dead.

[*Somnours Tale,* l. 1842.]

[*n. a.* 1640.] Jackson, Thomas, Dean of Peterborough. *Dominus Veniet. Of Christ's Session at the Right-Hand of God,* [first printed in] A Collection of the Works of T. Jackson, 1653–7, pt. 3. (Works, 1673, 3 vols., vol. iii, p. 746.)

[Dr. Jackson died in 1640.]

As our Posterity in a few years will hardly understand some passages in the *Fairy Queen,* or in *Mother Hubbards* or other Tales in Chaucer, better known at this day to old Courtiers than to young Students.

1640. Jonson, Ben. *The English Grammar,* made by Ben Johnson for the benefit of all Strangers, out of his observation of the English Language now spoken, and in use, pp. 66, 70, 72, 79–80, 82–4.

[Chaucer is cited 25 times, quotations are principally from the *H. of Fame, Troilus,* and the *M. of Lawe's Tale.*]

1643. Unknown. *Powers to be Resisted:* or a Dialogue arguing the Parliaments lawfull Resistance of the Powers now in Armes against them, pp. 39–40.

[p. 39]   This is like old *Chaucers* tale of a Fryar, whose belly was
[p. 40] his god, he would feed upon the sweetest, Mutton, Goose, and Pig, but a pitifull man! he would have no creature killed for him, not he.

[*Somnours Tale,* l. 1842.]

1644. Symonds, Richard. *Diary,* Oct. 21, 1644. (Ed. C. E. Long, Camden Society, 1859, p. 143.)

[Rollins 69.]

Dennington or Demyston [*sic*] Castle, com. Berks., was . . . antiently the seate of Geoffry Chaucer the poet.

1645. Milton, John. *Il Penseroso,* [in] Poems, 1645, p. 37.

As thick and numberless
As the gay motes that people the Sun Beams,

[Cf. *Wife of Bath's T.*, l. 868.]

1647. Unknown. *Match me these two,* p. 9. [Not in B.M. ; copy in Bodl. (Wood 6544/10.)]

O *Chaucer* and thy *Genius*, help on my tale.

1648. Unknown. *A Brown Dozen of Drunkards,* pp. 6, 16.

[p. 6]　　When he drinks fluently, the shouts which the old wives in *Chaucer* gave, and Dame *Partlet* the Hen, when the Fox carried *Chanticleere* the Cock to the wood . . . scarce parallel the clamours.

[p. 16]　　Though he doe not as exactly as *Virgil* imitate *Homer*, nor as our *Chaucer* and *Spenser Virgil* . . .

1648. Lloyd, D. *The Legend of Captain Jones,* p. 3.

[Sr. Topas
rime in　Topas hard quest after th' Elfe Queen to Barwick.
Chaucer.]

1648. Whitelock, Bulstrode. *Speech to the new Serjeants at the Chancery Bar.* See above [*a.* 1675], pt. i, p. 251.

1649. Herbert, Anne, Countess of Pembroke. *Letter to the Countess Dowager of Kent,* [dated :] Appleby Castle, 10 Jan. 1649, [in Harl. MS. 7001, quoted by T. Park, Royal and Noble Authors, 1806, 5 vols., vol. iii, p. 17].

[Lady Pembroke sends her love and service to "worthy Mr. Selden," and adds that she should be in pitiful case if she had not "excelentt Chacers booke," to comfort her ; but when she read in that she scorned and made light of her troubles.]

[1650 ? or 1660 ?] Marvell, Andrew. *Tom May's Death,* [in] Miscellaneous Poems, 1681, p. 37. (Poems and Satires, ed. G. A. Aitken, **vol. ii,** p. 13.)

[May died in 1650, and was buried in Westminster Abbey ; at the Restoration his body was removed. It has been suggested that the poem was written after the latter event, and that the lines here quoted refer to it; but this seems to require too wanton a malignity in Marvell.]

Poor poet thou, and grateful senate they
. . . . To lead thee home.
If that can be thy home where Spenser lies
And reverend Chaucer; but their dust does rise
Against thee, and expel thee from their side,
As the eagle's plumes from other birds divide.

1650. Toll, Tho[mas]. *To the Author*, [in] *Fragmenta Poetica* . . . by Nich. Murford, 1650, sig. A 5. (B.M. C. 39. b. 41.) [Ends:]

Trade on wits Merchant, give the world to know
Chaucer was bred in *Lyn*, and so wert Thou.

Raptim
Tho. Toll junior, Gent.

1651. Sheppard, Samuel. *Epigrams*, Lib. 4, Epig. 28. On Mr. Spencer's . . . Faerie Queen, p. 95.

Collin my Master, O Muse sound his praise,
Extoll his never to be equal'd Layes,
Whom thou dost Imitate with all thy might,
As he did once in *Chawcers* veine delight.

1653. Flecknoe, Richard. *A Letter treating of Conversation, Acquaintance and freindship* [sic], [in] *Miscellania*, pp. 126–7.

One of whome is Chawcer's busy man, of whom it may well be sayd, *That a busier man nere nas, and yet he seemed far busier than he was.*

1654. Gayton, Edmund. *Pleasant Notes upon Don Quixot*, p. 50.

[Rollins 70.]

As unfortunate it is, when fifteen joines to seventy, there's old doinge (as they saye) the Man and Wife sitting together like *January* and *May* day.

[Perhaps an allusion to the *Merchant's Tale.* For another passage *see* above, vol. i, p. 229.]

1657. Jordan, Thomas. *The Walks of Islington and Hogsdon*, Act iv, sc. i, sign. E 4b.

By the wanton memory of *Chaucer* I could turn Poet,
And write in as Heathen English; and as Bawdy.

1658. Philips, Edward. *The New World of English Words,* sign. L 4.

[Rollins 72.]

Dennington, a Castle in Bark-shire . . . it was once the Residence of the Poet *Chaucer.*

[There are other allusions to Chaucer in this Dictionary. See, *e.g.*, under "Bay." *See* also above, vol. i, p. 236.]

1658. W., S. W., C.C. Oxon. [*Verses to the author* (K.Q.), in] *Naps upon Parnassus,* sign. B 5a.

To thee compar'd, our English Poets all stop . . .
Chaucer the first of all wasn't worth a farthing.

[**1659–61.**] "**Montelion**, Knight of the Oracle." [**Phillips**, John.] *Montelion . . . or the Prophetical Almanack.*

[In the issue for 1660 (no doubt issued the previous year) Chaucer is named in the Calendar at 13th Jan.; in that for 1662 (copy in Bodl.) "Chaucer's Millar" occurs at 23rd Nov. There is no Chaucer allusion in 1661.]

1659. Wood, Anthony. *A note on Woodstock,* in Wood MS. E I. fol. 89, [printed in] The Life and Times of Anthony Wood, ed. A. Clark, 1891, vol. i, p. 283.

Chaucer's ould house by and within the gate as you go to the manor house on the right.

[*c.* **1660.**] **Widdrington**, Sir Thomas. *Analecta Eboracensia. Some Remaynes of the ancient City of York.* Egerton MS. 2578 (ed. Cæsar Caine, 1897, p. 205).

Some of the Archbishops were Cardinals. I go now not by reality of honour, but by the esteem which was then of Cardinals, for I remember what Chaucer saith—

   They maken persons for the penny
   And Canons of her Cardinals.

 .   .   .   .

[*Ploughmans Tale,* not by Chaucer.]

1661. Owen, John. Θεολογουμενα παντοδαπα. Sive de natura . . . theologæ, p. 96.

[Immorality of the pre-Reformation clergy.] Ita *Chaucerus* nostras [*sic*] de fratrum conventu quodam suo tempore notissimo :

_or there as wont to walken was an Elfe,
There walketh now the Limitor himselfe.
In every bush, and under every Tree
There nis none other incubus but he.

[*Wife of Bath's T.*, ll. 17–18, 23–24.]

1661. **T., J.** *To His Most ingenuous Friend, The Authour of the
Exaltation of Hornes,* [verses prefixed to] The Horn exalted.
[See next entry.]

[Rollins 73.]

Read, and beware how that ye firk,
Least the repentance stool o' th' Kirk,
* *Chaucer.*   Prove the reward of your queint * wirk.

1661. **Unknown.** *The Horn exalted, or Roome for Cuckolds,* pp. 1, 2,
3–4, 8, 25, 30, 42, 45, 47, 52, 54, 56, 58, 65, 69, 71, 75, 80, 81–2.

[Rollins 74.]

[Quotations appropriate to the subject matter of the book,
from the *Canterbury Tales,* the *Court of Love,* and the *Remedy
of Love,* the last two being quoted as Chaucer's.]

1662. **Fuller,** Thomas. *The History of the Worthies of England,*
Kent, Proverbs, p. 64, sign. Kk 1 a.

A Jack of Dover.]
   I find the first mention of this *Proverb* in our *English
Ennius,* Chaucer, in his Proeme to the *Cook,*

And many a Jack of Dover had he sold
Which had been two times hot and two times cold.

[For other extracts from Fuller's *Worthies, see* above, vol. i, pp. 239–40.]

1664. **Cavendish,** William, Duke of Newcastle. *To the Lady
Marchioness of Newcastle, On Her Book of Poems* [Verses prefixed
to] *Poems and Phancies* written by the Lady Marchioness of
Newcastle, the Second Impression, 1664.

[Rollins 75.]

And Gentle *Shakespear* weeping, since he must
At best, be Buried, now, *in Chaucers Dust :*
Thus dark *Oblivion* covers their each *Name,*
Since you have Robb'd them of their *Glorious Fame.*

1665. Baker, Sir Richard. *A Chronicle of the Kings of England,* pp. 144, 146, 168, 180.

[p. 144] Pain Roet's . . . younger daughter being married to *Sir Geoffry Chawcer,* our Laureat Poet.

[p. 146] [List of great men in Edward III.'s reign :]

Sir Geoffry Chawcer, the *Homer* of our Nation ; and who found as sweet a Muse in the Groves of *Woodstock,* as the Ancients did upon the banks of *Helicon.*

[p. 180] The next place after these [ecclesiastics] is justly due to *Geoffry Chaucer,* and *John Gower,* two famous poets in this time, and the Fathers of *English* Poets in all the times after : *Chaucer* died in the fourth year of this King, [Henry IV] and lieth buried at Westminster.

[1667.] Marvell, Andrew. *The Last Instructions to a Painter about the Dutch Wars,* 1667. (Poems and Satires, ed. G. A. Aitken, 1892, 2 vols., vol. ii, p. 50.)

At night than Chanticleer more brisk and hot,
And sergeant's wife serves him for partelot.

[*n. a.* **1667.**] **Cowley,** Abraham. *Opinion of Chaucer.*

[Dryden, in his Preface to the Fables (*see* below, 1700, p. 280), says : "Some people . . . look on Chaucer as a dry, old fashioned Wit, not worth receiving [*sic ;* ed. 1723 ' reviving ']. I have often heard the late Earl of *Leicester* say that Mr. *Cowley* himself was of that opinion ; who, having read him over at my Lord's Request, declared he had no taste for him."]

[Cowley died in 1667, Philip Sidney, third Earl of Leicester, not till 1698.]

[1667 ?] Unknown. *Burlesque [of the epitaph to Cowley,* contributed, from a MS. copy, by Henry Campkin, to] Notes and Queries, March 20, 1852, 1st s., vol. v. pp. 266–7.

. . . Sleep in beggar's Limbo, by dull Chawcer . . .
Whilst thou dost soar aloft leave coyrs [?] behind
To be interrd in antient monast'ry
And to the chimeing rabble safely joyn'd
[To] Draiton, Spencer, and old Jeffery.

1668. Junius, Francis. *Letter to Mr. Dugdale,* [printed in] Life, Diary and Correspondence of Sir William Dugdale, Knight, 1827, p. 383.

I took your archpoet Chaucer in hand : and though I think that in manie places he is not to bee understood without the help of old MS. copies, which England can afford manie ; yet doe I perswade my selfe to have met with innumerable places, hitherto misunderstood, or not understood at all, which I can illustrate. To which work I hold the bishop of Dunkeld his Virgilian translation to be very much conducing . . .

[c. **1670**.] **Unknown.** *The Wanton Wife of Bath.* See above, App. A [*n. a.* 1600, Moore].

1672. [**Ramsey,** or **Ramesey,** William.] *The Gentlemans Companion,* Division iv, Exercises within Doors, pp. 127–9.

[p. 127]   I shall here contract his [the Gentleman's] Study into these few Books following . . . [A list of theological and scientific literature, mostly contemporary, with some other books.]

[p. 129]   And among our selves, old Sr. Jeffery Chaucer, Ben Johnson, Shakespear, Spencer, Beaumont and Fletcher, Dryden, and what other Playes from time to time you find best Penn'd . . .

1672. **V**[eal], R[obert]. *To Mr. T. D[urfey] on his Ingenious Songs and Poems,* [in] New Court-Songs and Poems, By R. V. Gent., sign. A8.

> How many *Best* of *Poets* have we known ?
> And yet how far those *Best* have been out-done !
> When *Chaucer* dy'd, Men of that Age decreed
> A Dismal Fate to all that shou'd succeed :
> Yet when *Great Ben,* and *Mighty Shakespear* wrote,
> We were convinc'd those Elder Times did dote.

[**1675–6.**] **Clogie,** Alexander. *Speculum Episcoporum, or The Apostolique Bishop :* being a brieffe account of the lyfe and death of William Bedell, Lord Bishop of Kilmore. (Ed. 1862, "Memoir of the Life and Episcopate of William Bedell," ed. W. W. Wilkins, pp. 227–8.)

[Dated *c.* 1676 by Wilkins, and *c.* 1675 by A. C. Bickley in D.N.B., art. Clogie.]

After supper he constantly read on the same day [i. e. 5th Nov.] an excellent poem that he wrote at that time [i. e. 1605] upon that discovery [i. e. of the Gunpowder Plot], and called "The Shepherd's Tale " . . . It is conceived in the old dialect of Tusser and Chaucer.

[For the *Shepherd's Tale see* above, App. A. [1605, Bedell ?]

1676. Coles, Elisha. *An English Dictionary.*

> *Black-buried,* gone to Hell.
>
> *At Dulcarnon,* in a maze, at my wits end, *Chaucer,* l. 3,
> fol. 161.
>
> *Eclympastery,* Son to *Morpheus,* the God of sleep.
>
> *Quinible (q* whinable), a treble.
>
> *Ribible, o.* a rebeck or fiddle.
>
> *Tregetor, o.* a Jugler.

[For other allusions to Chaucer in Coles's *Dictionary see* above, vol. i, p 252.]

[1678 ?] Butler, Samuel. *Addition* to *Hudibras.* [First printed in
Butler's Remains, 1822.]   (Poetical Works, ed. R. Bell, 1855,
3 vols., vol. iii, p. 197.)

> To make our patriots miraculous
> Scorched in the touts, like Chaucer's Nicholas.

[Pt. iii of Hudibras, for which these lines were probably intended, appeared in
1678.]

1682. Keepe, Henry. *Monumenta Westmonasteriensia :* or an Historical account of . . . St. Peter's, or the Abbey Church of
Westminster . . . 1682.   pp. 47, 210.

> And now we come to the first and last best Poets of the
> *English* Nation *Geffrey Chaucer,* and *Abraham Cowley,*
> the one being the Sun just rising, and shewing itself on the
> *English Horizon,* and so by degrees increasing and growing
> in strength till it come to its full *Glory* and *Meridian* in
> the incomparable *Cowley* . . . *Chaucer* lies in an antient
> Tomb, Canopied, of grey marble, with his picture painted
> thereon *in plano,* with some verses by ; he died in the year
> 1400.

[p. 210]   *Arms,* viz. Chaucer.   Per pale Gules and Argent, a bend
Counter changed.

> [Chaucer's Epitaph.]

1686. Chaucer junior, ps. *Canterbury Tales, composed for the enter-
tainment of all ingenious young men and maids at their merry
meetings.*

[A jest-book, connected with Chaucer by the title only. There is a copy in the
Pepys Library, and one of a much later edition in B.M.]

[1686 ?] **W.**, W. [*Preface* to his pt. 3 of Richard Johnson's] *The Seven Champions of Christendom*, sign. A 3 b.

[Rollins 76.]

[A copy of this edition, following Johnson's pts. 1, 2, ed. 1687, is in the Pepys Library. The imprint is cropped and the date doubtful ; it may be the same as that of 1696 (?) in B.M., which also has the date cropped. None earlier is known. Johnson's work first appeared in 1596–7.]

If I have soared above the heigth [*sic*] of the Language in the two former parts, know that our speech is refined since they were writ, *Chaucer* whose lines did excel for Eloquence in his days, is now despized for plain and rustick, even by those who scarcely know what language is.

[*c.* **1687. Wharton,** Henry.] *Historiola de Chaucero nostro*, scripta etiam à Reverendiss. Tho. Tenison, archiepiscopo Cant. [or rather by Henry Wharton] ad. calcem Historiæ G. Cavei Literariæ, [printed in] Scriptorum Ecclesiasticorum Historia Literaria, by William Cave, 1740–3, vol. ii, Appendix, pp. 13, 14 of Notæ MSS. & Accessiones Anonymi, &c. [*See* above, vol. i, p. 261.]

[Not in the edition of 1688.]

Galfridus Chaucer, Natione Anglus, Domo Londinensis, nobili, ut videtur, loco natus, prima Literarum tyrocinia in Academiâ Oxoniensi posuit, si Lelando apud Baleum fides. Sunt qui Cantabrigiæ etiam literis illum incubuisse volunt ; testimonio ex *Amoris Aulâ* desumpto innixi.   Verum libellum istum Chauceri non esse nos infra adnotabimus. Posita domi melioris Literaturæ fundamenta diuturnâ inter exteras Gentes peregrinatione ac culmen perduxit.   Domum reversus, Legum Municipalium studio in Hospitiis Jurisconsultorum Londinensibus animum adjecit.   Dein rarâ Artis Poeticæ famâ illustris, Angliæ Regibus et Magnatibus in pretio esse cœpit.   Variis honoribus cumulatus, ab Edwardo III°. Armigeri dignitate auctus, & in Galliam anno 1377 legatus, ut Mariam Francorum Regis filiam Richardo Walliæ Principi procaretur, a Richardo Secundo inter Aulicos allectus est.   Semel atque iterum ad exteros Principes missus & frequentibus stipendiis donatus, claruit Anno 1380.   Uxorem duxit filiam Pagani Roveti Equitis Hannoniensis, cujus alteram filiam duxerat Joannes Dux Lancastrensis ; ipsomet Duce Lancastrensi, cui imprimis charus fuit, nuptias ei procurante.   Turbatis sub Richardo secundo seditione populari rebus, ipse Plebis tumultuantis partibus plus æquo favit ; ut multifariis Regni gravaminibus, quæ sub impotentis animi Juvene Rege nimis invaluerant, medelam adhiberi efficeret, uti ipse in *Testamento Amoris* scribit. Compositis Regni rebus, rei familiaris grave discrimen adiit; Regis & Procerum inimicitias aliquandiu expertus, &, ut nonnulli volunt, in carcerem datus. Tandem in integrum restitutus, Prædium suum in villâ regiâ de Woodstock propre Oxonium situm concessit, ubi ultimum vitæ decennium, Musis unice intentus, exegit. Anno 1400, Londinum profectus, ut res domesticas curaret, vitam clausit 25° Octob. die, anno Ætatis circiter 72°. In Ecclesia Westmonasteriensi sepultus : Vir extra controversiam doctissimus, Poetarum vero Anglicorum facilè princeps & Parens, *sui sæculi ornamentum,* inquit magnus ille Camdenus, *extra omnem ingenii aleam positus, & Poetastros nostros longo post se intervallo relinquens ;* sanè is est, quem antiquis Latii poetis non immerito conferre possemus ; si aut sæculum aut linguam nactus esset fæliciorem, licet id in Chauceri laudem haud parùm cedat, quod tam rudi ævo Priscorum Poetarum Veneres si non assecutus, saltèm imitatus fuerit, & horridiusculam linguæ Anglicanæ (qualis tunc temporis obtinuit) duriciem, Carmine ligatam, amœniorem atque elegantiorem reddiderit ; primus enim omnium Linguæ nostrati sordes excussit, nitorem intulit, & largâ vocum molliorum aliundè invectarum supellectile ditavit ; id operis præcipuè in Poematis [*sic*] suis condendis in animo habuisse visus. Unde jure de eo Lelandus,

> Anglia Chaucerum veneratur nostra Poetam :
> Cui Veneres debet Patria lingua suas.

Neque solum principem apud conterraneos Poetas loci gloriam tulit, verum etiam totum scientarum, quà late patet, circulam haud infæliciter confecerat. Dialecticæ & Philosophiæ haud vulgariter peritus, Historiæ callentissimus, Rhetor satis venustus, Matheseos non ignarus, in rebus denique Theologicis apprime versatus, de quibus acutè atque eruditè disputat. Subtiliorem etenim scholarum disciplinam probè noverat ; castioris autem Theologiæ studio nullos ferè non sui temporis Theologos antecelluit, Wiclefi dogmata ut plurimum secutus, & infucatam & genuinam pietatem sectatus. Hinc graviores Ecclesiæ Romanæ superstitiones & errores acerbè sæpiùs vellicat ; corruptam ineptissimis

commentis Disciplinam Ecclesiasticam luget ; Cleri luxuriam
& ignaviam castigat, in Ordines autem Mendicantes project-
issimo ubique odio invehitur, quorum hypocrisin, ambitio-
nem, aliaque vitia turpissima aliquoties totâ operâ, nullibi
vero non oblatâ quâvis occasione, acerrime insectatur.

[Here follows some account of Chaucer's works, and of
various editions.]

1691. G[ibson] E[dmund]. *Polemo—Middinia. Carmen Macaronicum.
Autore Gulielmo Drummundo, . . . accedit Jacobi id nominis
Quinti, Regis Scotorum, Cantilena Rustica vulgo inscripta Christs
Kirk on the Green. Recensuit, Notisque illustravit,* E. G. Oxonii
. . . 1691. [Illustrative quotations from Chaucer, printed in
black-letter, in] Notes, pp. 4, 9, 10, 11, 12, 17.

[p. 4]   Qui pottas *ᵇ* dihtavit.
Note *b*. Purgavit, à Sax. dihtan. She gan the house to
dight, Chaucer.

[p. 9]   Cartes stabbatus *ᶠ* greitans.
Note *f*. Flens, plorans. Anglis Borealibus & Scotis to
graet, . . . For want of it I grone and grete. Chaucer.

[p. 10]   Sic fraya fuit, sic *ᵃ* guisa peracta est.
Note *a*. Mendose, ausim dicere, pro guerra, unde nostrum
'war.' Guerring, brawling. Chaucer. Better is a morsell
or little gobbet of bread with joy, than an house filled
full of delices, with chiding and guerring.

[p. 11]   To dance these Damosels them *ᶜ* dight.
Note *c*. Prepare, provide ; à Sax. dihtan, parare, instruere.
Vox Chaucero usitatissima. Dighteth his dinner.—To bed
thou wolt the dight.—His instruments would he dight.—
He was aie the first in armes dight.—He doth his shippes
dight.

[p. 12]   Her *ᵈ* lyre was like the Lilly.
Note *d*. Complexion, countenance, à Cimbrico hlyre . . .
Cui consonant illa Chauceri.

—Saturne his lere was like the lede
—Thy lustie lere overspredde with spottes blacke.

Vel forsan 'laugh,' 'smile,' à Cimbr. hlyr . . . Huic
concinit & istud Chauceri— And nere I went and gan
to lere.

[p. 15] A ^{*a*} yape young man that stood him niest.
Note *a.* Insulting, vaunting.

> And saied to me in great jape,
> Yelde thee, for thou may not escape. Chaucer.

> An hasty kinsman called Hary,
> That was an Archer keen,
> ' Tyed up a tackel withoutten tary.

Note *e.* Made ready an arrow.

> Well could he dresse his tackle yomanly.
>   Chaucer.

> He straight up to his eare drough
> The strong bow, that was so tough,

> And shot at me, so wonder smart,
> That through mine eye unto mine hart
> The takell smote, and depe it went. *Id.*

> He shote at me full hastely
> An arowe, named Companie,
> The which takell is full able
> To make these Ladies merciable. *Id.*

[p. 17] ' It was no mowes.
Note *c.* It was no jesting matter. Of the foule mowes and of the reproves that men saied to him. Chaucer.
And ^{*g*} bickered him with Bowes.
Note *g.* Pelted, invaded. We two shall have a biker. Chaucer.

1697. De la Pryme, Abraham. *Diary* (Surtees Soc., vol. liv), 1869, p. 319.

[De la Pryme contributed to Wanley's *Catalogus, q.v.* below, the following :]

All the works of old Chaucer, in long folio. This vol. belonged to the monastery of Canterbury—*Penes* D. Edmund Cauley, de horne, in Com. Ebor.

1697. Wanley, Humphrey. *Catalogus librorum manuscriptorum Angliæ.*

[Many MSS. of Chaucer are enumerated. *See* index to each part.]

1699–1700. [**Ward**, Edward.] *The London Spy,* Jan. 1699, vol. i, pt. iii, p. 16 ; April, 1700, vol, ii, pt. vi, p. 5.

[vol. i, pt. iii, p. 16.] Most that you see here, come under *Chancer's* [*sic*] character of a Sempstriss . . .

> She keeps a Shop for Countenance,
> And S—— for Maintenance.

[Cokes T., ll. 57–8.]

[vol. ii, pt. vi, p. 5.] [Dryden buried between Chaucer and Cowley.]

1705. [**Defoe**, Daniel?] *Letter* in *The Little Review*, Wed., Aug. 15, 1705, No. 21, p. 81.

[The following is quoted in black letter :]

> Physicians know what is digestible,
> But their study is but little in the Bible.
>
> Chaucer [Prol. ll. 437–8.]

[Defoe was the editor of this paper, and was also probably the author of many of the letters addressed to the editor.]

1712. [**King**, William.] *Bibliotheca ; a Poem.* [Not in B.M.] (Bell's Poets, 1781, vol. lxxxvi, p. 74.)

> Chaucer, the chief of all the throng
> That whilom dealt in ancient song
> (Whose laurell'd fame shall never cease
> While wit can charm or humour please)
> Lies all in tatters on the ground,
> With dust instead of laurels crown'd.

1714. *License for Urry's edition of Chaucer,* [signed] W. Bromley, [and dated] 20 July, 1714. [Printed with the Proposals for printing the edition (*see* above, 1716, p. 344) bound in Thomas's interleaved copy of Urry, 1721, B.M. 643. m. 4. (*See* above, 1721, pt. i, p. 353.)]

ANNE R.

Whereas Our Trusty and Well-beloved *John Urry* . . . hath humbly represented unto Us, that he hath with great Labour and Expence prepared for the Press a compleat and correct Copy of the Works of *Jeoffrey Chaucer*, with a Glossary, and in order thereunto has carefully perused and compared, not only all the former Editions of Value, but

many rare and ancient Manuscripts, not hitherto consulted;
from the collating of which he hath in a great Measure
restored and perfected the Text . . . remarked many Pieces
in them falsly ascribed to *Chaucer*, and added several entire
Tales never yet printed, as well as many single Lines hitherto
omitted . . . by which Alterations, Amendments and
Additions, the Work is in a Manner become new, and has
therefore humbly besought Us to grant him Our Royal
Privilege and Licence for the sole Printing and Publishing
thereof for the Term of Fourteen Years. We being
graciously inclined to encourage the said Undertaking, are
pleased to condescend to his Request. . . .

Given at our Court of *Kensington* the Twentieth Day of
July, 1714, in the Thirteenth Year of Our Reign.

By Her Majesty's Command,

W. Bromley.

1715. *The Art of Poetry*, referred to at this date under Haslewood and
Bliss [*c.* 1833], above, pt. ii, p. 188, is Dryden's [?] version of
Boileau, *q.v.* above, 1680–83, pt. i, p. 254.

1715. Gay, John, and **Pope**, Alexander. *Letter to Mr. John Caryll*,
[dated] April, 1715, [printed in] The Works of Alex: Pope, ed. W.
Courthope and W. Elwin, 1871–89, 10 vols., vol. vi, p. 227.

Chaucer has a tale where a knight saves his head by dis-
covering that it [sovereignty] was the thing which all women
most coveted.

[There is a similar sentence in a letter of the same date
from Gay and Pope to Congreve (*ib.* p. 414).]

[1718?] Oldys, William. *MS. Commonplace Book* (B.M. MS. Add.
12,522, foll. 29, 30).

[Chaucer compared with Homer; of low birth.]

Chaucer wrote in a Tounge in his Days uncapable of any
thing but Ballads, Tales & Roundelays. . . . He forbore not
to spoyl our English Tongue by mixing therewith so much
Latin & French. [Verstegan referred to.]

1719. Prior, Matthew. *Letter to Dean Swift*, [dated May 5, 1719,
printed in] Correspondence of Jonathan Swift, ed. F. E. Ball,
1912, vol. iii, p. 33.

[Rollins 78.]

My bookseller is a blockhead; so have they all been, or
worse, from Chaucer's scrivener, down to John and Jacob.

1721. Gildon, Charles. *The Laws of Poetry, as laid down by the Duke of Buckinghamshire in his Essay on Poetry,* p. 32.

> *Chaucer* was the first, that is of any consideration, who enrich'd his mother-tongue with poetry; but *Chaucer* was a man of quality a knight of the garter, and of so considerable a fortune as to marry into the family of *John* of *Gaunt* . . . so that he had no need of encouragement to exert that excellent genius of which he was master, in poetry. After him, we had no man that made any figure in *English* verse, till the *Earl* of *Surrey* . . .

1725. Cobb, Samuel. *The Miller's Tale, from Chaucer.*

> [Modernised. Reprinted in Ogle's Canterbury Tales, 1741, *q.v.* above, pt. i, p. 389.]

1727. Harte, Walter. *Notes upon the Sixth Thebaid of Statius,* and *To my Soul. From Chaucer,* ["Fle from the pres," modernised, in] Poems on Several Occasions, pp. 189–90, 195, 243.

> [Note on v. 51.] *Chaucer,* who was perhaps the greatest
> [p. 190] poet among the moderns, has translated these verses almost word for word in his *Knight's Tale.* I shall make this remark once for all: As nothing particularizes the fine passages in *Homer* more than that Virgil vouchsaved to imitate them: so scarce anything can exalt the reputation of Statius higher, than the verbal imitations of our great countryman. I prefer this to a volume of criticisms; no man would imitate, what he could exceed.

> [p. 194] Stretch'd o'er the ground the tow'ring oaks were seen . . .
> [v. 108.]

> [p. 195] *Chaucer* seems to have a particular eye to this passage throughout his poems. See his *Knights' Tale, the Assembly of Fowls,* and *Complaint of the black Knight.*

> To my Soul.   From Chaucer.

> [p. 243] Far from mankind, my weary soul retire,
> Still follow truth, contentment still desire [etc.].

[For other extracts from this volume, see above, pt. i, p. 369.]

1728. Ralph, James. *Sawney,* p. 11.

> Chaucer erects the Court [*sic*] of *Fame,* and builds
> The Arches strong; but Iron *Time* comes on,

And wastes the frail materials of the Frame ;
In Heaps it lies a glorious Ruin, while
SAWNEY up-rears, on the neglected Base,
Another Pile, razes the Founder's Name,
And super-adds his own : An Hand unseen
Points out his Weakness and his Fraud . . .

[An attack on Pope's *Temple of Fame*, q. v. above, pt. i,
p. 318.]

1729. Swift, Jonathan. *Letter to John Gay*, [dated] Nov. 20, 1729,
[printed in] *Correspondence*, ed. F. E. Ball, vol. iv, p. 112.

I have heard of the Wife of Bath, I think in Shakespeare.

[This is in answer to a letter from Gay (of Nov. 9), in
which he says : " I have employed my time in new writing a
damned play, which I wrote several years ago, called the
Wife of Bath." For Gay's *Wife of Bath see* above, 1713,
pt. i, pp. 326–7.]

[1730–52.] Unknown. *Verses* [quoted by George Vertue, among]
Notes and extracts on Chaucer, [in] *Notebook* [lettered E 4 (MS.
Add. 23,091)], foll. 100-104, 116*b*, 119*b*, 123, 125.

[f. 123]   A Copy of Verses in the Celebrated English Poets
engraved by Mr. Vertue.

Learning had long withdrawn her vital Pow'r

.   .   .   .

At length in *Chaucer's* verse her head she rears
Starts from the slumber of a thousand years,
He of the shineing host the Vesper rode,
And spake the brightness of the coming God.
Whether he chuse a careless mirth to raise
In tales diversify'd a thousand ways,
Or else in Epics takes a nobler flight.
These fill with rapture and those move delight.

[The " Celebrated English Poets " were engraved in 1730.]

[c. 1730. Young, Edward.] *Two Epistles to Mr. Pope, concerning the
Authors of the Age*, Epistle ii., p. 27.

Fontaine and *Chaucer*, dying, wisht unwrote
The sprightliest efforts of their wanton thought.

1731. Unknown. *A Good and Bad Priest*, from Fog's Journal, Sept. 4, no. 147, [reprinted in] The Gentleman's Magazine, Sept. 1731, vol. i, p. 369.

[Brief reference to] the character of a good priest as drawn by old Chaucer and moderniz'd by Dryden.

1732. Unknown. *Weekly Essays*, from the Grub Street Journal, April 13, no. 119, and the Universal Spectator, Sept. 23, no. 207, [reprinted in] The Gentleman's Magazine, April and Sept., vol. ii, pp. 698, 965.

[p. 698]   [Reference to " Sainct Cecily " in *Second Nonnes Tale*.]

[p. 965]   With us Chaucer began the dance [of immodest writing], and it has been too closely followed ever since.

[1733. Grosvenor, ——, ps., i.e. Budgell, Eustace ?] *Modernisation of the Sompnour's Tale*, [in] The Bee [edited by Eustace Budgell], vol. ii, no. xxiii, Aug. 4, [1733,] p. 1020.

[This was reprinted in Ogle's *Canterbury Tales*, *q.v.* above, 1741, pt. i, p. 389.]

1735. [Arbuthnot, John.] *Critical Remarks on Capt. Gulliver's Travels.* By Doctor Bantley, Cambridge, 1735, sign. A iv *b*, pp. 5, 6, 7. [*See* above, pt. ii, sect. i, p. 65, 1814, Scott, Memoirs of Swift.]

[p. 5]   The first Author I shall cite is CHAUCER; a Poet of our own Nation, who was well read in the antient Geography, and is allowed by all *Critics* to have been a Man of universal Learning, as well as of inimitable Wit and Humour. . . .

[p. 6]   [1]Certes (qd. John) I, [2]nat denye,
That, [3]touchende of the [4]Stedes countrye,
I [5]rede, as thylke olde [6]cronyke seythe,
[7]þ longe afore our [8]crysten feythe,
Ther [9]ben, as ye shull understonde,
An [10]yle, [11]ycleped [12]Coursyr's londe,
Wher, [13]nis, [14]ne [15]dampnynge [16]couetyse ;
Ne, [17]Letchere hotte, in [18]Sainctes gise ;
Ne, [19]seely Squire, [20]lycke [21]browdred Ape,

[1] Certainly.   [2] Do not.   [3] Concerning.   [4] Horses.   [5] Read.
[6] Chronicle.   [7] Long before.   [8] Christian.   [9] There was.   [10] Island.
[11] Called.   [12] Horses.   [13] There is not.   [14] Any.   [15] Damnable.
[16] Covetousness.   [17] Nor lewd Person.   [18] Pretending sanctity.   [19] Silly.
[20] Like.   [21] Embroidered.

Who maken [1]Goddes [2]boke a [3]Jape ;
Ne [4]Lemman uyle, mishandlynge youthe,
Ne women, [5]brutell [*sic*] ware in [6]sothe ;

Ne Flattrer, Ne [7]unlettred Clerke,
Who [8]richen him, withouten [9]werke ;
For Vice in thought, ne [10]als in [11]dede,
Was never none in Londe of [12]Stede.

Chaucer.

[1] [2] The Bible.   [3] A Jest.   [4] Harlot.   [5] Brittle ware.   [6] Truly.
[7] Illiterate Parson.   [8] Enriching himself.   [9] Labour.   [10] Else.
[11] Deed or Action.   [12] Stede Land, or Houyhnhm Land.

[1735-61.] **Oldys**, William. *Note* [in his copy of] Winstanley's *Lives
of the Poets* [opposite the passage on Occleve's portrait of Chaucer
in the De Regimine Principis, printed in] Notes and Queries,
2nd ser., vol. xi, p. 181.

> [Oldys died in 1761, and these *Adversaria* were among the MS. collections left
> by him.]

This book, *De regimine principis*, a pretty thick folio,
written, in English stanzas, on vellum, with that picture of
Chaucer on the side of the verses, is in the possession of
Mr. West of the Temple, who showed it me, Feb. 27, 1735.

1735. **Philalethes**. *Merlin and his Cave,* from Fog's Journal, Dec. 6,
no. 370, [reprinted in] The Gentleman's Magazine, Dec., vol. v,
p. 715.

[Allusion to the *Wife of Bath's Tale*.]

1735. **Unknown.** *Essay,* from The Prompter, no. 72, July 18, 1735,
[reprinted in] The Gentleman's Magazine, July 1735, vol. v,
p. 358.

There are many Persian Poems . . . which are but
moderniz'd Essays, (as our *Chaucer* by *Dryden*), the ancient
Words being grown obscure, by Corruption of their Language ; as *Chaucer's* by *Improvement* of ours.

1737. **Unknown.** *A Sonnet, modernized from Chaucer,* [in] The Gentleman's Magazine, Feb. 1737, vol. vii, p. 118.

[This "sonnet" is a poem of ten six-line verses, beginning
" A chaste behaviour is the highest praise."]

1739. Unknown. *The Apotheosis of Milton,* continued, [in] The Gentle-man's Magazine, Feb. 1739, vol. ix, p. 74.

When they [the poets] were all seated, a profound Silence ensued, which was broken by the President, [Chaucer] who . . . enlarged with Great Eloquence, upon the fine Qualifi-cations, the Learning and the Genius of *Milton* . . .

[For the first part, *see* above, 1738, pt. i, p. 384.]

[a. 1740.] Swift, Jonathan. *Memorandum of the oaths used in the Canterbury Tales,* [and] *An imitation of Chaucer.*

[Neither of these seems to have been preserved. Sir Walter Scott, in his Memoirs of Swift, says that Chaucer seems to have been his favourite, for "I observe among his papers a memorandum of the oaths used in the Canterbury Tales, classed with the personages by whom they are used." In a footnote to the edn. of 1834, Monck Mason is quoted as stating that Scott had sent him an imitation of Chaucer's style in the handwriting of Swift. This he regrets having lost. *See* above, pt. ii, sect. i p. 65, 1814, Scott, Memoirs of Jonathan Swift, Miscellaneous Prose works of Sir Walter Scott, Edinburgh, 1834–71, 30 vols., vol. ii, p. 414 and note.]

1743. Birch, Thomas. *The Heads of Illustrious Persons of Great Britain, engraven by Mr. Houbraken and Mr. Vertue. With their lives and characters by Thomas Birch.*

[A conventional life of Chaucer. The engraving of him is by Houbraken, and is dated 1741.]

1743. [Editor of The Gentleman's Magazine.] *Note* [in] Gentleman's Magazine, Nov., vol. xiii, p. 586.

[On the Lambesbourne in Berkshire. Quotes Sylvester's reference to "Chaucer's Donnington," *q.v.* above, App. A. 1611.]

1744. Mason, William. *Musæus.*

[Given in the text above under 1747, pt. i, p. 393. It should have been entered under 1744, which Mason says, in a note on p. 3 of *Poems,* 1764, was the date of composition.]

1744. Pope, Alexander. *Letter to Lord Orrery,* [dated] April 10, 1744, [printed in] Works, ed. W. Courthope and W. Elwin, 1871–89, 10 vols., vol. viii, p. 518.

I doubt not how much Bounce [his dog] was lamented. They might say as the Athenians did to Arcite in Chaucer,

Ah Arcite ! gentle knight, why wouldst thou die,
When thou hadst gold enough, and Emily !
Ah Bounce !   Ah gentle beast, why wouldst thou die,
When thou hadst meat enough, and Orrery ?

1744. Whitehead, William.   *On Nobility,* p. 6.
> And did your gentle Grandames always prove
> Stern Rebels to the Charms of lawless Love ?
> And never pitied, at some tender Time,
> [1] A dying *Damian,* with'ring in his Prime ?

[1] A dying *Damian,* &c.] See *January* and *May* in *Chaucer* and Mr. *Pope.*

1746. Unknown.   *Poem,* [in] The Gentleman's Magazine, Dec. 1746,
vol. xvi, p. 665.

> *Father* FRANCIS'S *prayer to* ST. AGNES.   *In Imitation of*
> CHAUCER.
>> Ne gay attire, ne marble hall,
>> Ne arched roof, ne painted wall, . . .
>> Ne power, ne such-like idle fawncies
>> Sweet *Agnes,* grant to father *Frauncis* . . .

[18 more lines with no greater resemblance to Chaucer
than the above.]

1747. Mason, William.   *Musaeus.   See* above, 1744.

1747. Warton, Thomas, the elder.   *Paraphrase of Leviticus,* xi. 13,
[in] Poems on Several Occasions, pp. 30–33.

[p. 30]   Hereafter in English Metre ensueth A Paraphrase on
the Holie Book entitled Leviticus Chap. XI. Vers. 13, &c.
Fashioned after the Maniere of Maister Geoffery Chaucer
in his Assemblie of Foules : *Containing the Reasons of the
several Prohibitions.*

> Of feathred Foules, that fanne the bucksom Aire
> Not All alike were made for Foode to men ;
> For, These Thou shalt not eat, doth God declare,
> Twice tenne Their Nombre, and their Fleshe unclene . . .

[a. **1748. Tanner,** Thomas.]   *Collections for the Bibliotheca Britannico-
Hibernica,* [in Latin], MS. Add. 6261, ff. 24, 68.

[References to Chaucer as Controller of Customs for the
Port of London, and to the Sloane MS. of the *Astrolabe.*

There are probably other references to Chaucer in this
MS., which consists chiefly of extracts from and references
to MSS.]

1748. Tanner, Thomas. *Bibliotheca Britannico-Hibernica.* [In Latin.
Article on Chaucer, pp. 166–70, references in articles on Gower,
336–7, Lydgate, 489, 91, Occleve, 557, Spenser, 684, Strode, 697,
and Thynne, 713.]

[The biographical part of the account of Chaucer is
avowedly based on Speght.]

1749. C., J. *Verses to Mr. Mason,* [in] The Gentleman's Magazine,
Nov. 1749, vol. xix, p. 516.

[Brief reference to Chaucer and Spenser. The poem is
occasioned by Mason's *Musaeus, q.v.* above, 1747, pt. i,
p. 393 ; *see* also above, App. A., 1744.]

1751. Unknown. *Letter,* [in] The Gentleman's Magazine, July 1751,
vol. xxi, pp. 302–3.

[Reference to and quotation from *Chanouns Yemannes
Tale.*]

1752. [Fielding, Henry ?] *A Plesaunt Balade, or, Advice to the
Fayre Maydens: written by Dan Jeffrey Chaucer,* [in] The Covent
Garden Journal, no. 50, June 23, 1752. (Ed. G. E. Jensen, New
Haven & London, 1915, 2 vols., vol. ii, pp. 37–8 and (notes)
p. 237.)

[The " Balade " is preceded by an unsigned letter,
beginning :]

Sir, Perhaps your Readers will not be displeased with
the Sight of the following Poem, when they are told it was
written by that ancient and venerable Bard, *Dan Jeffrey
Chaucer* . . .

[The poem begins as follows :]

> Listhnith [*sic*], Ladies, to your oldë Frende :
> If yee be fayre, be fayre to sum gode Ende.
> For Gallants rath or late must loken out
> For thilk same Yoke, so ese out of Dout,
> * Yclepid Marriage ; yet sootly Weman be
> *Malum per accidens vel malum per se,*
> As lerned Clerkes saie : this Latin is,
> Ladies, that yee al bene Mannis chefe Blis,
>   [etc.].

[Cf. *N.P.T.*, ll. 343–6.]

* [Note in original] : *Called.*

[*The Covent Garden Journal* was edited and largely written by Fielding under the pseudonym of "Sir Alexander Drawcansir." Professor W. L. Cross (The History of Henry Fielding, 1918, 3 vols., vol. ii, pp. 382-3) prints the poem, and attributes it to Fielding, adding, "Nowhere else, so far as I remember, does Fielding give the slightest evidence of any first-hand acquaintance with the father of English poetry. In the list of the world's great humorists enumerated in 'Tom Jones,' the name of Chaucer is conspicuous for its absence."]

1752. Rawlinson, Richard. Dimissio Tenementi siti in Gardino capellae beatae Mariae Westm . . . concessa Galfrido Chaucers . . . Dec. 1399.

[An engraved facsimile of the lease (*q.v.* above, 1399, pt. i, pp. 13–14), made for Richard Rawlinson.]

1753. [Armstrong, John.] *Taste: an Epistle to a Young Critic,* pp. 10, 15. (Bell's Poets, 1781, vol. c, pp. 93, 96.)

[p. 10]   As like as (if I am not grossly wrong)
Erle Robert's Mice to aught e'er *Chaucer* sung.

.   .   .   .

[p. 15]   The Lords who starv'd old *Ben* were learndly fond
Of *Chaucer,* whom with bungling Toil they conn'd.

1753. Unknown. *Publisher's Advertisement of the Lives of the Poets by Theophilus Cibber* (*q.v.* above, pt. i, p. 407.)

[This is stated in *Notes and Queries,* 1st ser., vol. v, p. 26, Jan. 10, 1852, *q.v.* above, pt. ii, sect. ii, p. 10, to be by Johnson.]

1754. Gemsege, Paul [i.e. **Pegge,** Samuel.] *Letter,* [in] The Gentleman's Magazine, May 1754, vol. xxiv, p. 212.

[Brief reference.]

[Paul Gemsege is the anagram of Samuel Pegge. He contributed largely to The Gentleman's Magazine between the years 1746 and 1796, principally under the signature of Paul Gemsege. Other pseudonyms of his which appear here are: T. Row, L. E., L. Echard, Portius, Senex ; he also used his initials, S.P.

See an article on Pegge's contributions to The Gentleman's Magazine in the number for Dec. 1796, p. 979 and supplement, p. 1081.]

[1755. Grey, Zachary.] *Remarks upon a late* [i.e. Warburton's] *Edition of Shakespeare,* p. 16.

[*Frankeleynes Tale,* ll. 1045-6, quoted to illustrate "shene."]

1755. Rider, W. *Westminster Abbey,* [a poem, in] The Gentleman's Magazine, Aug. 1755, vol. xxv, p. 373.

> Chaucer, who first in *Britain* taught to sing,
> In his half-crumbling, dreary tomb I hail;
> Him every muse inspir'd to wake the string,
> But yet how little doth his mirth avail!
> His rhimes, his language, and his numbers fail . . .

1757. Gemsege, Paul [*i. e.* **Pegge,** Samuel]. *Letter,* [in] *the Gentleman's Magazine,* vol. xxvii, Dec. 1757, p. 561.

The word *crowd* . . . occurs even in *Chaucer,* who died A.D. 1402, or thereabouts.

1757. Unknown. *Biographia Britannica,* vol. iv, pp. 2242–51.

[Article on Gower, containing many more or less passing references to Chaucer. For vol. ii *see* above, pt. i, 1748; for vol. v, below, App. A, 1760.]

1758. A., A. *On a passage in the Fairy Queen,* [in] The Gentleman's Magazine, Feb. 1758, vol. xxviii, p. 57.

[Brief reference illustrating Spenser's phrase "powdered with stars"].

1758. Massey, W. *The various translations of the Bible into English,* [in] The Gentleman's Magazine, March 1758, vol. xxviii, p. 108.

In *Chaucer's* time, there was a tradition that *the Gospels* were extant in the *British* tongue, when *Alla* was king of *Northumberland,* in the seventh century. *Chaucer's* words in the Man of *Lawes* tale, are these :

> *A Breton boke written with Evangeles was set* . . .

1760. Unknown. *Biographia Britannica,* vol. v, p. 3405.

[Pope's juvenile imitations of Chaucer, etc., generally condemned. For vol. ii *see* above, pt. i, 1748; for vol. iv, above, App. A, 1757.]

1761. Dodsley, Robert. *Letter to William Shenstone* [dated] June 25 [1761], [printed in] Select Letters, 1777, 2 vols., vol. ii, p. 113.

I send you a List of some Statues, about the same size with that Pair you have ;

DEMOSTHENES	LOCKE	CHAUCER	SHAKESPEARE
and	and	and	and
CICERO,	NEWTON,	SPENCER,	MILTON.

When you have fixed upon which Pair you will have, you will let me know whether you will have them white or bronzed.

[**1763 ?] Unknown.** *A Short Account of the first Rise and Progress of Printing*, 32°, p. 44.

In this [*Arnold's Chronicle*] is the Nut Brown Maid, supposed by Chaucer, as Skelton confirms . . . Mr. Prior has made a paraphrase of it . . . but knew not that it was by Chaucer.

[*a.* **1765.] Dunkin,** William. *The Character of a Good Parson, From Chaucer,* [in] Select Poetical Works of the late William Dunkin, D.D., Dublin, 1769–70, vol. ii, p. 480.

[Dr. Dunkin died on 24 Nov., 1765.]

1765. Hurd, Richard. *Moral and Political Dialogues ; with Letters on Chivalry and Romance* . . . the third edition, vol. iii, pp. 230, [Letter iv, reference to the Theseus in the Knight's Tale], 318–27 [Letter xi].

[p. 318] It is, further, to be noted, that the Tale of *the Giant* OLYPHANT *and Chylde* TOPAZ was not a fiction of his own, but a story of antique fame, and very celebrated in the days of chivalry : so that nothing could better suit the poet's [p. 319] design of discrediting the old romances, than the choice of this venerable legend for the vehicle of his ridicule upon them.

Sir TOPAZ is all Don QUIXOTE in little ; as you will easily see from comparing the two knights together. [This is expanded.]

[p. 325] ONLY, I would observe, that, though, in this ridiculous ballad, the poet clearly intended to expose the romances of the time, as they were commonly written, he did not mean, absolutely and under every form, to condemn the kind of writing itself : as, I think, we must conclude from the

serious air, and very different conduct, of the SQUIRE'S
TALE, which SPENSER and MILTON were so particularly
pleased with.

[For the original and much briefer version, *see* above, pt. i, 1762, p. 421.   The first
paragraph quoted here follows that in the 1762 edn., ending "most proper to be put
into the hands of the People."]

1769. Unknown.   *The Whimsical Legacy.   In Imitation of the Sum-
mer's* [sic] *Tale in Chaucer*, [in] The Merry Droll, pp. 84–90.   [Not
in B. M. ; Bodl., Douce DD. 35.]

1773. Steevens, George.   *Notes* [in] *The Plays of William Shakespeare.*
[vol. iii, p. 3, n.]   It is probable that the hint for this play [The Midsummer
Night's Dream] was received from Chaucer's Knight's
Tale . . .
[vol. ix, p. 7.]   Chaucer had made the loves of Troilus and Cressida
famous, which very probably might have been Shakespeare's
inducement to try their fate on the stage.   [*See* above, pt. i,
p. 431, Capell.]

[There are also some passing references to Chaucer in
Steevens's notes.   For an additional note in Steevens's
revised 2nd edn., *see* below, App. A, 1778.]

1775. Atticus.   *Stanzas on Poetry*, [in] The Gentleman's Magazine,
July 1775, vol. xlv, p. 340.

Thus when our CHAUCER first awoke the string,
All rude and harsh the lays—though bold the flight . . .

1775. Unknown.   *Review* of Tyrwhitt's edition of the *Canterbury
Tales*, [in] The London Magazine, vol. xliv, pp. 652, 653 ; in The
Critical Review, vol. xl, pp. 205–7 ; and in The Monthly Review,
vol. liii, pp. 26–7.

[Brief conventional tributes.]

1775. Walpole, Horace.   *Letter to the Rev. W. Mason*, April 14, 1775,
[in] Letters of Horace Walpole, ed. Mrs. Paget Toynbee, vol ix,
pp. 180–1.

I have waded through Mr. Tyrrwhit's most tedious notes
to the "Canterbury Tales," for a true Antiquary can still be
zealous to settle the genuine shape of a lump of mineral
from which Dryden extracted all the gold, and converted
[it] into beautiful medals.

1775–81. White, Gilbert. *Letters* to the Rev. John White, Jan. 5 and
March 9, 1775 ; and to Miss Molly White, Dec. 19, 1781, [printed
in] The Life and Letters of Gilbert White, 1901, 2 vols., vol. i,
pp. 274, 281, vol. ii, p. 78.

[Chaucer's mention of gossamer ; the colours of young
leaves observed by Chaucer in the *Flour and the Lefe.*]

1778. Duncombe, John. *An Elegy written in Canterbury Cathedral,*
p. 8.

[Reference to Chaucer and the pilgrims, and to the
Chequer inn, as that where they lodged.]

1778. Rymsdyk, Jan van. *Museum Britannicum,* pp. 71–2, tab.
xxviii.

[An unofficial account of objects of interest in the British Museum.]

9. A Rough Egyptian Pebble . . . on which is a striking
Likeness of the Head of *Chaucer,* father of the English
Poets, and is entirely by the Pencil of Nature, without any
assistance of Art. And now we will give a slight Description of another kind of Diamond, meaning Chaucer.
[Quotations from Leland and Dryden.] One may see his
very Temper on this Egyptian Pebble, which is a Composition of the Gay, the Modest, and the Grave.

[The Pebble is shewn in engraving No. 9 on pl. xxviii,
facing p. 69. It is still exhibited in the Mineral Gallery of
the Natural History Museum, and is mentioned in the
"Blue Guide" to London, 1918, p. 246.]

1778. Steevens, George. *Note* [in] The Plays of William Shakespeare
. . . To which are added Notes by Samuel Johnson and George
Steevens. The Second Edition, revised and augmented, vol. v,
p. 523.

[Note on Henry IV., Part 2, Act iii, scene 2, to *Skogan's
head.*] Who *Scogan* was, may be understood from the
following passage in *The Fortunate Isles,* a masque of Ben
Jonson, 1626. [Quoted.]
Among the works of Chaucer is a poem called '*Scogan,*
unto the Lordes and Gentilmen of the Kinges House.'—
Steevens.

[*See* also below, App. A, 1783, Ritson, and 1793, Malone. For Steevens's other
notes, *see* his ed. 1, above, App. A., 1773.]

1778. Unknown. *Encyclopædia Britannica* ; *see* above, pt. i, p. 452.

[The 6th edn. appeared in 1823; the Chaucer and Lydgate articles in it are exact reprints of those in the 5th.]

[n. a. 1779.] Mortimer, John Hamilton. *A series of nine drawings for the Canterbury Tales.*

[Hamilton died in 1779 ; these drawings were engraved in 1787 for some projected 4° edition of the *Tales.* See *N. and Q.* 1880, 6th ser., vol. ii, pp. 325-6, 355 ; Hammond, *Chaucer*, p. 324.]

1779. Unknown. [*Poem*] *To Mr. Warton on the third volume of his History of English Poetry being unpublished*, [in] The Gentleman's Magazine, Sept. 1779, vol. xl, p. 464.

[Brief reference.]

1780. Antiquarius. *Letter,* [in] The Gentleman's Magazine, Nov. 1780, vol. l, p. 515.

[Brief reference ; Chaucer on fairies.]

[c. 1780.] Catling, John, verger at Westminster Abbey. *Conversations with Joseph Nollekens,* [reported by J. T. Smith, in *Nollekens and his Times,* 2 vols., 1828, vol. i, p. 179].

Catling : Did you ever notice the remaining colours of the curious little figure that was painted on the tomb of Chaucer?

Nollekens : No, that's not at all in my way.

[J. T. Smith accompanied his father and Nollekens on this occasion as an assistant in their work as monumental sculptors, and was probably about fifteen ; he was born in 1766.]

1780. R., J. *Letter,* [in] The Gentleman's Magazine, Sept. 1780, vol. l, p. 420. [*See* also below, 1781.]

[On the genitive case in Saxon ; forms in Chaucer such as *Knitis.*]

1781. B., W. *Remarks on Dr. Johnson's Lives of the Poets,* [in] The Gentleman's Magazine, Nov., vol. li, p. 507.

[Johnson and Dryden on Chaucer.]

1781. H. *Two Letters,* [in] The Gentleman's Magazine, Jan. and April 1781, vol. li, pp. 12, 13, 175.

[In continuation of J. R., *see* above, 1780, and also below, 1781, 'Scrutator.']

1781. Harris, James. *Philological Inquiries*, Part iii, chapter xi, pp. 467–72, 480.

    [Chaucer's learning.]

1781. [Pinkerton, John.] *On the progress of the English Language*, Sonnet 1, Rimes, p. 131.

    Chaucer to the wanton court her bore,

    Where jest and wiles she learned and amorous play.

    ['Her' is the English Muse.]

1781. Scrutator. *Letter*, [in] The Gentleman's Magazine, June 1781, vol. li. p. 266.

    [In continuation of 'J. R.' and 'H.' above, **1780, 1781.**]

1782. Unknown. *On the Rev. Thomas Warton's Escape, after falling into the river between Winchester and St. Cross*, [in] The Gentleman's Magazine, Jan. 1782, vol. lii, p. 39.

[stanza v]   . . . The busy throng

    Of spirits waft him safe along

    Where Chaucer's reverend shade yclad in bayes

    His chaplet vails, meet guerdon of his layes.

1783. [Ritson, Joseph.] *Remarks . . . on . . . the last Edition of Shakespeare*, pp. 31, 99–100.

[p. 31]   [' Kid-fox.']

[p. 99]   [Scogan.]

1783. S., D. ; **W.**, T. H. ; and **W.**, J. *Letters*, etc., [in] The Gentleman's Magazine, April, May and Aug., vol. liii, pp. 281–3, 406–7, 639.

1784. Eugenio ; W., R. ; and **Unknown.** *Letters*, [in] The Gentleman's Magazine, April and May, vol. liv, pp. 257, 270, 323–4.

1785. Henry, Robert. *The History of Great Britain . . . Written on a New Plan*, vol. v. [A.D. 1399–1485], p. 549. [For vol. iv, *see* above, pt. i, pp. 459–63.]

    The works of Chaucer and Gower, who flourished in the fourteenth century, are as intelligible to a modern reader, as those of King James, Lydgate, or Occleve.

1785. W., T. ; **E.**, N. ; **E.**, S. ; **Unknown** ; and **D.**, J. *Letters*, etc., [in] The Gentleman's Magazine, Feb., March, June, Aug. and Dec., vol. lv, pp. 110, 181, 414, 629, 950.

1786. W., T. H.; **Unknown; R.,** B.; and **W.,** C.   *Letters,* etc. [in] The Gentleman's Magazine, Jan., April, June and July, vol. lvi, pp. 39, 321, 472, 554.

1787. Search, P.; **A.,** J.; **W.,** T. H.; and **Unknown.**   *Letters,* etc., [in] The Gentleman's Magazine, Feb., Aug., Nov., and Suppl., vol. lvii, pp. 126, 689, 945–6, 1169.

1788. Belzebub.   *Letters on Education,* [in] The Gentleman's Magazine, May, vol. lviii, p. 391.

[Brief reference.]

1789. Diplom, and **others.**   *Letter* on the spelling of the name 'Shakespeare,' [in] The Gentleman's Magazine, June, vol. lix, p. 494.

[Brief reference.]

1789. Seward, Anna.   *On the Comparative Merits of Pope and Dryden,* [in] The Gentleman's Magazine, Sept., vol. lix, p. 820.

[Brief reference.]

1789. White, Gilbert.   *The Natural History and Antiquities of Selborne,* p. 381.

[Chaucer and Langland satirize the clergy.]   The laughable tales of the former are familiar to almost every reader.

1790. Hamilton, William.   *The Death of Arcite.*   [Design, engraved in stipple by Bartolozzi.]

1790. Malone, Edmond.   *Notes,* [in] *The Plays and Poems of William Shakespeare,* 10 vols., vol. ii, pp. 441, 461–2, 527, 529 [*Midsummer's Nights Dream*]; v, pp. 355–6 [*Henry IV.,* pt. ii, Scogan]; viii, pp. 143–4 [*Troilus and Cressida*].

[There are probably other Chaucerian quotations and references in Malone's notes to the Plays.]

1791. D'Israeli, Isaac.   *Curiosities of Literature,* 1 vol, p. 503.

The Living Language.

Chaucer, Gower, Lydgate, and an infinite number of excellent writers, have fallen martyrs to their patriotism by writing in their mother tongue.   Spenser is not always intelligible without a glossary.

[Reprinted in the 4th edn., 1798, vol. i, p. 586, but not reprinted in later editions. D'Israeli added to and enlarged this book for many years; vol. ii was added in

1793, vol. iii in 1817, vols. iv and v in 1823, and vol. vi in 1834. By 1841 twelve editions had appeared, each revised and altered. For further Chaucer references in the completed work, *see* below, 1793, 1798, and above, pt. i, 1807, 1823, 1834.]

1791. [Huddesford, George.] *Salmagundi;* a miscellaneous combination of Original Poetry, p. 143.

> Monody on the death of Dick, an academical cat.

> Cat-Gossips full of Canterbury Tales.

1791. Unknown. *Imitation of Chaucer,* [in] The Bee [edited] by James Anderson, LL.D., Edinburgh, vol. iv, Aug. 11, 1791, p. 182.

> Right wele of learnet clerkis is it saide,
> That wemenheid for mannis use is made.

1792. Cary, Henry Francis. *Letter to Miss Seward,* [dated] 7 May 1792, [printed in] Memoir of the Rev. H. F. Cary, 1847, 2 vols., vol. i, p. 42.

> Our greatest English poets, Chaucer, Spenser, and Milton, have been professed admirers of the Italians.

[For Miss Seward's letter in reply to this, *see* above, pt. i, p. 494.]

[1792.] Macklin, ——. *Proposals for Macklin's English Poets . . . particularly . . . Chaucer . . . Skelton, etc.*

> [Inserted in Haslewood and Bliss's interleaved copy of Winstanley's Lives of the English Poets (B.M. C. 45. d. 13), *q.v.* above, pt. ii, sect. i, p. 187, [c. 1833] Haslewood.]

1792. Tyson, ——; and **G.**, D. R. H. *Letters on a portrait of Chaucer,* [in] The Gentleman's Magazine, July, Aug., vol. lxii, pp. 614, 714.

1792. Mercier, Richard Edward ; **Sigla;** and **Unknown.** *Articles,* etc., [in] The Gentleman's Magazine, April, Sept. and Nov., vol. lxii, pp. 326, 805, 1022.

> [*Boke of Fame,* ed. Caxton ; Chaucer's house ; review of Lipscombe's *Pardoner's Tale.*]

1793. D'Israeli, Isaac. *Curiosities of Literature,* 2 vols., 1793, vol. ii, pp. 217, 286, 469. (14th edn., 3 vols., 1849, vol. i, p. 274, pp. 499, 508.)

Romances.

[p. 217] Chaucer is a notorious imitator and lover of them [the Italian Romances] ; his Knight's Tale is little more than a paraphrase of Boccaccio's Teseide.

Poet Laureat.

[p. 286]   Gower and Chaucer were laureates.

[p. 469]   *Natural Productions resembling artificial compositions.*

There is preserved in the British Museum a black stone, on which nature has sketched a resemblance of the portrait of Chaucer. [*See* above, App. A., 1778, Rymsdyk.]

1794. [Mathias, Thomas James.] *The Pursuits of Literature*, pp. 28–9 *n.*

['Gibbe our cat.']

[For other references in the *Pursuits of Literature*, *see* above, 1794, pt. i, p. 495, and below, 1797 and 1800.]

1794. P., B. *Local Expression*, [in] The Gentleman's Magazine, Feb., vol. lxiv, p. 110.

['Nesh.']

1794. Tooke, John Horne. [When in the Tower Tooke had a Chaucer, which he used for notes and minutes. The copy afterwards belonged to Samuel Rogers. *See* Crabb Robinson's Diary, 1840, ed. 1869, vol. iii, p. 187.]

1794. Unknown. *Gualtherus and Griselda*, [modernised version of part of the Clerkes Tale, in] Angelica's Ladies' Library, pp. 73–104.

1795. Z., K.; **Unknown;** and **Sciolus.** *Articles*, etc., [in] The Gentleman's Magazine, April, June, Sept., vol. lxv, pp. 282, 495, 728.

[Brief reference ; Review of Lipscomb's *Canterbury Tales ;* the marriage service in Chaucer.]

1795. Southey, Robert. *Dunnington-Castle*, a sonnet, [in] Poems: by Robert Lovell and Robert Southey, Bath, p. 61.

> Thou ruin'd relique of the ancient pile,
> Rear'd by that hoary bard, whose tuneful lyre
> First breath'd the voice of music on our isle ;
> Where, warn'd in life's calm evening to retire,
> Old CHAUCER slowly sunk at last to night,
> Still shall his forceful line, his varied strain,
> A firmer, nobler monument remain,
> When the high grass waves o'er thy lovely site :
> And yet the cankering tooth of envious age

Has sapp'd the fabric of his lofty rhyme ;
Though genius still shall ponder o'er the page,
And piercing through the shadowy mist of time,
The festive Bard of EDWARD's court recall,
As fancy paints the pomp that once adorn'd thy wall.

[**1796 ?**] **Southey,** Robert. *Essay on the Poetry of Spain and Portugal,* [in] Letters written . . . in Spain and Portugal, Bristol, 1797, pp. 121, 122.

Chaucer frequently spared himself the trouble of invention, and adopted the allegories of the Provençal school, and the licentious humour or the dignified romance of Boccaccio.

1796. Unknown. *Review* of *Poems by Minot,* [in] The Gentleman's Magazine, Jan., vol. lxvi, p. 49.

[Tyrwhitt's discovery of Minot.]

1797. J., J. H. *Letter on Donnington Castle,* [with a plate, in] The Gentleman's Magazine, March, vol. lxvii, p. 185.

1797. [**Mathias,** Thomas James.] *The Pursuits of Literature,* pt. iv, p. 48 *n.*

What old Chaucer says of poetry,
Tis every dele
A rock of ice and not of steel.

[*See* also above, 1794, pt. i, p. 495, and App. A, 1794, and below, 1800.]

1798. D'Israeli, Isaac. *Curiosities of Literature,* 4th edn., 2 vols., 1798 ; vol. i, p. 479 ; vol. ii, p. 40. (14th edn., 3 vols., 1849, vol. i, pp. 248, 363.)

Anecdotes of Fashion.

[vol. i, p. 479] [Chaucer on prelates' dress quoted.]

A Literary Wife.

[vol. ii, p. 40] [This section is headed as follows :]

Marriage is such a rabble rout
That those that are out, would fain get in ;
And those that are in, would fain get out.
                                        Chaucer.

1798. Jaques. *What was !* [in] *Satires,* etc., pp. 9, 10.
Chaucer . . .
Has left good models for the present day . . .

1798. Unknown; and **Wiccamicus.** *Review* and *Letter,* [in] The Gentleman's Magazine, Oct., vol. lxviii, pp. 862–4, 38–9

[Saxon words in Chaucer; modernizations, etc.]

1799. Gilpin, John; **An Architect,** and **Unknown.** *Articles,* etc., [in] The Gentleman's Magazine, March, Aug., Dec., vol. lxix, pp. 180, 670, 1040.

[Brief reference; Chaucer's tomb; Donnington.]

1800. Brydges, Sir Samuel Egerton. *Preface* to Phillips' *Theatrum Poetarum,* pp. xlvii–viii, lvi, lix.

[Chaucer's innate superiority to his contemporaries.]

1800. Fox, Charles James. *Letter to Charles Grey,* [dated] Friday [no month] 1800, [in] Memorials of C. J. Fox, 1854, vol. iii, pp. 310–11.

In defence of my opinion about the nightingales, I find Chaucer, who of all poets seems to have been fondest of the singing of birds, calls it a *merry note.*

1800. [Mathias, Thomas James.] *The Pursuits of Literature.* [This note is dated Nov. 1800 in the collected edn. of 1812 (p. 359); it is here quoted from the 11th edn., 1801, pp. 441–2.

[Quotation from the *Hous of Fame.*]

[For other extracts from *The Pursuits of Literature, see* above, pt. i, 1794, p. 495, and App. A, 1794 and 1797.]

1800. Unknown. *Letter,* [in] The Gentleman's Magazine, April, vol. lxx, p. 336.

[Quotation from *Antient Scottish Poems;* Gower preferred to Chaucer in their own time.]

1800. Wordsworth, William. *Lyrical Ballads, with other Poems,* preface, p. xii *n.* (Prose Works, ed. W. Knight, 2 vols., 1896, vol. i, p. 49 *n.*)

It is worth while here to observe, that the affecting parts of Chaucer are almost always expressed in language pure and universally intelligible to this day.—W. W., 1800.

[This preface did not appear in the first edition of 1798.]

1803. Leyden, John. *Scenes of Infancy,* pt. ii. pp. 45–6; notes, pp. 165, 176.

[Chaucer and the daisy.]

1807. Beloe, William. *Anecdotes of Literature,* vol. ii, pp. 367–8.
[For vol. vi, *see* above, pt. ii.]

[The *Knightes Tale* and *Troilus* based on Boccaccio's
Teseide and *Filostrato;* Chaucer the inventor of the rhyme-
royal stanza.]

1809. Dibdin, Thomas Frognall. *The Bibliomania,* p. 52 *n.*
[Pynson's Chaucer sold at Dr. Askew's sale.]

[There are many new allusions in the greatly enlarged edition of 1811, *q.v.* below.]

1810. Scott, Sir Walter. *The Lady of the Lake,* p. 196 *n.*

[Quotation from "The Coke's Tale of Gamlyn, ascribed to
Chaucer."]

1811. Dibdin, Thomas Frognall. *Bibliomania,* Motto to pt. 1, pp. 153 *n.,*
157 *n.,* 244 *n.,* 256 *n.,* 319, 507 *n.,* 515 *n.,* 569 *n.,* 594 *n.*

[The note on p. 515 is the only allusion in the small first
edn. of 1809 (*q.v.* above, App. A.); the other allusions
appear here for the first time and are reprinted in the 3rd
edn. of 1842, with the addition of two in the account of
Baron Bolland's books in the First Supplement. Most are
unimportant; that on p. 319 is a laudation of William
Thynne for his love for and work on Chaucer.]

[1811.] Landor, Walter Savage. *Commentary on Memoirs of Mr. Fox,
lately written* [by J. B. Trotter], 1812 [actually in 1811], ed.
S. Wheeler, 1907, pp. 211–12, 215.

[The unique copy of the original edn. of 1812 belongs to Lord Crewe. *See* above,
pt. ii, sect. i, p. 56, 1811, Trotter; also above, App. A., 1800, Fox.]

[p. 211]   " He entertained a sincere veneration for Chaucer." He
entertained *a sincere veneration* for so many, that we have
reason to suppose he had little discrimination. . . . Chaucer
[p. 212] is indeed an admirable poet; until the time of Shakespeare
none equalled him; and perhaps none after, till ours. The
truth of his delineations, his humour, his simplicity, his
tenderness, how different from the distorted images and
gorgeous languor of Spenser! The language, too, of Chaucer
was the language of his day, the language of those English-
men who conquered France; that of Spenser is a strange
uncouth compound of words. . . .
[p. 215]   In Chaucer . . . we recognize the strong homely strokes,

the broad and negligent facility, of a great master. Within
his time and Shakespeare's, there was nothing comparable,
nor, I think, between Shakespeare and Burns, a poet who
much resembles him in a knowledge of nature and manners.

1812. P. *Tabard Inn*, [with plate, in] The Gentleman's Magazine,
Sept. 1812, vol. lxxxii, p. 217.

[The inn, the inscription over the gateway, etc.] Till lately
there was some ancient tapestry in the house representing a
procession to Canterbury. A well-painted sign by Mr. Blake
[? a copy of the Canterbury Pilgrims] represents Chaucer
and his merry company setting out . . .

1813. Scott, Sir Walter. *The Bridal of Triermain.*

Motto on title page.
An elf-quene wol I love I wis
[and five following lines.]

Rime of Sir Thopas.

1815. Scott, Sir Walter. *The Antiquary,* chap. xvi.

Ah ! you have looked on the face of the grisly god of
arms, then ?—you are acquainted with the frowns of Mars
armipotent ?

1819. Keats, John. *The Eve of Saint Mark.* [Composed early in 1819,
and published posthumously.] (Works, ed. E. de Sélincourt, 2nd
ed., 1907, pp. 243.)

[The following lines, supposed to introduce the mediæval
legend of St. Mark, are clearly imitated from Chaucer :]

——Als writith he of swevenis
Men han beforne they wake in bliss . . .
And how a litling child mote be
A saint er its nativitie . . .
He writith ; and thinges many mo
Of swiche thinges I may not show
Bot I must tellen veritie
Somdel of Sainte Cicilie,
And chieflie what he auctorethe
Of Sainte Markis life and dethe . . .

1821. Southey, Robert. *The Vision of Judgment,* p. 33.

> Thee too, Father Chaucer ! I saw, and delighted to see thee,
> At whose well undefiled I drank in my youth and was
>   strengthen'd ;
> With whose mind immortal so oft I have communed, par-
>   taking
> All its manifold moods, and willingly moved at its pleasure.

1823. Hunt, James Henry Leigh. *The First Canto of the Squire's Tale.*

> [This is stated above (pt. ii, sect. i, p. 144) to have been reprinted in 1855. But that reprint is of Hunt's second version, first published in *Chaucer Modernised,* 1841.]

1823. Markham, Mrs. [ps., *i. e.* Elizabeth **Penrose**.] *A History of England, for the Use of Young Persons,* conversation on chap. xix, pp. 174–5 (edn. 1853).

> [Chaucer the father of English poetry ; this is enlarged upon, and a few lines ("the busy lark, the messenger of day," etc.) quoted and obsolete words explained.]

> [Professor Skeat (*A Student's Pastime,* 1896, pp. xiii–xiv) stated that Mrs. Markham's *History of England* was one of his lesson-books as a child [c. 1845], and that this passage first turned his attention to old English.]

[1825. Keble, John.] *Review* [of] *The Star in the East,* by Josiah Conder, 1824, [in] The Quarterly Review, June 1825, vol. xxxii, pp. 224–5. [Reprinted, as *Sacred Poetry,* in Occasional Papers and Reviews by John Keble, 1877, pp. 97–8.]

[p. 97]   In all ages of our literary history it seems to have been considered almost as an essential part of a poet's duty to give up some pages to Scriptural story, or to the praise of his Maker, how remote soever from anything like religion the general strain of his writings might be. Witness the "Lamentation of Mary Magdalene" in the works of Chaucer,
[p. 98] and the beautiful legend of "Hew of Lincoln," which he has inserted in the "Canterbury Tales" . . .

1826. Cooper, James Fenimore. *The Last of the Mohicans,* p. 30.

> The most confirmed gait that he could establish was a Canterbury gallop with the hind legs.

1830. Cunningham, Allan. *The Lives of the Most Eminent British Painters, Sculptors and Architects,* 6 vols., vol. ii, pp. 161–2, 165, 172.

[p. 162] The picture [Blake's Canterbury Pilgrims] is a failure. Blake was too great a visionary for dealing with such literal wantons as the Wife of Bath and her jolly companions. . . . He gives grossness of body for grossness of mind.

[*a.* **1834.**] **Stothard**, Thomas. *Paintings, etc., illustrating Chaucer.*

[Stothard not only painted the celebrated picture of the Canterbury Pilgrims, *q. v.* above, pt. ii, sect. i, 1808, and Carey, pt. ii, sect. i, p. 35, etc. ; at his sale in 1834 three pictures from Chaucer were sold, and at Samuel Rogers's sale in 1856 " The Canterbury Pilgrims " and engravings and drawings of it, and also another picture, probably one of those sold in 1834, appear. *See* Rogers's Catalogue, pp. 64, 97–8, 103, 115, 181 and 195 ; and Mrs. Bray's *Life of Thomas Stothard*, 1851, pp. 241, 243. He also painted a picture of the Cock and the Fox. *See* above, 1836, pt. ii, sect. i, p. 203.]

1843. [**Chambers**, Robert ?] *Chaucer,* [in the] *Cyclopædia of English Literature* . . . edited by Robert Chambers, Edinburgh, 1844 [preface dated 1843], 2 vols., vol. i, pp. 12–23.

[An account of Chaucer, followed by select passages. Chaucer the founder of literary English ; a man of the world ; his life (including the exile, etc.) ; his works, a brief account of some of the minor works, including some supposititious pieces, e. g. *The Testament of Love* and *The Court of Love ;* a longer account of the scheme of *The Canterbury Tales.* An extract is given from the *Prologue,* in original spelling ; this is followed by other extracts, mainly from the *Canterbury Tales,* in Cowden Clarke's and other modernized forms. Illustrated with woodcuts of Chaucer, of his tomb, and of the Tabard Inn.]

1848. **Gaskell**, Elizabeth Cleghorn, Mrs. *Mary Barton,* 2 vols., vol. i, pp. 70, 80, 96, 127. 157, 211.

[Foot-notes pointing out the survival of Chaucerian words in Lancashire.]

[*c.* **1857–8.**] **Hunt**, James Henry Leigh. *An Essay on the Sonnet,* [in] *The Book of the Sonnet,* 1867.

[This is entered above, pt. ii, sect. ii, p. 22, as [*c.* 1855]. In the *Examiner*, 18 May, 1867, it is stated that Hunt finished his part of this work "a year or two before his death," which happened in 1859. The date should therefore read as here given.]

ADDENDA.

[Many of the following allusions have been kindly sent us by
Mr. J. Douglas Bush, of Harvard.]

[*n. b.* **1536.**] **W[yer ?]**, R[obert ?]. *O Hystoryes of Troye*, [translated
from Christine de Pisan by R. W.,] printed by me Robert Wyer.

[The 'Suffolk' imprint used in this book was not Wyer's before 1536.]

[sig.
R 8 b] The LXXXIIII. Glose.

Bryseyde (whom mayster Chaucer calleth Cressayde in his
Boke of Troil s) was a damosell of great beaulte . . .

[He goes on to tell the tale of Cresseid, without mention
of Henryson's addition of her leprosy.]

1577. Grange, John. *The Golden Aphroditis*, conclusion to pt. i.

[sig.
N 2 b] If I had *Virgilles* vayne to indite, or *Homers* quill, *Terence*
his familiar kinde of talke, or *Chaucers* vayne in wryting,
yea, if I were as eloquent as Cicero himself . . .

1583. Melbancke, Brian. *Philotimus.*

[sig.
[a] 4 b] If I haue vsed any rare and obsolete words, they are
eyther such as the Coryphees of our English writers, *Chaucer*
and *Lidgate*, haue vsed before me, and now are decayed for
want of practice : or else such as by an apt translation out
of the Greekes and Latins . . . are fitly contriued into our
English language.

[p. 55
(53)] Fye pleasure, fye, thou cloyest me with delyghte. Nowe
Priams son giue place, thy helens hue is stainde, O Troylus
weepe no more, faire Cressid thyne is lothlye fowle . . .

[This passage seems to be an imperfect quotation from a poem.]

1586. Vulcanius, Bonaventura. *Verses* prefixed to *A Choice of
Emblemes*, by Geoffrey Whitney ; imprinted at Leyden, in the
house of Christopher Plantyn, by Francis Raphelengius.

[sig. *** 1 a] Vna duos genuit Galfridos Anglia, Vates
    Nomine, Phœbæo numine, & arte pares,
Vnum, Fama suæ patriæ indigitauit Homerum,
    Anglicus hic meritò dicitur Hesiodus.
Ac veluti dubiis quondam victoria pennis
    Inter Mæoniden Hesiodumque stetit :
Sic, quibus exultat modò læta Britannia alumnis,
    Galfridos palma est inter, in ambiguo.
Chauceri versant dudum aurea scripta Britanni :
    Aurea Whitnæus sed sua pressit adhuc . . .

[1596.] Shakespeare, William.   *The Merchant of Venice*, v, i, 3-6

> In such a night
> Troilus methinks mounted the Troyan walls,
> And sighed his soul toward the Grecian tents
> Where Cressid lay that night.

[For other eviaences of Shakespeare's debt to *Troilus, see* above, App. A, 1589 and 1603?]

[*n. a.* 1603.] Elizabeth, Queen.   *Quotation of Reves Tale*, l. 134.

" The grettest Clerkes been noght the wysest men."

[Sir Walter Scott reports Queen Elizabeth's quotation of this line to the Bishop of St. David's in *Tales of a Grandfather* (*q.v.* above, 1829), and alludes to it in *The Monastery* and in *Kenilworth* (*qq.v.* above, 1820 and 1821). We have not been able to identify the occasion or to verify the story, which may be of Scott's invention.]

1615. Tofte, Robert.   *The Fruits of Jealousie,* [a poem, appended to] *The Blazon of Jealousie* [translated by Tofte from Benedetto Varchi].

[p. 86]   Be thou a Lazer foule in sight,
> To clap thy Dish as Cressid light.

1621. Brathwait, Richard.   *Omphale,* [a poem appended to] *Natures Embassies.*

[p. 223]   And make thy story worse then *Cressida,*
> Who in contempt of faith (as we do reade)
> Reiected *Troilus* for *Diomede !*

1662. Fuller, Thomas.   *The Worthies of England.*   Warwickshire, p. 126.

He [Drayton] was born within few miles of *William Shake-speare,* his Countryman and fellow-Poet, and buried within fewer paces of *Jeffry Chaucer,* and *Edmund Spencer.*

1708. Unknown. *Inscription on the tomb of John Phillips,* in Westminster Abbey, next to Chaucer's.

. . . . .

Fas sit Huic
Auso licèt a Tuâ Metrorum Lege discedere,
O Poesis Anglicanæ Pater atque Conditor, CHAUCERE,
Alterum Tibi latus * claudere.
Vatum certé Cineres Tuos undique stipantium
Non dedecebit Chorum.

* *i.e.* the south side, the north being occupied by Cowley.

1728. Sterling, James. *The Life of Musæus*, [in his version of] *The Loves of Hero and Leander*.

[p. 8] Posterity (the most candid Judge of merit) often carries its Veneration for great Men, to the minutest Circumstances relating to them. The spot where our old Chaucer fram'd his Canterbury Tales, will never be forgot . . .

1757. Thompson, William. *Preface to An Hymn to May*, [in] *Poems on Several Occasions*, Oxford, 1757.

[sig. U 2 b] The most descriptive of our old poets have always used it [a seven-line stanza, *ab ab ccc*, ending with an alexandrine] from *Chaucer* down to *Fairfax*, and even long after him.

[c. 1787.] Frere, John Hookham. [Imitation of Chaucer made by Frere (?) while at Eton ; *see* below, 1804, ii, 21.]

APPENDIX B.

A DETAILED account of the history of Chaucer's fame in France will be found in my French book on Chaucer criticism.[1] Here a brief sketch only will be given of the main points of interest in it, to be followed by the text of the French allusions and criticisms.

It is curious that the earliest tribute of praise to Chaucer as a poet should have been written by a Frenchman. For Eustache Deschamps' charming greeting to the 'grant translateur, noble Geffroy Chaucier,' is, if we accept 1386 as its probable date, the earliest known allusion to Chaucer written by either poet or critic.[2] Deschamps himself little thought when he wrote his ballad to his brother poet across the Channel, that, with the exception of Froissart's reference in his Chronicles, nearly three centuries would pass before any reference to Chaucer of any kind would again be found in a French book.

Deschamps' ballad is well known, and, although there are many linguistic difficulties in it, the main drift of it is clear. Deschamps has heard of Chaucer's *Roman de la Rose* and possibly of other poems, but his fame as a translator overshadows all else. Chaucer, he says, has started an orchard in England in which he has planted many fair plants and flowers for those who are ignorant of the French tongue. Deschamps thirsts for a draught from Chaucer's fountain. He therefore sends some of his own small plants by Clifford to the English poet, begging him to look kindly on the work of a beginner, 'les œuvres d'escolier,' and asking Chaucer to quench his thirst by sending him some of his works in return.

Making all due allowance for rhetoric, still the praise in the first stanza of the ballad is very high ; Chaucer is a Socrates in philosophy, a Seneca in morals and an Ovid in poetry, brief in speech and wise in eloquence.

---

[1] *Chaucer devant la Critique en Angleterre et en France depuis son temps jusqu'à nos jours,* par Caroline F. E. Spurgeon, Hachette, 1911, ch. vii.
[2] Thomas Usk's *Testament of Love* is dated *c.* 1387, and Gower's first version of the *Confessio Amantis*, 1390.

The next allusion we find to Chaucer in France is Froissart's well-known mention of him in the Chronicles (written 1386–88), when he records that in the spring of 1377 'Jeffrois Cauchiès' was sent by the English king with others to 'Monstruel-sus-mer' to treat for peace.

An interesting proof that Chaucer was at an early date read by a Frenchman is to be found in the list of Chaucer's pilgrims written by Jean d'Orléans on his manuscript copy of the *Canterbury Tales*, showing that during his captivity in England (from 1412 to 1445) he had read and probably appreciated the English poet. And after this, until the year 1674, we find no reference to Chaucer in France, no sign of knowledge on the part of any French writer that such a poet existed.[1] This is not so odd as at first sight it appears, when we realise that English was practically an unknown tongue in France, and that even the very few Frenchmen who penetrated to the barbarous island during the 16th and 17th centuries seem to have had neither the desire nor the capacity to learn the language.[2]

So that whereas in England, from the days of Gower and Chaucer, the French language and literature were well known, and Marot, Du Bellay, Rabelais, Montaigne and Du Bartas were familiar to our poets and scholars; in France, on the other hand, from the time that Deschamps wrote his ballad to the beginning of the 18th century, for savants and poets as well as for the whole French nation, English literature simply did not exist.

In the very last year of the 17th century, however, we have a curious bit of evidence as to the interest that was being taken in Chaucer by at least one famous French writer. Dryden, in his Preface to the Fables (written 1699), tells us that he hears on good authority that Mademoiselle de Scudéry is translating Chaucer into modern French.[3]

Although 'Sapho' was at this time ninety-two, we know from

---

[1] Thévet's account of Chaucer, published in 1584, was not known to us when these pages were printed.

[2] For proof of this see *Relations de la France avec l'Angleterre*, par E. J. B. Rathery, in the *Revue Contemporaine*, 1855, vols. xx, xxi, xxii, xxiii ; *Jean-Jacques Rousseau et les origines du Cosmopolitisme littéraire*, par Joseph Texte, Paris, 1895 ; *Shakespeare en France*, par J. J. Jusserand, Paris, 1898, and *Chaucer devant la Critique*, par C. F. E. Spurgeon, ch. vii.

[3] *See* above, pt. i, p. 282.

the pen of an English writer that in 1698 she was mentally as vigorous as ever,[1] so there is no reason to doubt the accuracy of the information, and it is interesting to picture the writer of *Le Grand Cyrus* busying herself in her old age by turning Chaucer into French. We have, however, searched Mademoiselle de Scudéry's letters in vain for any allusion to this occupation, and if she succeeded in completing any of the translation, it is not now to be found.

The earliest mention of Chaucer we can find in a French book after Froissart's reference to him is in the first edition of Louis Moréri's *Grand Dictionnaire Historique*, which appeared in 1674. This contains a short notice of the poet stating that 'il fut surnommé l'Homère Anglais à cause de ses beaux vers.'

Chaucer's name occurs in a list of English poets in a work by Guy Miège, called *L'État présent d'Angleterre sous la reine Anne*, published in 1702. Miège's book was a kind of periodical publication, of which there were a good many editions both in English and French, and this list of poets in the 1702 French edition is almost an exact translation of the list in the three English editions of 1691, 1693 and 1707. In the next French edition of Miège's book, however (in 1708), a curious change occurs, and Gower, Lydgate and Chaucer are all left out of the list, possibly because it was thought they were so obscure and ancient that they could have no interest for French readers.

It is in the Journals and Gazettes written by the Protestant refugees in England, and published sometimes in London and sometimes in Holland, that we find for the first time a real knowledge of English literature and a detailed account of it in the French tongue ; and it is in one of these many cosmopolitan reviews, the *Journal Litéraire*, à la Haye, that we find the next two references to Chaucer. One of these (1715) is an announcement of the forthcoming edition of Chaucer's Works by Urry, and the other (1717) comes at the end of a really detailed and able essay on English literature, the most important which had as yet been written in French, entitled *Dissertation sur la Poësie Angloise*. The writer regrets that space has not permitted him to speak of Chaucer, 'le Père de la Poësie Angloise,' but adds that he hopes to write about him at length when the new edition of his works

---

[1] See *A Journey to Paris in the Year 1698*, by Dr. Martin Lister, London, 1699, pp. 93-4.

appears.   This was a promise which remained unfulfilled, for there
is no further reference to him in the *Journal*, when, after many
delays, Urry's edition finally appeared in 1721.   It is, however, a
great advance to mention him at all, and to do so, moreover, in
such respectful terms.

During the years 1720–50 a great change took place as
regards the knowledge and appreciation of English authors in
France.   In the early years of the 18th century the French
reading public were both ignorant and contemptuous of English
literature, whereas by 1750 the taste for English books in France
had so grown as almost to reach the point of mania.   This extraordinary change was mainly due to the work of the Abbé Prévost
and Voltaire, who both lived for some time in England and made
it one of their chief aims in writing to introduce into France a
knowledge and a love of England and of English thought.

Prévost, in his Journal *Le Pour et Contre*, translates and
reviews a good deal of contemporary English literature, but the
older poets are scarcely mentioned by him, and there is but one
passing reference to Chaucer in 1740.   Voltaire shows no knowledge of any poet before Shakespeare ; he mentions Spenser twice,
but in terms which show he has not read him, and he never speaks
of Chaucer at all.   Still, owing chiefly to these two writers, the
taste for English literature in France steadily increased, and it was
augmented by the extraordinary and immediate vogue of Richard-
son and the large number of translations from the English which
now began to appear.

To meet the public taste many journals devoted a great part
of their space to translations and reviews of English works,[1]
and English novels, poems and plays were collected, translated
and abridged in great quantities.   Two typical compilations
of this kind are *l'Idée de la poësie angloise*, by the Abbé Yart,
1749 and 1753–6, and *Choix de differens morceaux de Poësie,
traduits de l'Anglois*, by J. A. Trochereau, 1749 ; and in both of
these we find references to Chaucer.

The full title of the Abbé Yart's book is significant and fairly
ambitious (see below, 1749) ; he published it in two volumes in
1749, and apparently it met with success, for he re-issued it in
1753–56, much enlarged, in eight volumes.

---

[1] See the list of these given by M. Jusserand on pp. 275–6 of his *Shakespeare
in France* (English edn.), and see also Texte, *Jean-Jacques Rousseau*, pp. 265–8.

It is in the seventh volume of the second edition that we find the most interesting Chaucer references. This contains translations of various English 'Contes,' preceded by a *Discours sur les Contes*, and followed by a life of Chaucer, and a translation of Dryden's version of *Palamon and Arcite*.

In the preliminary 'Discours' Yart points out that Chaucer was inspired alike by the Provençal poets and by their imitators, the Italians, and that, according to Dryden, Chaucer surpassed both originals and imitators : 'il a effacé Ovide même, et il ne le cède pas à Homère ni à Virgile ; nous verrons ce qu'il faut penser de ce préjugé national.' He goes on to say that he will give an example of a very noble type of 'Conte' which Dryden has imitated from Chaucer.

Then follows Chaucer's life, at some length, which is the most considerable account of the poet that had as yet appeared in French. The remarks on the *Canterbury Tales* are interesting and unusual, those towards the end specially have a refreshing ring of genuine feeling called forth apparently by Yart having vainly attempted to translate some of the poems.

'Ce qu'il ya de plus original dans Chaucer,' he says, 'ce sont les divers caractères des auteurs des Contes . . . il peignit d'après nature leurs caractères, leurs habillements, leurs vertus et leurs vices, mais ses portraits sont si bizarres et si étranges, ses personnages si désagréables et si indecens, ses satyres si cruelles et si impies, que malgré l'art que j'ai tâché de mettre dans ma traduction, je n'ai pû me flatter de les rendre supportables. Ses autres contes sont encores plus licencieux que ceux de nos Poëtes les plus obscènes ; je les laisserai par la même raison dans l'obscurité de leur vieux langage.' This outburst is modified a little further on when Yart admits that it is said that the poetry of Chaucer is as easy and natural as the prose of Boccaccio. Finally, Yart quotes and applies to Chaucer, Voltaire's stanza on Homer, without giving any indication of the change he is making ; so that it runs thus :—

> 'Plein de beautés et de défauts
> Le vieux Chaucer a mon estime
> Il est, comme tous ses héros
> Babillard, outré, mais sublime.'

Yart adds to this, by way of qualification : ' Il est sublime quelquefois, mais il ne l'est pas aussi souvent qu'Homère.'

In the little volume called *Choix de différens morceaux de Poësie, traduits de l'Anglois*, which was published by Trochereau in 1749, this writer says in a note to his translation of Pope's *Temple of Fame* that Chaucer is so often spoken of in English books that he thinks it may be of interest to give some account of his life, which he accordingly does, ending with some quotations from Dryden's appreciation, the first time, we believe, that this had appeared in French.

In 1755 we have an interesting record of the first attempt we know of on the part of a Frenchman to write a history of English literature. This work was projected by Claude-Pierre Patu, a young enthusiast about all things English, who, however, did not live to carry it out, for he died of consumption in 1757. He sketches his plan in a series of letters to his friend David Garrick, whom he begs to send him a copy of Chaucer, and also to give him some information as to the state of the English language in Chaucer's time (see below, 1755).

The best-known of the many French magazines dealing with English literature about this time was perhaps the *Journal Étranger*, which was issued from 1754 to 1762, and was edited in turn by five well-known men, Grimm, Prévost, Fréron, Arnaud and Suard. The object of the journal is stated clearly in the first number (April 1754, pp. iv–ix), and it may be taken as representative of the aim of all these cosmopolitan papers. This aim was, in fact, to establish a correspondence between the nations of Europe in matters of thought, to draw together various types of genius, to put writers of all countries in touch with one another, and to teach each nation no longer to despise others and to claim for itself the exclusive gift of thought, which claim alone, says the writer, shows how baseless it is.

In this paper, during the time it was under Prévost's editorship (which lasted only from January to August 1755), there appeared, in the volume for May 1755, a long account of Chaucer, very probably written by Prévost himself. This account (which is headed 'Vie des Poètes Anglais, par M. Colley Cibber') is a very free and abridged translation of portions of Theophilus Cibber's 'Life' of Chaucer, which appeared in 1753, with some remarks added by the French writer. He compares his style to Villon and to Marot, and he ends with a paragraph of strong praise which is not in Cibber, but which is inspired evidently by

Dryden's favourable opinion. His praise for Nicolas Brigham's 'public spirit' is noteworthy, because Brigham's action is taken absolutely for granted by all English writers and receives no comment from them.

In October, 1775, a fortnightly review, the *Journal Anglais*, was started, which had for sole subject England and English matters, and a feature of each number is that it contains a biography of some English poet or man of letters. The first of these was, quite rightly, devoted to Chaucer; it is a long and detailed life, founded on Cibber and the *Biographia Britannica* of 1748, interspersed with occasional little embroideries by the French writer. The summing up of Chaucer's character and powers at the end of the article is of special interest; it is evident that Dryden's appreciation of the poet has been read, so also it would appear has been one of Lydgate's remarks on the kindness of the great man towards his brother poets.

After this date, biographical dictionaries and cyclopædias begin to take the place of these 'Journals' as disseminators of general knowledge, and the greater number of the references to Chaucer, which we find from the beginning of the 19th century onwards, are in works of this nature. Moréri's *Grand Dictionnaire Historique*, to which we have already referred, is the earliest in date of these to mention Chaucer (1674). In the numerous editions of this work in the early 18th century there is little change in the notice of the poet, but the edition of 1740 has an interesting variation. After the statement that Chaucer's English works were printed in London in 1561, we find this instructive addition: 'On a de lui en Latin, *Laudes bonarum Mulierum; Vita Cleopatræ; Vita Lucretiæ Romanæ; Flos Urbanı tatis; Sepultura Misericordiæ; De Astrolabii ratione.*' Evidently the reviser of 1740, being struck by the expression 'Ses ouvrages anglais' which occurs in the earlier editions, thought it a pity some account should not be given of works in other languages, and so proceeded to search for and successfully to find Chaucer's Latin works. But why two of the lives of the *Legend of Good Women*, the *Flower of Courtesy*, the *Complaynte to Pity* and the *Astrolabe* should have been selected for this distinction, it is impossible to say. Had he looked in Leland, or Bale, or Pits, he would have found the titles of all Chaucer's works in Latin, and not these only; besides, these titles, as given here, have a slightly

different form from those in any of these three lists. It is in
this edition of the Dictionary that we are told in the article on
Shakespeare that he died in 1576, so the information it
contains on matters appertaining to English literature is not
very accurate.

After 1750, many lives of Chaucer appear in the various
Biographical Dictionaries. Louis Chaudon contributes one to the
Nouveau Dictionnaire Historique in 1770, reprinted by the Abbé
Feller in the *Dictionnaire Historique* in 1781 and 1789–94, in
which Chaucer is called 'le Marot des Anglais' and where we are
told that Chaucer did much by means of his poems to procure
the crown for his brother-in-law the Duke of Lancaster, and that
subsequently he shared that monarch's good and bad fortune.
Some remarks are added on Chaucer's style which show no greater
knowledge of the poet than of English history. This article is
reprinted in all subsequent editions of the Dictionary, and is to
be found as late as in the *Biographie Universelle* of 1860.

In 1813, J. B. Suard contributed a long account of Chaucer
to the *Biographie Universelle.* Suard (1734–1817) was a writer
of considerable ability who made the study of England and of
English literature his special province. He knew the language
well, and translated, or edited the translations, of many works
from the English, and he was looked upon as an authority in all
English questions. Suard's article on Chaucer is the first written
by a Frenchman which conveys the feeling that he had read any
of the poems in the original. He evidently knows the opening,
at any rate, of *Troilus and Criseyde,* a poem which had not been
modernised by any writer ; he also shows some knowledge of *Sir
Thopas.* So that Suard's article may be said to mark a new
departure in the appreciation of the poet in France, and to in-
augurate the time when he was to be read by Frenchmen in his
own original English, and to be judged by them—no longer on
hearsay—but on his own merits.

Before going on to give some account of the successors of
Suard, that is, of the French writers who, in the 19th century,
have really known something of Chaucer, and consequently have
liked him, certain facts may be indicated which show how
little the general public, including many writers of books, knew
or cared about him. To go back a little, we may begin with
Contant d'Orville, the dramatist and novelist (born in 1730), who

after a visit to London in 1770, of which he gives an amusing account, published *Les Nuits Anglaises.* The full title (see below, 1770) sufficiently indicates the medley of topics to be found in this curious compilation. It contains anecdotes of all kinds about English people in every age, extracts from English newspapers and English literature, and 'Digressions' of all sorts, on religion, on the Stock Exchange, on Beau Nash and on the English poets. Under this latter heading D'Orville gives a brief account of 33 different poets, beginning with Chaucer, Spenser, Shakespeare and Cowley; and on Chaucer he furnishes us with the following useful piece of information :—

'CHAUCHER. *Chaucer* est regardé comme le père de la Poèsie anglaise : il vivait vers le milieu du quinzième siècle. On a de lui des contes plaisans et naïfs, écrits sans art et d'un style grossier, où l'on rencontre des pensées fortes.'

For the date when Chaucer flourished, D'Orville had possibly consulted Collier's *Historical Dictionary* of 1701, where 1440 is given as the year of Chaucer's death. The literary criticism is taken direct from Lady Mary Wortley Montagu's lines in the *Progress of Poetry*, which were translated by Yart in 1749 (see below).

In 1784, Rivarol, one of the most brilliant French writers at the end of the 18th century, neatly characterises Chaucer's work, as well as the whole of English literature up to Milton, in the following words :—

' Pendant un espace de quatre cents ans, je ne trouve en Angleterre que Chaucer et Spencer. Le premier mérita, vers le milieu du quinzième siècle, d'être appelé l'Homère Anglais ; notre Ronsard le mérita de même ; et Chaucer, aussi obscur que lui, fut encore moins connu. De Chaucer jusqu'à Shakespeare et Milton, rien ne transpire dans cette Isle célèbre, et sa littérature ne vaut pas un coup d'oeil.'

It will be noticed that Rivarol, like D'Orville, pictured Chaucer as living in the middle of the 15th century, and a passing reference made to the poet by Madame de Staël, in 1800, looks as if she too were extremely hazy as to his dates (see below, 1800). The next writer who deals with Chaucer in French jumps him back more than a century from the date indicated by Rivarol and D'Orville, for he fixes 1328 as the time when he flourished and wrote (see below, 1803, Schwab). Three years later, Hennet

(1758–1828) published a *Poétique Anglaise* (3 tomes, Paris, 1806),
in which he sums up Chaucer's work by saying that he composed
twelve volumes of verses, mostly tales in the style of Boccaccio,
and that his language is hardly understood by the English of the
present day.

There are not many more signs among those who write on the
subject of almost complete lack of knowledge of the poet's works
and life.   By degrees fuller and more accurate information about
him became accessible in France, largely owing to the careful
work of Gomont (1847) and Sandras (1859).

We may turn now to the more grateful task of tracing the
gradual growth in France of knowledge and appreciation of
Chaucer's work.

Curiously enough, in 1813, the year in which Suard's article
appeared, we have proof that Chaucer in the original text was
being read by yet another Frenchman.   This is the close and
careful translation of the *Clerk's Tale* done by Dubuc in the first
of two little volumes called *Les deux Grisélidis, Histoires Traduites
de l'anglais, l'une de Chaucer, et l'autre de Mlle. Edgeworth.*   The
translation is done, not from Ogle's modernisation from which Miss
Edgeworth quotes, but from Chaucer's own text, and, with the
exception of the fragment of the Pardoner's Prologue (in the
Journal Étranger, 1755), this is, we believe, the first translation of
any part of Chaucer into French, and it is, on the whole, very well
done.   Dubuc explains in his preface that although Miss Edgeworth
has quoted from Ogle's version, which is elegant but diffuse, he
himself prefers Ogle's original.   Here we have some one speaking
who has really read the original, and, having read it, appreciates
its simplicity and charm.

Chateaubriand's study of Chaucer, in his *Essai sur la littérature anglaise* (1836) in a chapter on 'Chaucer, Bower [sic] and
Barbour,' is disappointing, and reveals no sign of knowledge of
any but the two spurious poems, the *Court of Love* and the
Plowman's Tale.   This insufficient treatment by Chateaubriand,
however, called forth some interesting remarks in the following
year (1837) from Villemain, who was professor of eloquence and
modern history, and later of English literature, at the Sorbonne.
These remarks prove that the poet had at that time at least one
sincere admirer in France, who had read some of his work.

Chaucer's next admirer in France, E. J. de Lécluze, writes a

very interesting article on the poet in the *Revue francaise* for
April 1838. He says he has on his walls an engraving of
Stothard's picture of the Canterbury pilgrims and that he finds
himself obliged so often to explain the meaning of this ' strange
assembly ' to his friends that he has decided once and for all to
translate the Prologue of the Canterbury Tales into French.
There follows what we believe to be the earliest translation into
French of the complete Prologue. It is done into prose, and
it is very careful and simple. Several pages are then devoted
to an account of Chaucer and of his work; each Canterbury
Tale being described separately. The little prologue to *Sir
Thopas*, part of the prologue of the *Clerk's Tale* and a few lines
from the prologue of the Wife of Bath are also translated. At
the end the writer urges that it would be rendering a real service
to letters if some one would make a complete translation of the
Canterbury Tales into French. Unfortunately (putting aside the
Chevalier de Chatelain's translation in 1855) seventy years were
to elapse before M. de Lécluze's desire was accomplished, and a
scholarly translation of Chaucer's great work was given to
the French public. Nine years after this article was written,
Gomont published his study of Chaucer,[1] in which, for the first
time, a French writer devotes a whole book to the poet. It
is a book which it is somewhat difficult to characterise. It is
careful work, but at times the writer so entirely lacks compre-
hension of and sympathy with his subject that one wonders why
he ever undertook it. *Troilus and Criseyde*, for instance, is dis-
missed as follows : ' *Troïle et Cresside*, poème en cinq chants, d'un
style généralement obscur. Le mauvais goût et la bizarrerie y
dominent.' Or again, in speaking of the various tales told by the
pilgrims, he says that in the eyes of an unprejudiced judge the
greater number of the tales will certainly appear either badly
chosen or badly told.

This last example shows more than anything else, perhaps,
how the very spirit and essence of Chaucer's art has been missed,
more especially if we compare it with the very different treatment
of the same point by M. Legouis in his introduction to the
translation of the *Canterbury Tales* published in 1908.

All the same, Gomont's book marks a distinct advance in

---

[1] *Geoffrey Chaucer, poète anglaise du XIVe siècle. Analyses et fragments*,
par H. Gomont : Paris, 1847.

Chaucer criticism in France. We get in it for the first time a detailed and comprehensive view of the poet's work, with long quotations from his poems in French and we have as well a prose translation of the whole of the *Knight's Tale.*

Between the years 1857–60, the Chevalier de Chatelain brought out the whole of the *Canterbury Tales* in French verse. The attention of this eccentric and unliterary writer cannot, we fear, much have furthered Chaucer's reputation in France, for his careless, facile, jog-trot verses would not give any one who did not know the original, the least idea of Chaucer's work or of the delicacy of his art. Gausseron summed up the result accurately, if scathingly, when he said (in 1887) that 'l'essai de traduction des *Contes de Canterbury* par le Chevalier de Chatelain ne permet pas de dire que nous en possédions une version française.'

In 1859 there appeared Sandras's careful *Étude sur Chaucer considéré comme imitateur des Trouvères.* This is a fine piece of work, in which, for the first time, Chaucer's French sources are examined and his debt to French poets made out. To the present-day reader some of the 'étude' seems superficial, some of the assumptions appear hasty and unfounded, and there is a good deal which a competent scholar could now add or re-write; but fifty years ago it was pioneer work and extremely good.

Sandras examines the poems in considerable detail, and indicates the great influence exercised on Chaucer by the two parts of the *Roman de la Rose,* and he proves that it was in the school of Guillaume de Lorris that the English poet's taste was formed, just as it was in the school of Jean de Meung 'que s'est façonné son esprit.'

The next study of Chaucer is that by Taine. As early as 1856 Taine published an article on Chaucer in the *Revue de l'Instruction publique,* but his really important study of him is that in his *Histoire de la littérature anglaise,* the first volume of which appeared in 1863. This book is epoch-making as regards the knowledge of English letters in France, and for the first time the whole of English literature is brilliantly reviewed by a French pen. Taine places Chaucer to some extent in his setting, and he indicates in what ways he was more particularly a child of the middle ages. Here we find for the first time *Troilus and Criseyde* fully appreciated by a French writer, and Taine points out that it is in this poem that Chaucer's affinity with the French spirit is specially seen.

After Taine's book the references to English literature and to Chaucer gradually increase, and literary histories become more general. So we find notices by Ampère (1867), by Émile Chasles (1877), by J. J. Jusserand (1878), by Léon Boucher (1882), by Augustin Filon and Émile Montégut (1883), to name only a few. A more detailed study than any of these is in the *Étude sur la langue anglaise au XIV* siècle* by Adrien Baret in 1883, where Chaucer's life, language, versification and genius are dealt with at some length.

In 1889 another attempt was made to translate the *Canterbury Tales*, this time into French prose, but it did not succeed (*see* below, 1889, Simond).

M. Jusserand wrote on Chaucer for the first time at any length in an article in the *Revue des Deux Mondes* in 1893, which was incorporated in his *Histoire littéraire du peuple anglais* of the following year. Here we have a long account of Chaucer's life and work, with detailed criticism of the *Hous of Fame*, of *Troilus*, and of the *Canterbury Tales*. Chaucer's descriptive power, his humour, his sympathy with all classes, his good sense and his impartial judgment are all dealt with and charmingly portrayed.

In the year 1908 we come to the most important tribute to Chaucer which has so far appeared in France. This is the complete translation of the *Canterbury Tales* into French prose, which has been carried out by a company of the picked English scholars of France. The rendering is very careful and close, practically corresponding line for line with Skeat's edition. Three of the Tales (Reve, Shipmanne, and Prioress) and the Wife of Bath's Prologue have been put into blank verse by MM. Derocquigny and Koszul. Their poems retain to some extent the lightness and grace of the original, because of the movement or rhythm of the verse. But all the others are in prose, and although it is impossible for a foreigner to pronounce judgment on the effect this has on French ears, it would seem as if much of the grace and music of Chaucer were thereby lost. One cannot help wishing that it had been possible to render the Prologue, at any rate, into French verse, and this wish is intensified when we read some of M. Legouis' translations in his recent book on Chaucer, or even the following charming fragment of *Sir Thopas* which he gives in a footnote to his prose translation in this collection :—

Oyez seigneurs, prêtez l'oreille,
Si vous diroi-je grand' merveille,
Histoire de renom,
D'un Chevalier bel et courtois
Dans la bataille et les tournois ;
Sire Topaze a nom.

Sur terre étrange il vint au monde,
En Flandre, outre la mer profonde ;
Popering est le lieu ;
Son père estoit homme d'honneur
Et de tout le pays seigneur
Par la grâce de Dieu.

Si grandit-il en preux varlet ;
Sa face est blanche comme lait,
Sa bouche est de coral ;
Son teint semble écarlate en graine,
Et, tenez la chose certaine,
Son nez n'a pas d'égal.

Here we have, all at once, the lilt and movement of Chaucer's verse, and at the same time his humour, his finesse, and his grace.

This French version of the *Canterbury Tales* was received with much interest and appreciation on both sides of the Channel, as may be seen by two articles by M. Emile Gebhart (*Gaulois*, April 23, 1907, and *Débats*, May 11, 1908), and by English reviews such as that in the *Academy*, Jan. 25, 1908, or in the *Times Literary Supplement* of August 14 of the same year.

In the interesting and suggestive introduction which M. Legouis contributes to this volume, he proves how completely a modern Frenchman can understand Chaucer. He draws attention to the supreme achievement of Chaucer in the development of story-telling as an art, which is the shifting of the centre of interest from the machinery or plot to the characters of the actors. So we get with Chaucer an awakening of sympathy even for the deluded and cheated characters, which formed no part of the old fabliaux or comic tales. We find ourselves no longer in the presence of simple comedy, but of something at once more human and more complex, drama which trembles between laughter and pity. Thus we see in Chaucer's work the first indications of a new observation of life and of new forms of art yet to be born.

M. Legouis has developed and enlarged his study of Chaucer in the little volume on the poet which he contributed in 1910 to the series of 'Les Grands Écrivains Étrangers.' He there gives a complete account of Chaucer's life and work, and the book is enriched by many delightful translations of the poems into French verse.

With these two recent incontestable proofs of Chaucer scholarship and appreciation in France this brief survey comes to a close.

As the centuries pass on and scholarship widens, change in language or difference in language presents less and less of a barrier. So it is that to-day we see Chaucer reaching, not a smaller but a larger audience, becoming more loved and better known, not only in his own land, but also in France, to whose literature he owed so much, and to whose spirit he was in many ways so closely akin.

FRENCH ALLUSIONS.

[1386 ?]. Deschamps, Eustache. *Ballad addressed to Geoffrey Chaucer by Deschamps, when sending him his own works.* Unique MS. Bibliothèque nationale, No. 840, fonds français, fol. lxii, lxii *verso*. *Œuvres complètes d'Eustache Deschamps*, publiées par le marquis de Queux de Saint Hilaire, Société des Anciens Textes Français, vol. ii, 1880, pp. 138–40.

AUTRE BALADE [1]

O Socrates plains de phi*los*ophie
Seneq*ue* en meurs et anglux en p*r*atique
Ouides grans en ta poeterie
Bries en parler saiges en rethorique
Aigles t*re*shaulz qui par ta theoriq*ue*   5
Enlumines le regne deneas
Lisle aux gea*n*s ceuls de bruth[2] et qui as
Seme les fleurs et plante le rosier
Aux ignorans de la langue pandras[3]
G*r*ant translateur noble geffroy chaucier   10

---

[1] The exact text of the manuscript is here printed. This may be useful, as it has often been reprinted with different corrections. Thus slight changes have been made in its text, even in the edition of the Anciens Textes Français, without due comment. For example :—

	PRINTED TEXT.	MANUSCRIPT.
line 25	Qui en Gaule	*Qui* men gaule
line 20, 30	Grand	Grant
line 32	seroye	seroie.

[2] Deschamps obtains the name by which he designates England from the *Brut* of Wace ; cf. the ballade of Deschamps, *Sur les divers noms de l'Angleterre*, with the refrain "C'est de ce mot l'interpretacion," *Œuvres* vi, pp. 87–8 ; and *De la prophecie de Merlin sur la destruction d'Angleterre qui doit b*r*if advenir*, refrain "Ou temps jadis estoit ci Angleterre," *Œuvres* ii, pp. 33–4.

[3] *La langue pandras*—the French language. The idea of this expression comes also from Wace. Pandras was a mythical king of Greece, who had been vanquished by Brutus—the first king of Britain (England) according to the legend—at the head of a certain number of Trojan exiles who had been kept as slaves by Pandras. When Brutus, with the Trojan victors, landed in "Albion," he founded the realm of Britain. The language of the inhabitants of Britain (that of Chaucer) is first of all called Trojan, then "British," *i.e.* the language of Brutus. The language of Brutus being English, the language of Pandras, the enemy of Brutus, must have been French, the language of the hereditary enemies of England. See an article in the *Academy*, Nov. 14, 1891, p. 432, by Dr. Paget Toynbee, on this ballade.

BALLAD ADDRESSED TO GEOFFREY CHAUCER BY EUSTACHE DESCHAMPS
WHEN SENDING HIM HIS OWN WORKS

Unique MS. Bibliotheque Nationale, No 840 Fonds Français, Fol. lxii, lxii Verso

Tu es dam*our*s mo*n*dains dieux en albie
Et de la rose en late*rr*e angelique
Q*ui* dangela saxo*nn*e et [1] puis flourie
Anglete*rr*e delle ce nom sapplique
Le derrenier en lethimologique   15
En bon angles le livre translatas
Et un vergier ou du plant dem*an*das
De ceuls q*ui* fo*n*t [2] pour eulx auctorisier
A ja long temps q*ue* tu edifias
G*r*a*n*t tra*n*slate*ur* noble geffroy chaucier   20

A toy pour ce de la fontaine helye
Requier avoir un buuraige autentique
Dont la doys est du tout en ta baillie
Pour rafrener delle ma soif ethique
Q*ui* men [3] gaule seray paralitique   25
Jusq*ues* a ce q*ue* tu mabuueras
Eustaces sui qui de mon plant aras
Mais pran en gre les euures descolier
Q*ue* par clifford de moy auoir pourras
G*r*a*n*t tra*n*slate*ur* noble gieffroy chaucier   30

LENUOY

Poete hault loenge destmye [4]
En ton jardin ne seroie quortie
Conside*re* [5] ce que jay dit p*r*emier
Ton noble plant ta douce melodie
Mais pour scauoir de rescripre te prie   35
G*r*a*n*t translate*ur* noble geffroy chaucier.

---

[1] est ?

[2] *Ceuls q*ui* font,* i.e. the poets, "the makers." Cf. Chaucer in the *Compleynt of Venus,* where he speaks of Oton de Graunson as "flour of hem that make in Fraunce."

[3] en ?

[4] *Destmye.* It appears to us that this is, without doubt, the reading of the manuscript, although, at first sight, "destruye" might seem to be correct. But on close inspection it will be seen that the down-stroke of the *m* is without the small hook that the scribe attaches throughout to the *r.* "destinye" is possible, but no dot is visible over the *i.* It seems impossible to discover the sense of the passage. Toynbee and Ker suggest "deservye" (*Academy,* Nov. 14, 1891), Nicholas, Wright and Sandras suggest "destinye" ; "destruye" is printed in the edn. of the Anciens Textes Français, and Tarbé (*Œuvres inédites de Deschamps,* 1849, tome i, pp. 123–4) is the sole editor who has previously printed the word as it is found in the manuscript.

[5] Should it be read *considéré* ?

[1386–88.] Froissart, Jehan. *Chroniques de France, d'Engleterre, d'Escoce, de Bretaigne, d'Espaigne, d'Ytalie, de Flandres, et d'Alemaigne.* (*Œuvres de Froissart*, ed. Kervyn de Lettenhove, Bruxelles, 1869, tome viii, p. 383.)

Environ le quaremiel [1377] se fist uns secrès trettiés entre ces François et ces Englès, et deurent li Englès leurs trettiés porter en Engleterre, et li François en France, cascuns devers son signeur le roy, et devoient retourner, ou aultre commis que li roy renvoieroient, à Monstruel-sus-mer, et sus cel estat furent les trièwes ralongies jusques au premier jour de may. . . Si furent envoyet à Monstruel-sus-mer, du costé des François, li sires de Couci, li sires de le Rivière, messires Nicolas Brake et Nicolas le Mercier, et du costé des Englès, messires Guichars d'Angle, messires Richars Sturi et Jeffrois Cauchiés.

[*ante* 1445.] D'Orléans, Jean, Comte d'Angoulême. *A list of the pilgrims in the Canterbury Tales*, written in Jean d'Orléans' hand, on a manuscript of the Canterbury Tales which was among the books in his library. MSS. Angl. No. 39, Bibl. Nationale, fol. A.

Prologus—Knicht—Millener—Reve—Men of Lau—Clerc of Oxonford—Wif of Bathe—Frere—Somneur—Marchant—Scuier — Franquelin — Fisicien — Pardoner—Chip man — Prioresse—Chaucer—Monk—Nones priste—Yᵉ Nonne—Chanoines man—Yᵉ manciple.

[Jean d'Orléans (brother of Charles d'Orléans) was given as a hostage to Thomas of Lancaster, Duke of Clarence, by the Dukes of Orléans, of Berry, of Bretagne and Bourbon, in 1412, at the age of 13. He was imprisoned first in London, then at the Castle of Maxey, and he was only released at the age of 46, in May, 1445, after 33 years of captivity. He was passionately fond of books, and he had a library of some 160 manuscripts, 11 of which are copied in his own hand. From the Inventory made of his books in 1467 (he died on the 30th April, 1467), it is clear that he was a great reader and a scholar, that he had learnt English and that he read Chaucer in the original. For in this Inventory we find a manuscript of the Canterbury Tales thus described: ' Ung romant, en Anglois, rímé, en papier, commançant, ou premier fueillet, "want taht aprilh" et finissant, ou penultime, "Aliberons apetite [*sic*]." ' This manuscript is now in the Bibliothèque Nationale with the table of contents in the handwriting of Jean d'Orléans.

See Jean d'Orléans d'après sa bibliothèque, par G. Dupont-Ferrier, Bibliothèque de la Faculté des Lettres, Paris, 1897, tome iii, p. 64 ; La Captivité de Jean d'Orléans, par G. Dupont-Ferrier, Revue Historique, tome lxii, 1896 ; Catalogue des manuscrits anglais de la Bibliothèque Nationale, par Gaston Raynaud, Paris, 1884, pp. 14–15.]

1674. Moréri, Louis. [Article '*Geofroy*' in the] *Grand dictionnaire historique* . . . première édition. [This work was revised and reprinted in 1681 (*q. v.*), and many times afterwards.]

[No article under *Chaucer*. But under Geofroy or Godefroy de Viterbe there is a second paragraph which begins :]

Il y a aussi eu Geoffroy, . . . Religieux de l'ordre de Saint Benoît. . . . [5 lines.]

. . . Geoffroy, autre Bénédictin. [5 lines.]

. . . Geoffroy Chaucer de Woodstock en Angleterre, surnommé l'Homere Anglois à cause de ses beaux vers, se fit des Estimateurs de tous les honnêtes gens, et donna au public divers Traités, dont Gesner fait le dénombrement, in Bibl. Camden, *Britan.*, p. 55.

. . . Geoffroy, dit de Fontibus. [4 lines.]

. . . Geoffroy de Ville Hardouin. [4 lines.]

[These five men are described in this one paragraph, whereas a little earlier 16 lines are given to *Geofroy de Monmouth.*]

1681. Moréri, Louis. [Article '*Chaucer*' in] *Grand dictionnaire historique* . . . [2nd ed., enlarged by Moréri, and ed. after his death in 1682, by G. Parayre], p. 872.

CHAUCER (Geofroy) natif de Woodstock en Angleterre, vivoit dans le XIV Siècle. Il fut surnommé l'Homere Anglois, à cause de ses beaux Vers, & il se fit des estimateurs de tous les honnêtes gens de son tems. Il donna au public divers Ouvrages de sa façon, dont on pourra voir le dénombrement dans Leland, Pitseus, Gesner, &c. Le premier parle ainsi de luy dans ses Epigrammes :

> *Praedicat Algerum merito Florentia Dantem,*
> *Italia & numeros tota, Petracha, tuos,*
> *Anglia Chaucerum veneratur nostra Poëtam,*
> *Cui veneres debet patria lingua suas.*

Chaucer, outre la Poësie, sçavoit les Mathématiques & les belles Lettres. Ses Ouvrages Anglois ont été imprimez à Londres l'an 1561. Il mourut en 1400. & en 1555, on rétablit son tombeau qui est a Westminster & l'on y mit cette Epitafe :

> *Qui fuit Anglorum vates ter maximus olim,*
> Galfredus Chaucer *conditur hoc tumulo,*
> Annum si quaeras Domini, si tempora mortis,
> Ecce notae subsunt, quae tibi cuncta notent.
> XXV. Octob. 1400.

Gesner, in Bibl. Leland, Balæus & Pitseus, *de Script. Angl.* Camden, etc.

1702. [**Miège,** Guy]. *Etat présent d'Angleterre sous la Reine Anne* . . . Traduit de l'Anglois, à Amsterdam, 1702, tome ii, partie II, chap. i, p. 254.

[Title of the chapter.] Des Habitans d'Angleterre, de leur Tempérament, Génie, Langage, avec une liste des plus habiles Personnages de ce Païs qui ont excellé dans la Guerre, & dans les Lettres. . . .

Pour la Poësie, Gower & Lydgate Moine de St. Edmund Bury, le fameux Godefroy Chaucer Beau-Frère de Jean de Gand Duc de Lancastre ; le Chevalier Philippe Sydney, & le fameux Spencer.   Daniel, & Drayton, le premier le Lucain, & l'autre l'Ovide des Anglois.   Beaumont & Fletcher, celuy-cy le Térence, & celuy-là le Plaute de la Nation. Enfin Ben Janson [*sic.*] & le fameux Cowley.

1705. [**Des Maizeaux,** P. J.] [Preface, with a life of Saint Evremond, prefixed to] *Œuvres meslées de M*^r *de Saint Evremond,* Londres, 1705, tome i, sign. c iii *verso.*

Il [Saint-Evremond] fut enterré dans l'Abbaye de *West-minster,* auprès des Savans *Casaubon, Camden, Barrow,* & des Poetes *Chaucer, Spencer, Cowley,* &c.

[In the more recent edns. of this book, this sentence runs : ' . . . auprès des . . . célèbres Poëtes Anglois, Chaucer, Spencer, Cowley, &c.'—see, for instance, La vie de . . . Saint Evremond, par . . . Des Maizeaux (4me édn.), Amsterdam, 1726, p. 203.]

1706. Unknown. [Article in] *Le Journal des Sçavans,* à Paris, pour l'année 1706, p. 249.

[A review, pp. 243–51, of *l'Etat présent d'Angleterre,* by Miège, 1702, quoting the list of poets ; see under 1702 above.]

1707. Unknown. [Article ' *Chaucer* ' in] *Grand dictionnaire historique* [de Moréri], 1707.

[The article is a little shorter than that in the edition of 1681.] . . . Il [Chaucer] fut surnommé l'Homere Anglois à cause de ses poësies.   Il donna au public divers Ouvrages &c. . . . [Leland's epigram and the epitaph on Chaucer's tomb are both omitted.]

1715. Unknown. *Journal Littéraire,* de l'année 1715, à la Haye, tome vi, 2ᵉ partie ; Nouvelles litéraires de Londres, p. 505.

M. Urry Membre du College de Christ-Church à Oxford a résolu de faire imprimer ici in folio toutes les Œuvres de *Chaucer* ancien Poëte Anglois fort estimé.   Il a examiné non seulement toutes les autres Editions de ce Poëte, mais aussi diverses anciennes copies manuscrites ; & par ce moyen il a corrigé un grand nombre de passages corrompus, rétabli quantité de vers omis, & ajoûté divers Contes entiers de ce Poëte qui n'avoient pas encore vû le jour.   Il ajoûte à tout cela un bon Glossaire, pour expliquer tous les vieux mots Anglois de *Chaucer*.   Ainsi on s'attend à une Edition fort exacte & fort compléte.   L'Editeur avoit obtenu Privilege pour ce Livre peu de jours avant la mort de la Reine *Anne* : il est daté du 20. Juillet 1714, & est à ce que je croi le dernier de cette sorte qu'elle ait signé.   On l'imprime par souscriptions : le prix à ceux qui ont signé est 30. shillings pour le papier ordinaire & 50. shillings pour le grand papier.

1717. Unknown. *Dissertation sur la Poësie Angloise,* [article in the] *Journal Littéraire* de l'année 1717, à la Haye, tome ix, pt. i, p. 216.

[A long detailed article on English poetry, with comparison between French and English poets.   These words come at the end] :

Cette Dissertation n'est déjà que trop grande pour un Article de ce Journal, ainsi il est plus que tems de la finir, quoi qu'il reste encore bien des choses à dire sur cette matière. On n'a pas seulement parlé de *Chaucer* le Père de la Poësie Angloise, mais on aura occasion d'en parler au long quand la nouvelle Edition de ses Œuvres, que nous avons déjà annoncée paroîtra.

[Other authors not mentioned for lack of space are Beaumont and Fletcher, Lord Orrery, Ben Jonson, Suckling, Sedley, Denham, Etherige, Cowley, Waller, Otway, Wicherly and Congreve.]   On pourra s'étendre à une autre fois, sur tous ces Auteurs & sur plusieurs autres, si on trouve que ce qu'on vient de dire ici est goûté des Lecteurs judicieux.

1723. La Roche, Michel de.   *Mémoires Littéraires de la Grande Bretagne,* à la Haye, 1723, tome xi, p. 257.   Art. x, *La vie de Guillaume Camden.*

Camden mourut le 9. Novembre, 1623. . . . Il fut enterré dans l'Eglise de Westminster . . . vis-à-vis du Tombeau de *Chaucer*, Poëte célèbre.

1734. Unknown. *Copie d'une Lettre, écrite de Londres le 19 et 30 Décembre, 1734, à M. Dargenville, Conseiller du Roy . . . sur quelques Illustres Anglois* [in the] *Mercure de France*, Paris, May, 1735, p. 837.

Il y a un cahier de 12 Poëtes celebres Anglois, qui sont, si je ne me trompe, *Chaucher, Spenser, Johnson, Fletcher, Beaumont, Shakespear, Milton, Cowley, Buttler, Otway, Waller et Driden.* Chaucher est le plus vieux Poëte dont on fasse cas. Il vivoit dans le 14ᵉ siècle. Les Anglois d'aujourd'hui ont de la peine à l'entendre. On dit qu'il est inimitable dans ses Descriptions, et en general fort ingénieux. On a fait une très belle Edition de ses Ouvrages en un volume in-folio avec une Explication des expressions difficiles et surannées.

1735. Thévet, André. *Vie de Jean Clopinel, dit de Meung,* [en tête du] *Roman de la Rose, par G. de Lorris et J. de Meung,* 3 tomes, Amsterdam, 1735, tome i, pp. li–lii, lxv. [Thévet's life of Jean de Meung is reprinted from his *Pourtraits et vies des Hommes Illustres,* 1584.]

Plusieurs ont voulu imiter ce Romans [*sic*] de la Rose, & entre autres Geofroy Chaucer Anglois, qui en a composé un qu'il intitule *The Romant of the Rose ;* lequel, au raport de Balæus, a esté tiré du Livre de l'Art d'aimer de Jean Mone, qu'il il [*sic*] faict Anglois. Je conjecture qu'il entend nostre Jean de Meung, encores qu'il le face Anglois, d'autant que n'est aisé à croire qu'un Anglois osa se hazarder à une telle œuvre, quoy que les termes ne semblent que trop rudes maintenant, si estoient-ils bien riches pour lors. . . . [La renommée de Jean de Meung] a esté en telle estime que (comme j'ay dit) l'Anglois Baleus l'a voulu transporter en Angleterre dont n'est merveilles. . . . Quoique ce soit encores, est-il contraint de confesser que son Chaucer a pillé (il appelle cela illustrer le Livre de Jean de Meung) les plus beaux boutons qu'il a pû du Roman de la Rose, pour en embellir & enrichir le sien.

1736. Niceron, Jean Pierre. *Mémoires pour servir à l'Histoire des Hommes illustres dans la République des Lettres, avec un catalogue raisonné de leurs Ouvrages,* 1729–45, 43 vols., tome xxxiiii, p. 44.

. . . *George Chaucer, l'Homere* de son pays, a mis l'ouvrage de *Boccace* en vers Anglois.

1737. Unknown. *Note* on *Chaucer* [in] *Le Spectateur, ou Le Socrate moderne.* Traduit de l'Anglois. Suivant la 4ème Édition d'Amsterdam. Basle, 1737. Tome i, p. 374.

[Text.] *Chaucer* * décrit fort joliment, dans un de ses Contes, cette humeur volage d'une *Idole;* Il nous la représente assise autour d'une Table avec trois de ses Esclaves, qui n'oublient rien pour gagner ses bonnes graces, et lui rendre leurs devoirs : Là-dessus, elle souriot à l'un, buvoit à la santé de l'autre, et pressoit le pié du troisième sous la Table. *Quel donc de ces trois* dit le vieux Barde, *croiriez-vous être le véritable favori? De bonne foi,* ajoute-t-il, *pas un des trois.*

[Note.] * Il s'appelloit GEOFROI. & vivoit vers le milieu du XV. siècle. Les *Anglois* le regardent comme le Pere de leur Poësie.

[According to L. P. Betz (Bodmer-Denkschrift, Zürich, 1900, p. 238), editions of the above were published at Amsterdam in 1714, 1716–18, 1722–30, 1731–36, 1744, 1754–55 ; at Paris, in 1716–26, 1754 (corrigée et augmentée) and 1754–55. The only edition in the British Museum is dated Amsterdam, 1746–50, where this reference occurs in tome i, p. 379.]

1740. Unknown. [Article ' *Chaucer* ' in the] *Grand dictionnaire historique* . . . commencé en 1674 par Mre Louis Moréri . . 18 édn., 1740, tome ii, p. 352.

CHAUCER (Géofroy), natif de Woodstock en Angleterre, dans le XIV siécle, fut surnommé *l'Homére Anglois,* à cause de ses Poësies. Il donna au public divers Ouvrages de sa façon, dont on pourra voir le dénombrement dans Léland, Pitseus, Gesner, etc. . . . Chaucer, outre la Poësie, sçavoit les Mathématiques et les Belles Lettres. Ses ouvrages Anglois ont été imprimez à Londres l'an 1561. On a de lui en Latin, *Laudes bonarum Mulierum ; Vita Cleopatrœ ; Vita Lucretiœ Romanœ ; Flos Urbanitatis ; Sepultura Misericordiœ ; De Astrolabii ratione.* Il mourut en 1400, et en 1555, on rétablit son tombeau, qui est à Westminster. Gesner, *in biblioth.* Leland. Balaeus et Pitseus, *de script. angl.* Camden, etc.

[The sentence relating to Chaucer's Latin works appears for the first time in this edition. For earlier editions *see* above, 1674, Moréri, and 1688 and 1707, Unknown.]

1740. [Prévost d'Exiles, Antoine François.] *Le Pour et Contre,* 1740, tome xx, pp. 78, 79.

Henri [IV] aspiroit avec tant d'ardeur au titre de Champion de l'Eglise, qu'en se préparant à la conquête de la Terre [p. 79] Sainte, il avoit déjà jetté les yeux sur Geoffroi *Chaucer*, Poëte fameux qui florissait sous son règne, pour célébrer les exploits qu'il méditoit. Remarquons en passant, que ce Chaucer, Auteur de plusieurs Poësies qui sont encore en estime, & Jean *Gauwer*, autre Poëte du même tems, passent communément pour les premiers Réformateurs de la langue Angloise, à peu près comme Malherbe a cette gloire parmi nous.

1745. [**Le Blanc, J. B.**] *Lettres d'un François*, à la Haye, 1745, tome i, pp. 104–5.

. . . L'Anglois d'il y a trois ou quatre cens ans, étoit encore plus mélangé du François, qu'il ne l'est aujourd'hui. Je ne sçai même si la connoissance de l'Anglois de ces tems-là ne seroit pas très-utile à ceux qui veulent entendre notre vieux François. La lecture de Chaucer m'a rendu celle de nos anciens Poëtes plus facile.

1749. Yart, Antoine, Abbé [de Rouen]. *Idée de la poësie angloise, ou Traduction des meilleurs Poëtes Anglois, qui n'ont point encore paru dans notre Langue, avec un jugement sur leurs Ouvrages, & une comparaison de leurs Poësies avec celles des Auteurs anciens & modernes.* A Paris, chez Claude Briasson . . . 2 tomes, 1749.

[tom. i, p. xix] [Abridgement of the life of John Philips], écrite en anglois, par M. George Sewell, éditeur de ses Ouvrages.

. . . à l'exemple de Milton, son Auteur favori, il cherchoit à s'enrichir des termes propres, expressifs, harmonieux du vieux langage. . . . Dans ce dessein, il lut Chaucer & Spenser.

[Note by Yart.] Chaucer vécut au milieu du quatorzième siècle ; il mourut en 1400, il a composé un assez grand nombre de Contes ; ses Compatriotes admirent l'enjouement & la naïveté de ses narrations ; mais son langage est tellement vieilli, que les Anglois ne l'entendent presque plus ; il faisoit des vers fort enjoués, & il sçavoit les Mathématiques ; il fut surnommé l'Homère Anglois ; son Tombeau est à Westminster : on l'a rétabli en 1550.

. . . .

[p. xxiij-xxiv] [Abridgement of the life of Philips, by Sewell.] Simon Harcourt, Lord Chancelier d'Angleterre lui a élevé à Westminster un mausolée auprès de celui de Chaucer. . . .

. . . .

[p. xxvij] [Abridgement of the life of Philips, continued,—epitaph] Qu'il lui soit donc permis, ô Chaucer, Père de la Poësie

Angloise, *quoiqu'il n'ait pas suivi les Loix (a) que vous avez
données à la versification*, de fermer un des côtés de votre
Tombeau, il ne déshonorera pas le Chœur des Poëtes qui
entourent vos cendres.

> Fas fit hinc
>   Auso licet à tuâ metrorum lege dicedere,
> O Poësis Anglicanæ Pater, atque conditor Chaucere,
>   Aeternum tibi latus claudere :
> Vatum certè cineres, tuos undique stipantium ;
>   Non dedecebit chorum.

    (*a*) [Note by Yart.] Milton fut le premier Poëte
d'Angleterre qui substitua aux Vers rimés, inventés par
Chaucer, les Vers blancs ou non rimés. Philips, & plusieurs
autres Poètes, ont imité Milton dans ce nouveau genre de
Poësie. . . .

 .   .   .   .

[tom. ii, On va voir paroître Chaucer & Spencer, ensuite Cowley,
d. 77] Milton, Denham, & enfin Waller, Roscommon, Dryden,
Congreve & Montagu, on verra naître la Poësie Angloise
avec les premiers, se former avec les seconds, & se polir avec
les derniers.

 .   .   .   .

[p. 80]   Histoire abrégée des plus grands poëtes anglois, par
Joseph Addison, à monsieur Henry Sacheverell. [A translation follows from Addison's *Account of the greatest English
poets*, 1694. Yart translates thus the verses referring to
Chaucer.]
    Vous voulez, cher Sacheverell, que je parcoure les siècles
qui se sont écoulés depuis Chaucer jusqu'à Dryden. . . .
[p. 81]   Nos stupides ayeux étoient plongés depuis long-tems dans
un sommeil profond ; leur âme insensible, n'étoit point émue
[p. 82] par l'enthousiasme des neuf sœurs, lorsque Chaucer parut ;
Poëte naïf, il fit divers Contes en Vers & en Prose, mais le
tems a porté sa rouille sur ses Ecrits, défiguré son langage,
obscurci son esprit ; il s'efforce d'égayer ses vers grossiers
par des plaisanteries, il ne peut venir à bout de divertir ses
lecteurs.

 .   .   .   .

[p. 107] [*The Progress of Poetry*, by Lady Mary Wortley Montagu.]
 . . . Chaucer, le premier, ouvrit sa veine comique, il en fit
couler ses contes plaisans & naïfs : des beautés sans parure,

ornent ses vers sans art ; son style est grossier, mai ses pensées sont fortes.

1749. Trochereau de la Berlière, Jean Arnold. *Choix de Différens morceaux de Poësie traduits de l'Anglois*, par M. Trochereau . . . à Paris, 1749 [e.g. *Essay on Poetry*, by Buckingham, *Essay on Translated Verse*, by Roscommon, and the *Temple of Fame*, by Pope].

[p. 20]   [Note on *Denham*.]   [Il] fut enterré à Westmunster [*sic*] près de Chaucer, Spenser & Cowley. . . .

[p. 21]   [Note on *Cowley*.]   Il fut enterré . . . près des cendres de Spencer & Chaucer.

     .   .   .   .

[p. 117]   [Forewords by Trochereau on the *Temple of Fame* by Pope ; based on the note printed by Pope himself at the head of his *Temple of Fame*.]   M. Pope dit qu'il en a puisé l'idée dans le Poëme de Chaucer, intitulé *le Palais de la Renommée*.   Mais le dessein, dit-il, n'en est pas le même ; les descriptions de presque toutes les pensées m'appartiennent. . . . Si quelqu'un vouloit comparer ce Poëme à celui de Chaucer, il peut commencer au troisième Livre *de la Renommée*, car il n'y a rien dans les deux premiers qui réponde à leur titre.

     [Note by Trochereau.]   Il est si souvent parlé de Chaucer, dans les Livres Anglois, que j'ai cru qu'on verroit avec quelque plaisir les circonstances de sa vie.

     Geoffroi Chaucer, Poëte distingué du xiv siècle, nâquit dans la 3e année du règne d'Edouard iii, l'an 1328.   Il fut d'abord Page de ce Roi ; qui le combla de biens & de faveurs. Il le fit Gentilhomme de sa Chambre, & lui donna une pension considérable.   Ses talens le firent employer en qualité de Négociateur dans différentes Cours : il fut envoyé à Gènes pour traiter avec le Doge de cette République, & peu de tems après il fut député à la Cour de France.

     Les règnes malheureux de Richard iii [*sic*] & de Henry iv succédèrent aux beaux jours du règne d'Edouard iii.   Chaucer éprouva alors différentes révolutions dans sa fortune.   Il mourut à 72 ans le 25 Octobre 1400, & il fut enterré dans l'Abbaye de Westmunster.

     En 1555 ou 1556. M. Nicolas Bryham [*sic*], Gentilhomme d'Oxford, lui fit élever à ses propres dépens un beau

monument dans la même Abbaye, & y fit graver cette
Inscription :

M. S.

Qui fuit Anglorum vates ter maximas [*sic*] olim,
Gofrigidus [*sic*] Chaucer conditur hoc tumulo
Annum si quæras Domini, si tempora vitæ,
Ecce notæ subsunt, quæ tibi cuncta notant.

25 Octob. 1400.

Milton le mettoit au rang des plus grands Poëtes. M.
Dryden dit dans la Préface qu'il a mise à la tête de ses
Fables, qu'on doit le regarder comme le père de la Poësie
Angloise.   Qu'il doit être aussi estimé en Angleterre
qu'Homère l'étoit chez les Grecs, & Virgile chez les Latins ;
qu'il suit la nature par-tout ; mais que jamais il ne la passe,
& que sçachant ce qu'il falloit dire, il sçavoit aussi où il
falloit s'arrêter, que ses vers ne sont pas harmonieux, mais
qu'ils étoient à l'unisson des oreilles de son siècle.

Il a décrit les Contes de ses Pèlerins de Cantorberi, les
caractères, les mœurs & les vices des son tems.   Il a composé
beaucoup d'autres ouvrages pleins d'enjouement & de naïveté ;
il égaïe souvent ses lecteurs aux dépens des moines & de la
pudeur.   Son langage a tellement vieilli que les Anglois
même ne l'entendent presque plus : Voici ce que dit M. Pope
à ce sujet dans son *Essai sur la Critique.*

' La réputation passe promptement, et douze lustres sont le
plus long terme dont on puisse se flater.   Nos fils voyent
décheoir le langage de leurs pères, et ce que Chaucer est pour
nous, Dryden le sera pour eux.' (Traduction de M. Sillouet.)

1750. Chauffepié, Jacques Georges de.   *Nouveau Dictionnaire Historique et Critique pour servir de Supplément ou de Continuation au
Dictionnaire Historique et Critique de Mr. Pierre Bayle,* tome ii.
[Long article on Chaucer, biography and study of his works,
pp. 71-76 ; references also in the article on Cowley, p. 137 ; in the
article on Denham, p. 24 ; and in the article on Gower, p. 48.]

[p. 71]   Chaucer, (Geoffroi), fameux Poëte Anglois dans le xiv
siècle, étoit né, selon les uns dans le Comté de Berk, selon
d'autres dans celui d'Oxford ; mais vraisemblablement ceux
[p. 72] qui le font naître à Londres, sont les mieux fondés. . . . Il
paroit clairement par son Discours sur l'*Astrolabe,* qu'il étoit
habile Astronome. . . . On voit par le *Conte du Yeoman du
Chanoine,* qu'il étoit versé dans la Philosophie Hermétique,

qui étoit fort en vogue dans ce tems-là. Le *Conte du Curé*
fait voir qu'il entendoit la Théologie ; et le *Testament d'Amour,*
qu'il possédoit la Philosophie. Après qu'il eut quitté l'Université, il voyagea en France, en Hollande & en d'autres
Pays, où il passa ses premières années. A son retour il
entra dans le Temple Intérieur, où il étudia les Loix
Municipales d'Angleterre. . . .

[p. 73]   La ruine du Duc de Lancastre entraîna celle de Chaucer ;
& ce Prince aiant passé la mer, ses amis se virent exposés à
toute la haine du Parti opposé : ce qui les excita à appeler la
populace à leur secours ; d'où il s'ensuivit plusieurs émotions
populaires, & entre autres une à Londres même. Comme
notre Poëte contribua beaucoup sous-main à ces mouvemens,
il en ressentit aussi le contre-coup à sa ruïne, aiant été obligé
de s'enfuir dans le Hainault : mais la nécessité l'obligea de
revenir en Angleterre où il fut arrêté par ordre du Roi, & mis
selon les apparences à la Tour de Londres. A la fin il avoua
franchement toute l'intrigue ; & quoiqu'il s'exposât par-là au
ressentiment du Peuple, il obtint son pardon du Roi. Ces
malheurs lui donnèrent occasion de composer son excellent
Traité, intitulé le *Testament d'Amour.* . . .

[p. 74]   . . . Il quitta le Monde en homme qui le méprise, comme
cela paroît par une Ode qui commence, *Flie fro the Prese,* &c.
qu'il composa dans ses dernières heures. . . . Il mourut le
25 Octobre 1400, & fut enterré à l'Abbaye de Westminster.
. . . Dans sa jeunesse il étoit trop gai & trop libre : le
[p. 75] mariage même, n'arrêta pas son humeur galante, & lui même
dans sa Rétractation témoigne une inquiétude pénitente des
Pièces libertines qu'il avoit faites dans sa jeunesse. Vers la
fin de sa vie, le Poëte badin fit place au Philosophe grave, et
Théologien pieux. Il fut fort lié avec les plus célèbres
Savans de son tems. Nous donnerons son Caractère ci-
[p 76]. dessous. Il s'est fait plusieurs Editions de ses Ouvrages ;
qui sont en fort grande nombre.

[This article is an abridged translation of that in the
Biographia Britannica of 1748, and the notes here, as
there, give much information. In the note, for instance,
headed 'Nous donnerons son Caractère ci-dessous,' the appreciations of Ascham, Sidney, Francis Beaumont, Sir
Henry Savil, Milton, Rymer, and Dryden are cited. In
the note 'Ses Ouvrages,' is a very complete list, noticing
many of the apocryphal poems, wherein mention is also

made of Kynaston's Latin translation of *Troylus*, and the
'modernisations' of Dryden and Pope.]

1753–6. Yart, Antoine.   *Idée de la poësie angloise*, [2nd edition in 8 vols.
The two first volumes are an exact reprint of those of the edition
of 1749, and the quotations are thus identical], tome iv, p. 261,
tome vii (1756), pp. 4, 5, 6, 7, 8, 24–32 [Life of Chaucer].

Discours sur les Contes.   [pp. 4, 5.]

[Chaucer imitated the Italians and also the 'Conteurs' of
Provence.]   Ainsi ne cherchez pas plus d'inventions dans
les Poëmes de Chaucer que dans ceux de la Fontaine, mais
si l'invention du fond leur manque, elle est suppléée dans l'un
& dans l'autre par le génie des détails ; mérite plus admirable
peut-être que celui de l'invention.

[Epitome of the life of Chaucer.   Yart begins by referring
us to the New Historical and Critical Dictionary made by
the English in imitation of that of Bayle.   We are there
informed that the poet lived at the end of the fourteenth
century and the commencement of the fifteenth, in the
reigns of Edward III, Richard II, and of Henry IV, whose
poet and friend he was . . . and that he] contribua beaucoup
par ses intrigues et plus encore par les éloges qu'il fit de
[p. 26] Henri IV, à le faire monter et à l'affirmir sur le trône. . . .
[p. 27]   Il s'occupa de sciences et de poésie, tandis qu'il mesuroit
les cieux et qu'il faisoit un savant traité sur l'Astrolabe, il
étudioit les Langues Provençale et Italienne, et il faisoit
passer dans sa Langue, qui était encore informe, les expressions, les tours et l'harmonie de ces deux langues. . . .

Ce qu'il y a de plus original dans Chaucer, ce sont les
divers caractères des auteurs de ses Contes, intitulés Contes
de Cantorbéry . . . il peignit d'après nature leurs caractères,
leurs habillements, leurs vertus et leurs vices, mais ses
portraits sont si bizarres et si étranges, ses personnages si
désagréables et si indécens, ses satyres si cruelles et si
impies, que, malgré l'art que j'ai tâché de mettre dans ma
traduction, je n'ai pu me flatter de les rendre supportables.
Ses autres contes sont encore plus licencieux que ceux de
nos Poëtes les plus obscènes, je les laisserai par la même
raison dans l'obscurité de leur vieux langage. . . .

[Yart admits, nevertheless, that the poetry of Chaucer]
[p. 29] est, dit-on, aussi facile et aussi naturelle que la prose de
Boccace.

[And he quotes these verses written originally by Voltaire on Homer ; Yart substitutes the name of Chaucer] :

Plein de beautés et de défauts
Le vieux Chaucer a mon estime
Il est, comme tous ses héros
Babillard, outré, mais sublime.

Il est sublime quelquefois, mais il ne l'est pas aussi souvent qu'Homère.

[Chaucer imitated the *Teseide* of Boccaccio in 1400.   Yart then quotes the description of this poem by Dryden : 'Ce

[pp. 29-30] Poème est du genre épique &c. . . .]

[p. 30 note] [Yart cites] 'la savante Bibliothèque Française de M. l'Abbé Goujet, tome vii,' [*q. v.* below, 1755 ; but, he adds,] 'ce qu'on ne trouve point dans cette Bibliothèque, c'est que la célèbre Démoiselle de Scudéry a traduit en François selon Dryden les contes de Chaucer,' &c., &c. [and he quotes all that Dryden had to say on this subject in his Preface to the *Fables* ; see above, pt. i, pp. 282–3].

[pp. 33-81] [Translation of the *Palamon and Arcite* of Dryden.]

[note, p. 78]
[p. 79]   Etait-ce faute de goût ou par amour-propre, que Dryden mettoit ce Poëme vis-à-vis de l'Iliade & de l'Enéide.   J'ai conservé les principaux faits de ce conte.   Il renferme des impiétés & des obscurités que je n'ai eu garde de traduire, des longueurs à chaque page que j'ai retranchées, quelques folies & beaucoup de beaux traits que j'ai tâché de rendre. Thésée est injuste de condamner ces deux jeunes héros à une prison horrible, sans qu'ils l'ayent mérité, & cependant ce Thésée est un assez bon Prince.   Arcite a eu tort au commencement : mais il est si aimable, si généreux, si tendre dans la suite qu'on lui pardonne ses torts : on le préfère à Palemon, qui mérite moins que lui d'être heureux.   Emilie n'a presque aucun caractère : elle est dans une inaction continuelle.   Ce Poëme est au moins de 2500 Vers : il y en a 2000 de superflus : le reste est rempli de beautés ; il falloit rendre plus intéressans Emilie & Palémon, qui sont les principaux Héros.

1755. Goujet, Claude-Pierre.   *Bibliothèque Françoise*, Paris, 1741–56, tome vii, 1755, p. 340.

[Speaking of the *Teseide* of Boccaccio] :—

George Chaucher, que l'on a surnommé l'Homere de l'Angleterre, l'avoit traduit en vers Anglois dès l'an 1400.

Il y en a une vieille traduction en prose Françoise que l'on
trouve manuscrite dans quelques Bibliothèques.   Celle-ci a
servi de canevas à Anne de Graville, *Dame du Boys de Males-
herbe*, pour mettre en vers François l'histoire d'Arcite &
Palémon, par ordre de la Reine Claude, femme de François Ier.

1755. Patu, Claude-Pierre. *Letters to David Garrick*, Aug. 23, Sept. 23,
Nov. 1, Nov. 28, 1755. (The Private Correspondence of David
Garrick, 1832, 2 vols., vol. ii, pp. 399, 405, 406, 407, 409, 411, 412.)

[Patu was an enthusiastic admirer of English literature,
and he was preparing a History of English Poetry which he
never finished, for he died of consumption at the age of 27
in 1757.   He writes to Garrick of his plans with regard to
this history :]

23 août, 1755 . . . Je serois aussi très-curieux d'une
édition de Chaucer, qui ne fût point in-folio.

23 septembre, 1755.   J'ai resolu . . . de commencer au
plutôt un ouvrage, en quatre volumes, dont voici le titre :—
Le Parnasse Anglois, ou Vies des principaux Poëtes qui
ont illustré la Grande-Bretagne, pour servir à l'Histoire de
la Poësie Angloise . . . Enfin, lorsque j'aurai à peu près tout
dit, et de mon mieux, sur mon but en composant cet ouvrage,
j'ajouterai une première dissertation sur le premier âge de
vôtre poésie depuis Chaucer jusqu'à la Reine Elizabeth,
année 1560 . . .

1 nov., 1755. Il me faut aussi, mon très cher . . . un recueil précis de vos réflexions, 1° sur la naissance de vôtre
poësie, sur l'état de vôtre langue au tems de Chaucer et de
ses prédécesseurs, et 2° sur le changement qui a pu se faire
vers la Reine Elizabeth. . . . Il s'agit de faire un ouvrage
solide, utile, réfléchi, sans préjugés, sans sotises [*sic*] littéraires.

28 nov., 1755.   Je m'en tiens de bon cœur à ce que vous
me dites sur Chaucer.   J'aurais été bien aise de l'avoir in-
12mo, ou tout au plus in-8vo ; un in-4to, à plus forte raison
un in folio, ne seroit nullement de mon goût . . . Souvenez-
vous, mon bon ami . . . il me faut absolument des remarques
de vôtre main sur le premier âge de vôtre poësie . . . avec
une note exacte des poëtes que vous choisirez comme les
principaux de ce premier âge (depuis Chaucer, ou le premier
poete quelqu'il soit, si vous êtes Pré-chaucerite, jusqu'à la
Reine Elizabeth).

1755. Unknown. *Journal Étranger,* [Periodical founded in Paris in 1754, and directed by l'Abbé Prévost from January to August, 1755]. Vies des Poëtes Anglois, par M. Colley Cibber, in the article *Philologie,* May, 1755, pp. 156–172; August, p. 125.

[The first of these articles on the *Lives* of Cibber is printed in the March number, 1755, and deals with Eustace Budgell, the *Tatler, Spectator,* and *Guardian.*]

[mai, p. 156] Qu'on nous permette ici une espèce d'Ana-cronisme. Après avoir donné les vies de quelques Poëtes modernes, nous allons remonter jusqu'au Père & au créateur de la Poësie Angloise. . . .

[p. 157]   *Geoffroy Chaucer.* Le lieu de sa naissance est aussi incer-tain que la Patrie d'Homère ; & plusieurs Comtés d'Angle-terre comme plusieurs Villes de Grèce, se disputent l'hon-neur d'avoir donné le jour au Fondateur de la Poësie Nationale. On sçait par conjecture qu'il étoit Gentilhomme. Un Chevalier de son nom vivoit à la Cour d'Edouard III au commencement de son règne ; on présume qu'il fut le Père de notre Poëte. Quoiqu'il en soit, l'époque de sa naissance est du moins certaine, & tous les Historiens la fixent à l'année 1328. . . . Il étudia successivement dans les deux Universités, où il devint, dit M. Leland, 'un Logicien subtil, un Orateur élégant, un Poëte agréable, un grand Philosophe, un Mathématicien ingénieux, et un profond Théologien.' Il voyagea ensuite dans les Pays étrangers.

[p. 158]   . . . Les Dames, sur tout, l'honoroient à l'envi des distinc-tions les plus flatteuses. La Reine même, la Duchesse de

[p. 159] Lancastre, la Princesse Marguerite, fille du Roi, et la Comtesse de Pembroke, furent ses Protectrices déclarées. Peu s'en fallut cependant qu'il ne perdit leurs bonnes grâces, pour avoir traduit du François, le fameux *Roman de la Rose.* Chacun sçait combien le beau sexe y est peu ménagé. Il avoit rendu littéralement les expressions de l'Original ; les Dames, & surtout la Princesse, lui en témoignerent leur ressentiment. On lui prescrivit la maniere d'expier cette faute : ce fut de composer la *Légende des honnêtes femmes.* La Princesse y fut désignée sous un nom allégorique, et sa vertu comblée d'éloges. Les autres Protectrices y trouverent aussi leur place, & chacune fut célébrée comme un prodige de chasteté. Plus un éloge est exclusif, plus il flatte l'amour propre. Fieres de l'exception, elles abandonnerent volontiers aux traits de la Satire, le reste de leur sexe.

Chaucer, ayant la liberté de faire main basse sur la réputation des femmes, en usa très amplement, et n'en fit que mieux
[p. 160] sa Cour.   C'étoient de nouveaux trophées qu'il érigeoit à ses
Héroïnes.

Sa faveur alla toujours en augmentant ; la Duchesse de
Lancastre lui fit épouser la Demoiselle de *Rouet* qui lui étoit
attachée, et dont la sœur, Lady *Swinford*, étoit Gouvernante
de ses enfans.   Le Duc son mari, Prince ambitieux, &
rempli de vastes projets, étoit fait pour sentir le prix des
talens, du sçavoir et de l'habileté.   Parmi les Courtisans, il
ne trouva que le seul *Chaucer*, qui réunît tous ces différens
avantages.   . . . Le Duc, persuadé de l'utilité qui accom-
pagne le vrai mérite, chercha l'occasion de faire employer
notre Poète. . . .

      .   .   .   .

[p. 165]   La mort du Duc de Lancastre, les troubles & les malheurs
dont elle fut suivie, ceux dont l'Angleterre étoit menacée par
l'exil et la révolte du Comte de Derby, son supplice s'il
échouoit, son crime s'il réussissoit, tout cela s'offrit à la vue
de ce vieux Courtisan.   Agé alors de soixante et dix ans, il
ne pût se résoudre, ni à trahir son Roi, ni à prendre les
armes contre le fils de son Bienfaiteur.   Il quitta donc la
Cour, & se retira à la Campagne pour y passer le reste de
ses jours dans un repos contemplatif.   Notre Poëte y vêcut
encore deux ans, & mourut en 1400, comblé de gloire et de
bienfaits. . . .

      .   .   .   .

[p. 168]   Il en vouloit sur tout aux fraudes pieuses, qui dans ces
Siècles d'ignorance défiguroient la Religion.   Dans le Prologue de son *Pardonner, ou Distributeur d'Indulgences*, il
introduit un de ces Vagabonds, qui couroient les Campagnes,
pour sémer la superstition & recueillir de l'argent.   Il seroit
difficile de traduire ce morceau littéralement.   Il y a, dans
la naïveté de son vieux langage, un agrément qu'on ne peut
rendre que par comparaison.   C'est un stile, auquel celui de
Villon et de Marot ressemble assez dans notre Langue. . . .
[A translation follows of part of the Prologue of the Pardoner.]

      .   .   .   .

[p. 170]   Enfin il excella dans tous les genres : le stile sérieux,
[p. 171] l'enjoué, le tendre, le galant, lui furent également familiers,
& son génie Poëtique peut passer pour universel.   C'est à ce
titre que Dryden, le comparant avec Homere & Virgile, ose

l'élever au-dessus du second, & le placer même vis-à-vis du premier.

1757. Unknown. *La Femme de Bath. Conte de Chaucer, remanié par Driden,* [translated into French prose, in the] *Journal Étranger,* June, 1757, pp. 80–96.

1766. Lerouge, George L. *Curiosités de Londres et de l'Angleterre* [translated from the English, from the edn. of 1763] 2me édn., Bordeaux, 1766, p. 21.

[Dans l'abbaye de Westminster] on voit aussi les monuments des Poëtes Dryden, Philips, Cowley, Ben Johnson, Milton, Butler, Spincer, Fairy Queen, Michel Drayton, Geofroi Chaucer . . . etc.

1766. [**Chaudon,** Louis Maïeul. Article 'Chaucer' in] *Nouveau Dictionnaire historique-portatif . . . par une Société de Gens de Lettres* [i.e. Chaudon], edn. 2. 1770 [and probably in edn. 1. 1766]. *See* below, 1791, Feller, p. 705.

1770. [**Contant d'Orville,** A. G.] *Les Nuits Anglaises, ou recueil de traits singuliers, d'anecdotes, d'événements remarquables, de faits extraordinaires, de bizarreries, d'observations critiques & de pensées philosophiques, &c. propres à faire connaître le génie & le caractère des Anglais;* à Paris, 1770, 4 tomes. Tome ii, p. 227, tome iii, p. 268.

[tome ii, p. 227] *Digression sur les Poëtes Anglais.*

CHAUCHER

Chaucer est regardé comme le père de la Poésie anglaise : il vivait vers le milieu du quinzième siècle. On a de lui des contes plaisans & naïfs, écrits sans art & d'un style grossier où l'on rencontre des pensées fortes.

[tome iii, p. 268.] *La Femme de Bath, Conte de Chaucer, remanié par Dryden.*

[The 1757 translation, *q.v.,* follows of Dryden's version of the *Tale of the Wyf of Bathe,* preceded by the following note :] On connaît en France le joli Conte de M. de Voltaire, intitulé *Ce qui plaît aux Dames,* & dont M. Favart s'est servi, pour composer son Opéra-bouffon de *La Fée Urgelle;* & l'on ne sera sans doute pas fâché de leur opposer la manière de raconter des Anglais.

1772. Rigoley de Juvigny, Jean Antoine. *Les Bibliothèques Françoises de la Croix du Maine et de du Verdier,* nouvelle édn., Paris, 1772, tome iii, pp. 81–2, note 4.

[p. 81] Anne de Graville . . . a translaté de veil langage & prose, en nouveau & rime . . . le beau Roman des deux amans, Palamon & Arcita.[1]

[p. 82] 1. *Note.*—[A short description of Boccaccio's *Teseide.*]

C'est la conclusion du Roman, traduit en vers Anglais par *l'Homère de son pays*, Georces [*sic*] Chaucer, l'an 1400.

1775. Unknown. [Article on *Chaucer* in the] *Journal anglais*, contenant les découvertes dans les sciences, les arts libéraux, etc., No. 1, Oct. 15, 1775, pp. 11–18.

[This article is mentioned in *l'Année Littéraire*, 1775, tome v., p. 279.]

[A life of Chaucer.] Il paraît que son père était chevalier, . . . Le jeune Chaucer reçut un accueil favorable à la cour, après avoir quitté l'Université et le collège des Loix. . . . Il commença ses études à Cambridge et les continua à Oxford. C'est dans cette dernière Université qu'il cultiva son goût pour la poésie, dont il avait déjà donné des preuves à Cambridge par sa *Cour d'Amour*. . . . [The poet then travelled in France, in Holland and the Low Countries, and at this period composed his imitation of the *Roman de la Rose*.] Quand les premiers feux de l'âge commencèrent à se calmer, il parut regretter cette espèce de vie inappliquée et vagabonde. Pour la réparer en quelque sorte, il prit le parti de s'en retourner à Londres, et de s'aller ensevelir dans l'étude a l'Inner Temple. . . . Des personnes de distinction, charmées de son mérite, l'introduisirent à la Cour. Il avait alors 30 ans, et sans compter les avantages de l'esprit et de la science, il se faisait remarquer par l'honnêteté de son maintien et les grâces de sa personne. Il devint bientôt un Courtisan accompli. Il fut fait d'abord Page du Roi, place surtout alors, très honorable. [The author proceeds to enumerate the favours bestowed on Chaucer by different monarchs and then (following Cibber) refers to the patronage of the great court ladies. See *le Journal Étranger*, 1755, above.]

Riche par ses emplois et les bienfaits de la Cour, il ne fut pas réduit à travailler pour vivre. Il suivit son goût, il écrivit pour la gloire [Chaucer was appointed Comptroller of the Customs, became the brother-in-law of the Duke of Lancaster, and was forced to leave England]. Il y retourna ensuite, et il y fut quelque tems dans une situation très fâcheuse, et dans une grande détresse. Ses liaisons avec Wicleffe le firent alors accuser de donner dans ses erreurs. On oublia, ou on parut oublier, que son commerce avec un homme qu'il avoit connu à Oxford et à Cambridge, qui n'avoit pas d'abord levé le masque . . . pouvait avoir une cause

plus innocente et plus simple. . . . Quoiqu'il en soit, il **fut**
mis en prison . . . la bonne fortune de Chaucer revint avec
celle du duc de Lancastre qui fut Chef du Conseil, et dont
la Postérité monta dans la suite sur le Trône. . . . Enfin
Chaucer, après avoir été Poëte, Courtisan, Homme d'Etat,
finit par être Philosophe, sans jamais cesser d'être Poëte.

. . . Retiré à Dunnington Castle, il y coula dans sa vieillesse
des jours heureux, généralement aimé et honoré. Il était
très lié avec tous les savans de son siècle, et particulièrement
avec le célèbre Pétrarque, son ami, qui, de son tems, reçut à
Rome la Couronne Poétique.

. . . .

Il régnait dans le caractère de ce grand homme un mélange
de gaieté, de modestie et de gravité qui le rendait également
propre à la Cour et à la Ville, et le faisait rechercher dans
les bonnes compagnies. Il avait l'esprit agréable, la pénétra-
tion vive, le jugement sain et sûr. Il était sincère mais
honnête critique, plus porté à l'indulgence qu'à la censure, et
plus disposé à excuser ou à couvrir les fautes des Ecrivains
contemporains, qu'à les produire au grand jour. Supérieur à
son siècle, il eût voulu l'élever jusqu'à lui. Tout parle de
sa gloire comme Poëte. Sa Patrie a confirmé ce jugement,
on ne peut assez louer ses grâces antiques, toujours nouvelles,
et la clarté de son stile dans une langue qui, depuis le
treizième siècle, a éprouvé tant de changemens. . . . Ses
vertus égalaient ses talents. Il fut fidèle et constant **ami.**
Pour tout dire en un mot, il fut philosophe suivant la vraie
acception de ce terme, c'est-à-dire qu'il eut de la religion et
des mœurs.

1777. **Unknown.** [*Parallèle d'Ovide et de Chaucer, traduit de Dryden,*
dans le] *Journal anglais* No. 17, p. 32.

1784. [**Rivarol**, Antoine de.] *De l'Universalité de la langue française;*
Discours qui a remporté le prix à l'Académie de Berlin, à Berlin,
et se trouve à Paris, . . . 1784, p. 36. *Œuvres complètes de Rivarol*
à Paris 1808, ii, p. 37.

Pendant un espace de quatre cents ans, je ne trouve en
Angleterre que Chaucer et Spencer. Le premier mérita,
vers le milieu du quinzième siècle, d'être appelé l'Homère
Anglais; notre Ronsard le mérita de même; et Chaucer,
aussi obscur que lui, fut encore moins connu. De Chaucer
jusqu'à Shakespeare et Milton, rien ne transpire dans cette
Isle célèbre, et sa littérature ne vaut pas un coup d'œil.

1791. Feller, François-Xavier de. [*Revision* of L. M. Chaudon's
Article '*Chaucer*' in] *Le Dictionnaire Historique*, 2e édn.,
1789–94, tome iii, 1791.

CHAUCER (Geoffroy), le *Marot* des Anglais, né à Londres
en 1328, mort en 1400, fut inhumé dans l'abbaye de Westminster.   Il contribua beaucoup, par des poésies faites à
la louange du duc de Lancastre son beau-frère, à lui pro-
curer la couronne.   Il partagea la bonne et la mauvaise
fortune de ce monarque.   Ses *Poésies* furent publiées à
Londres en 1721, in-folio.   On y trouve des contes pleins
d'enjouement, de naïvete et de licence, faits d'après les
troubadours et d'après Boccace.   L'imagination qui les a
dictés était vive et féconde, mais très peu réglée et souvent
très obscène.   Son style est avili par grand nombre de mots
obscurs et intelligibles.   La langue anglaise était encore, de
son temps, rude et grossière.   Si l'esprit de Chaucer était
agréable, son langage ne l'était pas, et les Anglais d'à
présent ont peine à l'entendre.   Chaucer a laissé, outre
ses poésies, des ouvrages en prose : *Le Testament d'amour ;*
un *Traité de l'astrolabe.*   Il s'était appliqué à l'astronomie
et aux langues étrangères, autant qu'à la versification.   Il
avait même voulu dogmatiser.   Les opinions de Wiclef
faisaient alors beaucoup de bruit ; Chaucer les embrassa,
et se fit chasser pour quelque temps de sa patrie.

[The first edition of this dictionary was published in 1781, but no copy of it can
be found, either in the Bibliothèque Nationale or in the British Museum.   It probably
contains the article on Chaucer.   This article is that by L. M. Chaudon, in his
Nouveau Dictionnaire historique-portatif, 1770, vol. i, pp. 520-1, with a few alterations, the most important being the addition of the birth date, and the substitution
of the reference to the Works, 1721, for one to that of 1561.   Chaudon's article was
translated into English by ' Historicus' in 1777, *q.v.* above, vol. i, p. 449 (misprinted
Charon).   The same article is reprinted in the fifth edn. of the *Dictionnaire Historique*, 1821, tome iii, p. 246 ; in the *Biographie universelle ou Dictionnaire historique*,
1848, and in the *Biographie universelle*, 1860.]

1796. Unknown.   *Bibliothèque Britannique ou Recueil extrait des
ouvrages Anglais périodiques & autres, des Mémoires & Transactions
des Sociétés & Académies de la Grande-Bretagne, d'Asie, d'Afrique
et d'Amérique ; en Deux séries, intitulées : Littérature, et Sciences,
et Arts ; rédigé à Genève, par une société de Gens de Lettres* [from
the article *Antiquités*].   *Traits caractéristiques des coutumes &
mœurs des Anglo-Saxons, tirés de l'ouvrage de James Petit Andrews*
[History of Great Britain, 1794–5, *q.v.*], tome i, No. 4, avril, p. 689.

Il paroît qu'on n'entendoit par le mot tragédie qu'un récit,
non un drame.   (Prologue of Monk's tale de Chaucer.)

1797. Unknown.   *Bibliothèque Britannique . . .* [from the article
Mélanges].   Du caractère des Gens de Lettres.   Tiré du IXe
chapitre de l'ouvrage de I. d'Israeli intitulé : *Essay on the*

Manners and Genius of the Literary Character, tome iv, No. 3, mars, 367.

Le spirituel Cowley méprisoit le naturel de Chaucer.

1800. Staël-Holstein, Anne L. G. de. *De la Littérature considérée dans ses rapports avec les institutions sociales,* tome i, p. 269.

Au moment de la renaissance des lettres, et au commencement de la littérature anglaise, un assez grand nombre de poètes anglais s'écarta du caractère national, pour imiter les Italiens. J'ai cité Waller et Cowley pour être de ce nombre : je pourrois y joindre Downe [*sic*], Chaucer, &c. Les essais dans ce genre ont encore plus mal réussi aux Anglais qu'aux autres peuples ; ils manquent visiblement de grace dans les formes ; ils manquent de cette promptitude, de cette facilité, de cette aisance d'esprit, qui s'acquiert par le commerce habituel avec les hommes réunis en société dans le seul but de se plaire.

1803. Schwab, Johann-Christoph. *Dissertation sur les Causes de l'Universalité de la Langue francoise et la durée vraisemblable de son empire.* Traduit de l'allemand par D. Robelot, Paris, 1803, pp. 216, 323.

[p. 216]   Voulons-nous étendre nos recherches, nous aurons dans cet espace de temps des observations semblables à faire sur les Anglois. Je me bornerai à la suivante ; Chaucer, qui vivoit au quatorzième siècle, puisa son conte de *Troïle et Créséide,* et beaucoup d'autres sujets, dans Boccace, qu'il avoit connu personellement en Italie . . .

[p. 323]   [Note by the translator.]

Chaucer qu'on compare à un beau matin du printemps, qui écrivit sous le règne d'Edouard III (il fleurissoit en 1328), ainsi dans un temps où l'usage du françois avoit été proscrit dans l'Angleterre, Chaucer avoit pris la plupart de ses contes, chez les Provençaux et dans Boccace.

Jean Gower qui approche le plus de lui. . . .

1806. Hennet, Albert Joseph Ulpien. *Poétique Anglaise,* Paris, 1806, 3 tomes, tome ii, pp. 1–3.

Liste chronologique des Poètes Anglais :

    (1) Chaucer.

        Né à Londres en 1328.

        Mort dans la même ville en 1400, âgé de 72 ans.

Appelé le père de la poésie anglaise, contemporain de
Pétrarque et de Bocace, il écrivit dans le quatorzième siècle,
lorsque la France ne comptait encore aucuns poètes.   Elevé
à Cambridge, il composa, à dix-huit ans, la *Cour d'amour.*

Devenu page et ensuite gentilhomme de la chambre du
roi, il eut pour protecteur Jean de Gand, duc de Lancastre,
et épousa une fille d'honneur de la duchesse.   Cette jeune
personne, née en Hainaut, se nommait Philippa Roxet [*sic*].
Envoyé dans des cours étrangères, Chaucer s'y distingua et
revint à Londres jouir d'une fortune considérable.

Quelque tems après, il écrivit contre le clergé et fut obligé
de fuir.   Il passa plusieurs années en Hainaut et en France.
C'est là qu'il composa une partie de ses ouvrages.   Revenu
à Londres, il y fut arrêté, obtint enfin sa liberté, et maria la
sœur de sa femme au duc de Lancastre, dont le fils monta sur
le trône d'Angleterre.   Se trouvant ainsi bel-oncle du roi, il
vécut dans l'aisance et la tranquillité, retiré à la campagne.

Chaucer composa douze volumes de vers qui consistent
principalement en *Contes,* dans le genre de ceux de Bocace,
et dont quelques-uns ont été depuis rajeunis par des auteurs
modernes.   Son langage est à peine compris aujourd'hui par
les anglais.

1810. Unknown.   [Article in] *Le Publiciste* of October 24, 1810 ; [see
the following quotation.]

1811. Ginguené, P. L.   *Histoire Littéraire d'Italie,* Paris, 1811, tome
iii, pp. 107–11.

[The discussion is of the debt of Chaucer to Boccaccio.]
[Note to pp. 109–10.]   Il y a quelque temps qu'on annonça
dans le *Publiciste* (24 octobre 1810) la traduction prête à
paraître d'une Histoire littéraire allemande très estimée.
On parlait de Chaucer dans cette annonce . . . on avançait
que ce poète avait composé ses Fables de Cantorbéry à
l'imitation du Décaméron de Boccace ; mais on y affirmait
très positivement, que ' Chaucer se montre fort supérieur à
l'auteur italien par l'agrément du récit, l'esprit qui règne dans
les détails, la finesse des observations, le talent avec lequel il y
peint les caractères.' . . . Je crois cependant que Boccace,
si recommandable par la beauté du style, l'est peut-être
plus encore par ces mêmes qualités que l'on prétend trouver
en lui inférieures à ce qu'elles sont dans Chaucer.   Je voudrais
qu'on nous en eût donné de meilleures preuves qu'un certain

portrait d'une None, rempli de traits tels que ceux-ci : ' A table, elle se comportait en personne fort bien élevée, ne laissait pas tomber un morceau de ses lèvres, et se gardait bien de mouiller ses doigts dans sa sauce ; . . .' [etc.] Ce sont là de ces *peintures de caractères*, ou plutôt de ces caricatures très fréquentes dans les poètes anglais et allemands, et qu'on ne trouve guère, il est vrai, dans les Italiens, si ce n'est dans le genre Bernesque. Il n'est pas sûr que le bon goût ait le droit de les en blâmer.

1813. Suard, Jean-Baptiste-Antoine. [Article on *Chaucer* in the] *Biographie Universelle, ancienne et moderne.* . . . ouvrage entièrement neuf, redigé par une société de gens de lettres. Paris, 1813, tome viii, pp. 286–89.

[A long biography, with the usual errors due to the acceptance of the *Testament of Love*, but written with care, and indicating some knowledge of the poems of Chaucer.]

[p. 287] . . . La *Cour d'amour* avait été suivie, peu de temps après, du poème de *Troïlus et Créséide*, d'*Arcile* [*sic*] *et Palémon*, de la *Maison de la Renommée*, etc., ouvrages dont il ne paraît pas que l'invention appartienne à Chaucer ; mais dont il donne quelques-uns pour imités, et dont les autres le sont visiblement, soit du *Roman de la Rose*, de Boccace, soit de quelques auteurs moins célèbres. Il paraît avoir puisé surtout dans les ouvrages des troubadours provençaux, qu'il affectionnaît particulièrement, et auxquels la fierté anglaise lui reproche d'avoir emprunté un grand nombre de mots pour les transporter dans sa langue, comme il est aisé de le voir par l'abondance de mots français qui se trouvent dans ses écrits. Ces poésies, dont l'invention, quand elle appartiendrait à Chaucer, ne vaudrait pas la peine d'être revendiquée, portent l'empreinte du mauvais goût qui régnait alors dans tout l'Europe,

[p. 288] [Description of the *Court of Love*] . . . Dans *Troïlus et Créséide*, poème dont l'action se passe durant le siège de Troie, Troïlus est désigné comme un jeune chevalier (*knight*), et de même précisément que l'A est maintenant la première lettre de l'alphabet, Créséide était, parmi les dames troyennes, la première en beauté.

Ses autres ouvrages, tels que la *Maison de la Renommée*, que Pope a imitée dans son *Temple de la Renommée*, et les poésies faites en l'honneur du duc et de la duchesse de Lancastre, sont, pour la plupart, des rêves, des visions allégoriques, mêlés de dissertations morales ou théologiques dans le

goût du temps ; ce qui, outre la difficulté de la langue, rend la
lecture des ouvrages de Chaucer pénible et ennuyeuse.   On y
trouve cependant de la vérité dans la peinture des caractères
et une délicatesse de sentiments, qui, dans ce temps là,
s'alliait assez souvent à la grossièreté des expressions.   Les
Anglais assurent de plus que, malgré l'irrégularité de la
versification, la poésie de Chaucer ne manque pas d'harmonie ;
et cette irrégularité n'a pas empêché de le regarder comme
[p. 289] l'inventeur du vers héroïque anglais. . . . [Chaucer] jouissait
tranquillement de sa fortune dans le château de Dunnington
. . . Ce fut là que, dans ses dernières années, il composa celui
de ses ouvrages qui a conservé le plus de réputation, ses
Contes de Cantorbéry, écrits en vers, dans la forme du *Décaméron* de Boccace, mais dont les sujets, entièrement anglais,
offrent une grande variété de caractères peints avec la vérité
propre à ce poète, et une vivacité qu'on ne lui trouve pas
toujours.   Chaucer a eu le sort de tous les écrivains qui ont
montré du génie dans les premiers temps de la renaissance
des lettres, lorsque la langue et le goût n'étaient pas encore
formés.   On l'admire et on le loue beaucoup, mais on le
lit peu.

Il est le premier des modernes qui ait fait usage dans la
poésie de l'esprit et des fictions chevaleresques.   Son conte
de *Sir Topaz* est dans le goût de *Don Quichotte*.

[Suard's article, much abridged, and containing hardly
anything of the passages quoted above, was reprinted in the
Biographie universelle of 1833 (6 vols.), of 1838 (6 vols.) and
of 1843–7 (Brussels, 21 vols.) ; and also in the *Biographie
universelle classique*, 1829.]

1813. Dubuc —— (translator).   *Les deux Grisélidis, Histoires traduites
de l'anglois l'une de Chaucer, et l'autre de Mlle Edgeworth.* 2 tom.
Tome i, pp. 5–8, 11–92, 95, 151–2, 162–173 ; tome ii, pp. 171–3.

[For *The Modern Griselda*, by Maria Edgeworth, see above, Part ii, sect. i, p. 24,
1805.]

[p. 5]   [Avertissement.] Nous offrons aujourd'hui au public l'his-
[p. 6] toire de deux Grisélidis, bien différentes entre elles.   L'une
vivoit . . . vers le onzième siècle, dans le marquisat de Saluces ;
l'autre vivoit, et vit peut-être encore en Angleterre.   Le
caractère de cette dernière a été observé et peint par une
artiste célèbre dans ce genre, par Mademoiselle Edgeworth.

Nous avons pensé que le rapprochement de la Grisélidis
moderne et de celle des temps antérieurs pourroit devenir
piquant, et nous avons emprunté l'histoire de la plus ancienne

[p. 7] à Chaucer, patriarche de la poésie angloise. Nous ne croyons pas qu'on ait jamais rien traduit en français des œuvres de cet auteur dont le style vieilli n'est pas toujours intelligible pour les Anglois eux-mêmes. Une autre considération nous a fait préféré le récit de Chaucer à celui de Bocace ; c'est que Mademoiselle Edgeworth, dans sa nouvelle, fait allusion à l'histoire de la Grisélidis ancienne ; elle en cite même un [p. 8] morceau, et ce morceau est tiré de la narration de son compatriote Chaucer, rajeunie, à la vérité, par un poète anglois aussi, nommé Monsieur Ogle, dont le style assez élégant est pourtant diffus, si on le compare à celui de son modèle.

.   .   .   .   .   .

[p. 11]   Gauthier et Grisélidis. Histoire traduite de l'anglois de Chaucer [pp. 11–92].

.   .   .   .   .   .

[p. 95]   La nouvelle Grisélidis, traduite de l'anglois de Mademoiselle Edgeworth.

[The passages in which Miss Edgeworth refers to Chaucer are as follows :]

[p. 151]   Mon cher ami, à propos de femmes parfaites, vous avez [p. 152] sûrement lu les contes de Chaucer. Dites-moi un peu ce que vous pensez de la véritable, de l'ancienne Grisélidis ?

—Il y a si longtemps que j'ai lu cette histoire, que je ne puis vous donner de réponse précise.—Alors lisez-la de nouveau, et dites m'en votre avis sans détour . . . il faut que nous ayons ici une soirée de lecture. . . .

.   .   .   .   .   .

[p. 162]   [Chaucer's tale of Griselda is being read.] Le lecteur en vint à ce moment où Gauthier fait prononcer un serment à sa femme.

> Jurez que nuit et jour, à mes ordres soumise,
> Avec empressement, avec zèle et franchise,
> Sans murmurer jamais, seule ou devant témoins
> A m'obéir toujours, vous mettrez tous vos soins.

[etc. and the 10 lines following, from Ogle's edition.]

.   .   .   .   .   .

[p. 172]   Certes, je ne puis admirer ni Grisélidis, ni aucune de celles qui l'imitent. . . .

—On ne risque pas de rencontrer de nos jours, beaucoup [p. 173] de femmes qui marchent sur ces traces. Si Chaucer eût vécu

dans ce temps de lumières, il eût dessiné ce caractère tout
autrement. . . .

> Nous pardonnerons à ce pauvre Chaucer, si nous con-
sidérons le siècle où il vivoit.   La situation et l'intelligence
des femmes ont été bien améliorées depuis cette époque.

1819. [**Renouard,** Antoine Augustin.] *Catalogue de la Bibliothèque d'un
Amateur, avec notes bibliographiques, critiques et littéraires,* Paris,
1829, tome iii, pp. 125–7.

> The Canterbury Tales of Chaucer : . . Oxford, 1786
[*sic,* i.e. 1798.]

> Amateur anglois je me trouverois grandement heureux si
je pouvois placer ici quelques-unes des éditions rares de
Chaucer, données dans le xv⁰ siècle par Caxton et Pynson,
ou le volume plus rare encore, *the Assemble of foules,* 1530,
in-4, que les Anglois n'estiment pas moins de cinquante
guinées, ; mais ces curiosités angloises ne sont pas vivement
désirées hors de l'Angleterre ; et les amateurs du continent
n'en sont pas encore venus à se passioner pour une ancienne
édition de quelque pièce de Shakespeare, de Spencer, ou de
Chaucer, comme pour les éditions primitives d'Homère, de
Virgile, Horace, etc.

1822. Unknown.   [Article '*Chatterton*' in the] *Biographie nouvelle
des contemporains,* ou dictionnaire historique et raisonné de tous
les hommes qui, depuis la Révolution française, ont acquis de la
célébrité . . . [edited by] MM. Arnault, Jay, Jouy, Norvins ; et
autres hommes de lettres . .   tome iv, 1822, p. 358.

> *Chatterton (Thomas).* . . . A peine publiées, les poésies
de *Rowley* devinrent un grand sujet de discussion pour les
critiques.   Le style était d'une couleur antique ; la phrasé-
ologie gothique, la versification entièrement semblable à celle
de Chancer [*sic*].   Mais l'ordre et l'énergie des idées . . .
une imagination forte . . . rangeaient l'auteur de ces œuvres
parmi les maîtres de l'art, et étonnaient profondément
quiconque avait dévoré l'ennui des mauvais poëtes du xiv⁰
et xv⁰ siecle.   Chancer et Spencer étaient surpassés de bien
loin. . . .

1825. Pichot, Amédé.   *Voyage Historique et Littéraire en Angleterre et
en Ecosse,* Paris, 1825, tome i, pp. 173, 242, 243, 244, tome ii,
p. 271, tome iii, p. 8.

[i, p. 173]   *Le Pèlerinage de Cantorbéry,* sujet emprunté au vieux poète
Chaucer, est une belle composition de Stothard ; mais je
n'en connais que la gravure. . . .

[p. 242] Jacques [1er] reconnaissait pour ses maîtres Chaucer, Gower et Lydgate . . . Warton a . . . comparé l'apparition de Chaucer, dans la littérature nationale, au jour précoce d'un printemps d'Angleterre, après lequel l'hiver revient avec ses orages. . . .

1827. **Villemain**, Abel François. *Essai littéraire sur Shakespeare,* [dans] *Mélanges historiques et littéraires,* Paris, 1827, tome iii, pp. 145–6.

La poésie anglaise n'était pas non plus, à cette époque [end of the sixteenth century], dans un état d'indigence et de grossièreté ; elle commençait de toutes parts à se polir. Spencer . . . avait écrit un long poëme, d'un style savant, ingénieux . . . prodigieusement supérieur à la diction grotesque de notre Ronsard. Il n'était pas jusqu'au vieux Chaucer, imitateur de Boccace et de Pétrarque, qui, dans son anglais du quatorzième siècle, n'offrît déjà des modèles de naïveté, et grande abondance de fictions heureuses.

1828. **Quérard**, J. M. [under the name *Chaucer* in] *La France littéraire, ou dictionnaire bibliographique des savants, historiens et gens de lettres de la France aussi que des littérateurs étrangers qui ont écrit en français.* . . . tome i, 1828, p. 158.

Chaucer, poète Anglais. Voy. Edgeworth (Miss), et Mélanges de poésies Anglaises.

1829. **Quérard**, J. M. [under the name *Edgeworth* in] *La France littéraire, ou dictionnaire bibliographique des savants* . . . tome iii, 1829, p. 8.

Edgeworth (Miss Mar) . . .
——Deux (les) Grisélidis, histoires trad. de l'angl., l'une de Miss Edgeworth, l'autre de Chaucer (par M. Dubuc), Paris, Galignani, 1813, 2 vol. in-12, 4 fr.

1830. **O'Sullivan**, D. [English Professor at the Royal College of St. Louis]. *Elegant Extracts from the most celebrated British Poets.* . . . Paris, 1830, vol. ii. [On the outer cover of the volume there is a *Liste Chronologique des Poètes* . . . *dans les ouvrages desquels on a puisé ces extraits et dont la Biographie se trouve à la fin du volume.* Chaucer heads the list, but none of his poems are printed. There is a short biography of the poet on pp. 543–4, and several allusions on pp. 541, 542.]

Chaucer, properly considered as the father of english poetry, preceded Spenser by two centuries, and was connected by marriage with the famous John of Gaunt. His chief productions are the Serjeant at Law, the Frankelin, the

Shipman, the Doctor of Physic, the Miller, the Knight's Tale, the Story of the Fox, the Three Thieves, the Story of Griselda and of the little Child slain in Jewry.　One of the finest parts of Chaucer is the beginning of the Flower and the Leaf [long description].　Chaucer's versification, considering the time he wrote at, has considerable strength and harmony. . . . His works are the source from which the other poets have usually borrowed.　In depth of simple pathos, and intensity of conception, no writer comes near him, not even the Greek tragedians.

[This allusion is given here because the book, although written in English, was printed in France and intended for a French public.]

1830. **Villemain,** Abel François.　*Cours de littérature française.　Littérature du moyen âge, en France, en Italie, en Espagne et en Angleterre,* Paris, 1830, tome ii, pp. 206–212, 214–217, 227.

[p. 206]　Ce n'est qu'au milieu du XIVe siècle qu'enfin l'Angleterre possède un écrivain, un poète, un homme en qui on ne peut méconnaître beaucoup d'esprit, l'art de conter, et ce mélange d'érudition et de naïveté qui rend si piquans plusieurs écrivains du moyen-âge.　Je parle de Chaucer.　C'est de lui que la plupart des critiques anglais datent le premier âge de leur poésie littéraire.　Bien plus récent que les Troubadours, venu après le Dante, Pétrarque et Boccace, Chaucer, qui fut leur élève, ne saurait leur être comparé.　Il a cependant son mérite et son tour original.　Mais il est fort difficile à traduire, ou pour la langue ou pour la bienséance.　Il a de plus [p. 207] beaucoup écrit ; et j'avoue qu'embarrassé souvent par son vieux style, ses idiotismes, ses allusions, je ne l'ai pas lu tout entier.　[A short notice follows of the life of Chaucer and of his assumed meeting with Petrarch.]

．　．　．　．　．　．　．　．　．　．

Ainsi c'est un homme du Nord qui vient puiser à la belle civilisation du Midi.　Ce n'est plus l'esprit natif de la vieille [p. 208] Angleterre, plus ou moins mélangé d'esprit normand ; c'est un lettré anglais qui connaît bien les deux *Italies,* et a devant lui plusieurs modèles.　Chaucer savait à fond la langue latine, et l'écrivait avec goût ; il traduisit la *Consolation* de Boèce. . . . Malgré cette étude et ce goût d'imitation classique, [p. 209] il n'est pas de meilleur peintre que lui du moyen âge ; pas d'écrivain où les mœurs, l'esprit, le langage de ce temps

soient mieux conservés. Voilà son originalité. C'est un
Trouvère anglais, c'est un conteur de la cité de Londres.
Il imite nos fabliaux et les chants amoureux des *Troubadours*.
Mais il a son caractère propre de liberté politique et religieuse;
et son imagination savante est nourrie de fables orientales,
comme de réminiscences latines.

. . . .

C'est Chaucer qui marque le premier développement de
la poésie anglaise. Le *français* n'est plus pour lui la langue
de la conquête, mais une langue littéraire. C'est ainsi qu'il
a traduit en vers le *Roman de la Rose*, comme il aurait imité
un ouvrage classique des anciens. Dans cette version, il
lutte habilement contre le style de ses deux modèles, et
semble parfois l'emporter, soit que son anglais paraisse moins
vieilli que le français de Jean de Meung, soit qu'il ait ajouté
quelques traits de hardiesse. Car, il faut le dire, á ses titres
d'homme de cour, de savant, d'ami de Pétrarque, d'imitateur
de Boccace, il joignait celui d'hérétique. Il fut un des
premiers disciples de Wiclef. . . .

[p. 210]   . . . Chaucer se fit le poète de cette réforme; c'est-à-dire
toutes les pensées hardies qui étaient enveloppées dans la
théologie de Wiclef, toutes les inductions . . . que les
esprits libres pouvaient tirer de la lecture immédiate de la
Bible, Chaucer les exprimait vivement, et les animait par des
satires contre la cour de Rome et les abus de la vie monacale.

[p. 211]   La chevalerie même n'est pas épargnée par le bon sens
épigrammatique de Chaucer. . . .

. . . .

Son *sir Thopas* est le précurseur de Don Quichotte. Cette
parodie fait partie des *Contes de Cantorbéry*, recueil d'historiettes, dans le goût du Décaméron, mais écrites en vers, avec
moins de charme et de poésie que n'en offre la prose de
Boccace.

Le cadre de ce recueil est du reste ingénieux. Chaucer . . .
rassemble à *Southwark*, dans une auberge, divers pèlerins,
venus pour honorer la châsse de Thomas Becket. Dans
l'inaction de la soirée, ces pèlerins se content des histoires
touchantes, ou gaies. Leur réunion seule est assez dramatique. Elle offre tous les états, tous les personnages du
moyen âge, un chevalier, un écuyer . . . etc. . . .

. . . .

Chaucer, parlant à son tour, commence l'histoire de *sir*
[p. 212] *Thopas*.   Il accumule les enchantemens et les prodiges.
Mais au milieu du récit, lorsqu'il avait déjà tiré grand
nombre de géans, un des auditeurs l'arrête et lui dit : 'Plus
de ces contes pour l'amour de Dieu ; vous ne faites que
perdre le temps ; ne rimez pas d'avantage.   Dites-nous en
prose seulement quelque chose, où il y ait un peu de gaîté
et d'instruction.'   Chaucer laisse là son histoire, et commence une allégorie morale de Mélibée, qui a pour épouse la
Prudence, et pour fille la *Sagesse*.

Toute cette histoire est assez commune ; mais elle renferme
de sages conseils et une excellente morale pour un faiseur de
contes, parfois licencieux, comme Chaucer.   C'est un des
premiers essais de la prose anglaise.   Malheureusement
Chaucer est peu piquant, lorsqu'il est moral.

[p. 214] Chaucer est rempli d'allusions plaisantes à ce sujet [French
as then spoken in England].   Parle-t-il d'une abbesse dans
le prologue de ses *Contes* de Cantorbéry, il la représente
ainsi.
[Description of the Prioress.]

[p. 215]   Le style de Chaucer est en partie formé sur le modèle du
Roman de la Rose et de nos meilleurs fabliaux.   Non seulement, il imite avec art plusieurs tournures de notre langue.
Souvent, par une bigarrure moins heureuse, il introduit dans
son style anglais des mots, des phrases toutes françaises ;
par exemple, ce refrain, qui coupe une de ses ballades
anglaises 'J'ai tout perdu, mon temps et mon labeur.'

Ailleurs il conserve en français les noms de nos personnages allégoriques : *Faux-Semblant, Bel-Accueil*, etc.

[p. 227]   Ce qu'il y a de sûr, c'est que la vraie poésie anglaise du
xive et du xve siècle n'a produit, à l'exception de Chaucer,
rien de puissant et d'original.

1830. Thierry, Augustin.   *Histoire de la conquête de l'Angleterre par
les Normands* (3me édn. revue), Paris, 1830, tome iv, pp. 390,
391, 392, 393.   [Ed. i, 1825, 3 vols., vol. iii, pp. 546–50, is only
slightly revised in that quoted.]

[p. 390]   Les écrivains en langue française traitaient ordinairement

cette classe d'hommes [la bourgeoisie et les vilains] avec
le dernier mépris . . . Au contraire, les poètes anglais pre-
naient pour sujet . . . de leurs contes joyeux, des aventures
plébéiennes . . . et les historiettes du même genre qui se
trouvent en si grand nombre dans les ouvrages de Chaucer.
Un autre caractère commun à presque tous ces poètes, c'est
une espèce de haine nationale contre la langue de la
[p. 391] conquête. . . . Chaucer, l'un des hommes les plus spirituels
de son temps, met plus de finesse dans cette critique; il
oppose au dialecte anglo-normand, vieilli et incorrect, le
français poli de la cour de France . . . [in the portrait of
the Prioress].

. . . .

[p. 393] C'était l'habitude ou la manie des gens de loi . . . même
lorsqu'ils parlaient anglais, d'employer à tout propos des
paroles et des phrases françaises, comme Ah! sire, je vous
jure ; . . . et d'autres exclamations dont Chaucer ne manque
jamais de bigarrer leurs discours, lorsqu'il en met quelqu'un
en scène.

1832. Unknown. *Poésie chrétienne. Chaucer. Revue Européene,*
1832, tome iv, p. 193.

1834. La Rue, Gervais de. *Essais Historiques sur les Bardes, les
jongleurs et les trouvères* . . . 3 tomes, Caen, 1834, tome i, pp. 11,
54, 187–8, tome iii, pp. 267, 270, 271.

[p. 267] [*Jean Gower.*] Le poète Chaucer l'appelait *le moraliste
Gower.*

. . . .

[pp.270–
271]   [Froissart lived for a long time in England] . . . à la
même époque brillaient dans ce même royaume les poètes
Gower et Chaucer, et il est impossible de ne pas croire que
Froissart connut leurs poésies ; il est même très-probable
qu'il fut lié avec ces auteurs, et alors comment n'aurait il
pas pris d'eux le goût des Ballades, Virelais, Rondeaux,
etc. ?

1835. Unknown. *Poëtes Lauréats de la grande Bretagne* [article
translated from the *New Literary Magazine,* in the] *Revue Britannique,* Paris, August 1835, pp. 227, 228.

Goyer [*sic*] et Chaucer sont désignés comme lauréats ;
mais il reste douteux qu'ils appartinssent sous ce titre plutôt
à la maison du souverain qu'à celle de quelque noble.

1836. Chateaubriand, François René de.   *Essai sur la Littérature anglaise,* par M. de Chateaubriand, Paris, 1836, pp. 109–111. (Œuvres complètes de . . . Chateaubriand, Paris 1838, tome xxxiii, pp. 102–7.)

CHAUCER, BOWER [sic], BARBOUR.

En même temps que les tribunaux retournèrent par ordonnance au dialecte du sol, Chaucer fut appelé à réhabiliter la harpe des bardes ; mais Bower, son devancier de quelques années, et son rival, composait encore dans les deux langues. . . .

[Chateaubriand next quotes a ballade by 'Bower' : 'Amour est chose merveilleuse,' which proves, according to him, that Gower's French was better than his English. He continues :]

La langue anglaise de Chaucer est loin d'avoir ce poli du vieux français, lequel a déjà quelque chose d'achevé dans ce petit genre de littérature. Cependant l'idiome du poète Anglo-Saxon, [c-à-d Chaucer] amas hétérogène de patois divers, est devenu la souche de l'anglais moderne.

Courtisan Lancastrien, Wiclefiste, infidèle à ses convictions, traître à son parti, tantôt banni, tantôt voyageur, tantôt en faveur, tantôt en disgrâce, Chaucer avait rencontré Pétrarque à Padoue : au lieu de remonter aux sources saxonnes, il emprunta le goût de ses chants aux troubadours provençaux et à l'amant de Laure, et le caractère de ses contes à Bocace.

Dans la *Cour d'Amour* . . . [here follows an account of the *Court of Love*].

Le *Plough-man* (toujours le canevas du vieux Pierre Plowman) a de la verve : le clergé, les leadies [*sic*] et les lords sont l'objet de l'attaque du poète :

' Suche as can not y say ther crede '

[etc. ; 8 lines quoted, followed by a translation].

Le poète écrivait à son château de Dunnington, sous le *chêne de Chaucer,* ses *Contes de Cantorbéry,* dans la forme du Décaméron. A son début la littérature anglaise du moyen-âge fut défigurée par la littérature romane ; à sa naissance, la littérature anglaise moderne se masqua en littérature italienne.

1836. Unknown. *Biographie de William Godwin* [article in the] *Revue Britannique,* April 1836, pp. 377–8. [Notice of his Life of Chaucer.]

1837. Villemain, Abel François. [*Review* of Chateaubriand's *Essai sur la littérature anglaise*, an article in the] *Journal des Savants*, April, 1837, pp. 219–220.

. . . L'*Essai* sur la littérature anglaise est moins juste que piquant, lorsqu'il nous dit : 'Il n'a tenu à rien que les trois royaumes de la Grande-Bretagne ne parlassent français : Shakespeare aurait écrit dans la langue de Rabelais.' Cela tenait à tout, au contraire ; et si la langue anglaise s'est établie, ce n'est pas parce que le parlement de 1483 a rédigé ses *bills* en anglais ; mais il les a rédigés ainsi pour être entendu.

Quoi qu'il en soit, bien avant cette époque, l'idiome anglais avait porté d'heureux fruits. Nous regrettons que l'illustre auteur [Chateaubriand] n'ait accordé que peu de lignes au vieux poëte Chaucer, et n'ait pas même parlé de sa traduction du *Roman de la Rose*. Poëte lettré et poëte populaire, imitant les Latins, les Italiens, les Français, et ayant au plus haut degré l'*humour* anglaise, le tour d'esprit sérieux et moqueur, Chaucer méritait une place plus étendue dans cette brillante esquisse de lettres anglaises. Il n'atteste pas moins que Gower la longue rivalité des deux langues anglaise et française, puisqu'il a fait quelques pièces de vers où il les entremêle par un refrain alternatif. Mais ses *Contes de Canterbury* sont, pour le style comme pour les détails, la plus complète peinture de la vie et de la société anglaise du temps. . . .

Sans comparer, comme a fait Dryden, Chaucer à Ovide, sans analyser sa vie et ses ouvrages en deux volumes in-4°, comme a fait Godwin, la critique littéraire aurait beaucoup à dire sur ce vieux *troubadour* anglais, qui parfois a conté comme Bocace, s'est moqué de la chevalerie avant Cervantes ; et qui, fort poétique d'expression dans ses vers un peu rudes et négligés, a donné en même temps à sa langue, les premiers modèles d'une prose régulière et savante. Nous regrettons que l'*Essai* soit si laconique sur Chaucer, et se borne presque à le traiter de *courtisan lancastrien, wiclefiste, infidèle à ses convictions, traître à son parti, tantôt banni, tantôt voyageur.* Chaucer n'était ni plus courtisan, ni plus voyageur, ni plus infidèle à ses convictions que notre bon Froissard, qui recevait de si beaux présents des rois d'Angleterre : et la part même qu'il prit aux premiers essais du schisme en Angleterre donne un grand intérêt historique à ses ouvrages.

1837. Michelet, J. *Histoire de France*, tome iii, livre vi, ch. 1er, p. 351, note.

[Short account of the fashions introduced into France and England during the feasts and festivals which followed the ravages of the great plague in the fourteenth century.]

Les femmes chargeaient leur tête d'une mitre énorme d'où flottaient des rubans, comme les flammes d'un mât . . . elles portaient deux dagues à la ceinture.[1]

[1] [*Note*] Chaucer 198. Gaguin, apud Spond, 488. Lingard, ann. 1350. . . .

1838. Lécluze, Étienne-Jean de. *Chaucer. Le Pèlerinage de Canterbury*, 1328–1400, [article in the] *Revue française*, tome vi, April 1838, pp. 33–62.

J'aime les gravures.   Au nombre de celles qui ornent ma
[p. 33] modeste demeure, il en est une dont la composition originale pique vivement la curiosité de ceux qui y ont une fois porté leurs regards.   C'est le *Pèlerinage de Canterbury*, ouvrage du peintre anglais Stothard, gravé fort habilement par J. Heath.   Dans un cadre très large et peu élevé, se développe une longue cavalcade où l'on distingue des personnages de conditions, d'états et de sexes différens . . . [description of the pilgrims].

Quoique l'éditeur de la gravure ait pris soin d'y faire inscrire, à la marge inférieure, la qualité et un numéro qui se rapportent à chaque personnage, cette indication est loin de faire connaître, surtout aux Français, la cause et le but de cette étrange réunion.   Souvent je me suis trouvé dans la nécessité d'en faire, tant à mes amis qu'à des curieux, une explication qui, bien qu'assez étendue, était loin cependant de les satisfaire.   J'omettais toujours quelque circonstance importante ; j'intervertissais l'ordre du récit en n'observant
[p. 34] pas celui dans lequel sont rangées les figures, et, lorsque j'en venais à nommer Chaucer, le poète dont l'ouvrage a donné lieu à la composition de Stothard, on redoublait de questions à son sujet. . . . Je pris donc le parti, pour satisfaire plus complètement la curiosité des autres et me soulager, il faut bien le dire, de la répétition assez fréquente des mêmes paroles, de traduire le *Prologue des Contes de Canterbury*, du poète anglais Chaucer . . . prologue qui fait le sujet de la gravure. . . .

Mais cette explication, mise à la portée de mes curieux, ne fut pas encore suffisante pour plusieurs d'entre eux. Ceux de ces derniers surtout qui aiment ou cultivent les

lettres n'avaient pas plutôt lu la traduction du *Prologue*
. . . devant la gravure, qu'ils recommençaient leurs questions sur le poète Chaucer, sur ses ouvrages et sur son siècle,
tant qu'enfin je cédai à leurs demandes en ajoutant à la
traduction qu'ils avaient entre les mains quelques réflexions
sur le caractère du talent de Chaucer, sur son temps, sans
omettre de faire sentir la distinction des qualités propres à
cet ingénieux écrivain anglais du quatorzième siècle avec
celles qu'il a empruntées aux auteurs français et surtout aux
Italiens de son temps. . . . [A translation in French prose
follows of the Prologue to the *Canterbury Tales.*]

[p. 49]   Il est difficile de trouver un cadre plus ingénieux en lui-
même et plus favorable pour préparer le lecteur à la narration
d'une suite de contes ou de nouvelles que ce charmant
prologue de Chaucer.   Toutefois, ce qui démontre la supériorité de l'imagination et du talent de cet écrivain, c'est que
la plupart des contes qu'il prête à ses personnages sont
disposés avec autant d'art et écrits avec autant de verve et
d'esprit que le prologue.   Aussi les *Contes de Canterbury*
forment-ils le principal titre de la gloire de Chaucer, et
marquent-ils une époque très intéressante dans l'histoire de la
littérature et de la poésie anglaises, dont Geoffroy Chaucer
est regardé comme le père.

        Ce poète, car il mérite réellement ce nom par la double
faculté qu'il avait de bien composer et de bien exprimer ses
idées, Geoffroy Chaucer . . . est né en 1328. . . . [A two-
page description is then given of England in the fourteenth
century, and reference is made to Chaucer's satire against
the Church, and to his sympathy for the doctrines of Wyclif.]

[p. 52] On sait peu de choses positives sur la vie de . . . Chaucer.
[The usual statement of his life follows, first as student, then
courtier, lawyer, traveller and ambassador.   A short account
of his prose works, *Boece*, the apocryphal *Testament of Love*
and the *Astrolabe*, is then given, with a list of his poems
ending with the *Canterbury Tales.*]

[p. 54]   Ce recueil de contes, dont on a lu l'ingénieux prologue, passe
pour être le dernier ouvrage du père de la poésie anglaise.
. . . On ne peut douter que le Décaméron de Boccace ne lui
ait fourni l'idée et la donnée première de son recueil ; mais il
faut avouer aussi qu'il est difficile, en suivant la route d'un
autre, de s'y montrer avec plus d'originalité et de nouveauté
que Geoffroy Chaucer.   Je ne craindrai même pas d'avouer
que, sous le rapport de l'invention, le poète anglais est

souvent supérieur au prosateur italien ; et j'en prends pour
preuve le prologue des *Contes de Canterbury*, comparé à
l'avant-propos du *Décaméron.*

Il me semble que ce serait un service à rendre aux personnes qui aiment les lettres, comme à celles qui cherchent à
s'instruire dans la connaissance des mœurs et de l'esprit du
quatorzième siècle . . . que de donner une traduction en
français des *Contes de Canterbury.* En faisant un premier
essai moi-même sur le prologue, j'ai eu l'idée d'engager
quelques jeunes et studieux littérateurs à se livrer à ce
grand travail. Malgré les imperfections qui fourmillent sans
[p. 55] doute dans ma traduction, je crois cependant que la verve
pétulante avec laquelle le poète Chaucer a tracé les portraits
de ses conteurs, éclate avec vivacité, et que cette spirituelle
préface fera naître un vif désir de connaître le reste de
l'ouvrage. [The author then proceeds to give a short
account of each tale, 6 pp.]. .   .   .   .   .

[p. 61]   Je ne sais si le lecteur me saura gré des details minutieux
que je viens de donner sur l'ensemble et sur les parties des
ouvrages de G. Chaucer. Mais ses poèmes sont de nature à
ne pouvoir être analysés qu'isolément, car la variété des
sujets et du style est un trait caractéristique dans les productions de cet écrivain, et je n'ai pas cru pouvoir faire
mieux connaître le génie varié de cet homme qu'en reproduisant successivement toutes les faces sous lesquelles il se
présente.

Geoffroy Chaucer est sans doute une des· gloires littéraires
de l'Angleterre ; mais, en sa qualité de savant, d'écrivain,
de poète de la renaissance, il appartient à la grande famille
européenne, et doit être placé au nombre des hommes qui
ont le plus activement contribué à rallumer le flambeau des
sciences, des lettres et de l'érudition. Le nom de Chaucer
le cède, il est vrai, à ceux de Dante et de Pétrarque, mais on
peut l'inscrire sur la même ligne que celui de Boccace.

.   .   .   .

1841. Thommerel, J. P. *Recherches sur la fusion du franco-normand
et de l'anglo-saxon,* Paris, 1841, pp. 53, 87, 88.

[p. 53]   [Chaucer derides those who spoke French after the
fashion of 'Stratford le Bow.' A quotation from the
Prologue is given.]. .   .   .   .   .   .

[p. 88]   On peut donc résumer tout ce qui a été écrit sur Chaucer en
disant : 1° ce n'est pas lui qui a introduit le premier le

français dans l'anglais, comme l'a prétendu Johnson ; 2° il a été un *grand mêleur* d'anglais avec le français (Werstegan [*sic*] 67) ; 3° s'il ne fut pas la source du pur anglais, comme le dit Spenser, c'est-à-dire de l'anglais sans *mélange étranger*, il a mérité ce nom par la pureté de ses pensées et de son style.

1841. Ampère, J. J. *Histoire de la littérature française au moyen âge comparée aux littératures étrangères*, Paris, 1841, pp. liv–lv.

[p. liv] Les sujets de plusieurs fabliaux et de plusieurs apologues se retrouvent chez les Arabes, les Persans, jusque dans
[p. lv] l'Inde, jusqu'à la Chine. Puis ils ont été reproduits tour à tour par diverses nations de l'Europe ; ils ont fourni des thèmes piquants aux nouvellistes italiens, et à Chaucer.

1842. Chasles, V.-E.-Philarète. *Littérature anglaise,* [article in the] *Revue des Deux Mondes*, April 1842, pp. 99, 100.

[p. 100] Jusqu'au dernier souffle de sa vie commerciale et politique l'Angleterre conservera ce caractère, [of observer of manners]. Sa supériorité d'observatrice n'est pas un mérite : c'est pour elle une nécessité . . . il faut qu'elle observe, qu'elle compare, qu'elle juge, qu'elle soit homme d'affaires et analyste, pour exister. On voit ce caractère se prononcer d'une manière profonde dès les premiers pas que fait la Grande-Bretagne dans la carrière littéraire : admirez de quels traits positifs et précis sont marqués tous les personnages que le vieux Chaucer met en mouvement dans ses *Canterbury Tales*. L'homme de lettres, l'étudiant d'Oxford, parle peu et d'une voix douce [etc., several pilgrims are cited by way of example]. . . . Tous ces petits traits caractéristiques vous donnent une image nette et complète de chaque personnage, et vous croyez vous promener dans une galerie peinte par Holbein.

1843. Saint-Laurent, Charles [ps., *i. e.*, L. G. L. G. **de Lavergne**] [Article '*Chaucer*' in the] *Dictionnaire encyclopédique usuel*, 2ᵉ édition, 1843. [The 1st ed., 1841, is not in B.M.]

(*Chaucer, Geoffroy*) poëte anglais, né à Londres en 1328. Il fut élève des universités de Cambridge et d'Oxford. En 1370, il était porte-bouclier d'Edouard III. Sous le règne de Richard II, il fut obligé de s'expatrier pour avoir embrassé la doctrine de Wiclef. Il mourut en 1400, à Londres, et fut enterré à Westminster. On l'a surnommé *le Père de la poésie anglaise*. Parmi ses poésies on remarque les **Contes de Canterbury**.

1847. Gomont, H. *Geoffrey Chaucer poète anglais du XIV siècle.* · *Analyses et fragments,* Paris, 1847.

[*Introduction.*]

[p. 10]   Chaucer . . . est devenu l'un des sujets d'orgueil de ses compatriotes.   Il a éte mis par eux au rang de leurs grands poètes ; il a été imité et commenté.   Les chefs mêmes de l'école classique anglaise, Pope et Dryden, se sont empressés de lui prodiguer leurs hommages.   L'un l'a proclamé le créateur du pur anglais ; l'autre, non content de lui attribuer le mérite impossible à son époque d'une prosodie achevée, a été jusqu'à vouloir en faire l'égal d'Homère et de Virgile.

L'exagération d'un tel éloge n'a pas besoin d'être démontrée.   Mais on ne saurait nier les droits de Chaucer à une place éminente dans le panthéon britannique.   Possédant [p. 11] une connaissance directe et approfondie des auteurs latins, une science de l'antiquité bien rare au moyen âge, et sans doute alors unique en Angleterre, il marche l'égal de Boccace et de Pétrarque, ses contemporains.   Parfois même il sut les dépasser, grâce à l'énergie du saxon, que son goût pour les langues classiques ne l'empêcha pas d'apprécier. . . .

Nous voudrions ajouter quelques détails sur la vie de notre poète : malheureusement il nous faudra être à ce sujet d'une grande sobriété ; car les renseignements tout à fait certains sont assez rares, bien que les histoires de Chaucer ne manquent pas.

[p. 12]   En France, Feller et l'abbé Suard [*sic,* should be l'abbé Feller et Suard], ont publié des biographies de cet auteur.   La notice du premier est évidemment aussi inexacte que tronquée ; pour en faire apprécier l'esprit, nous dirons seulement qu'elle appelle Chaucer le *Clément Marot anglais.*   L'œuvre du second atteste du soin et des recherches ; mais elle se compose encore de faits trop légèrement admis pour avoir un caractère authentique.   Des travaux plus sérieux ont nécessairement été faits en Angleterre ; et, parmi les auteurs qui se sont occupés de Chaucer, trois surtout à notre connaissance, ont écrit avec science et réflexion ; ce sont, Speght, Godwin, et John Urry. . . .

[Here follows a short life of the poet, written with care. The *Testament of Love* is given as the foundation for the story of Chaucer's flight.   Next comes a collection of

'Témoignages d'auteurs contemporains en faveur de Geoffrey Chaucer,' [pp. 27–31], quotations from Lydgate (Prologue of the *Siege of Thebes*), and from Gower (Epilogue *Conf. Amantis*), translated into French, and the ballade of Deschamps. Then follows a description of]

(1) Poèmes allégoriques et songes.

[p. 38] . . . *Le Palais de la Renommée.*

Dans cette œuvre, dont Pope a donné une imitation, le génie de l'auteur revêt un caractère qui ne lui est pas habituel. Ici, Chaucer laisse de côté ses sujets de prédilection, c'est-à-dire les tableaux gracieux, les sentiments mélancoliques ou tendres, les scènes naïvement comiques, pour prendre un essor plus élevé. Il recherche avant tout les éléments poétiques d'une nature gigantesque. Des foules innombrables, des espaces infinis, des bruits étranges : voilà ce qu'il se plaît à décrire. Dans cette œuvre singulière, les jeux de son imagination nous semblent rappeler parfois les conceptions d'un peintre moderne, son compatriote, le fantastique Martins [*sic*]. Mais, chez le poète anglais, la grandeur des idées et la richesse de la création sont rarement exemptes de confusion. *Le palais de la Renommée* pèche par
[p. 39] un défaut de plan bien sensible, et par des répétitions, des redondances qui en rendent la lecture difficile et fatigante. [A detailed account of the poem follows, pp. 39–48.]

.   .   .   .

[p. 49]   *Le livre de la duchesse.* [An account of the poem with long quotations in French, pp. 49–54.]

[p. 54]   On y trouve [in the last part of the *Boke of the Duchesse*] . . . plusieurs de ces traits de nature qui placent Chaucer si haut dans l'opinion de Walter Scott. Mais ce sont des traits fugitifs qu'absorbe . . . le fatras de mauvais goût au milieu duquel ils se rencontrent.

.   .   .   .

[p. 73]   (2) Contes et Récits non-allégoriques.

Troïle et Cresside, poème en cinq chants, d'un style généralement obscur. Le mauvais goût et la bizarrerie y dominent.

.   .   .   .

[p. 74]   *Les Contes de Cantorbéry.* Bien que laissée incomplète par l'auteur, cette composition est la plus vaste de Chaucer. . . .

[The author gives an abridgement of the Prologue in French, up to the end of the description of the Prioress.]

[p. 81]   . . . Cette galerie de personnages se continue de la sorte pendant cinq ou six cents vers, et nous montre, ainsi que l'annonce l'auteur, des voyageurs de rangs fort divers. . . .

[p. 82]   . . . On peut reprocher à ces portraits quelque chose d'uniforme dans l'exposition, souvent aussi des redondances de mots et d'idées ; mais les défauts de l'ensemble disparaissent devant la piquante richesse des détails ; et l'introduction aux *Contes de Cantorbéry* est, sans contredit, une des œuvres les plus remarquables de Chaucer. En effet, tracé avec une verve et une originalité soutenues, chaque caractère de cette nombreuse réunion présente l'étude d'une classe sociale au quatorzième siècle. Le poète, d'ailleurs, comme on a déjà pu en juger, ne se renferme pas dans la description des choses extérieures et matérielles, des figures ou des costumes ; il est philosophe aussi bien que peintre ; il pénètre l'esprit, les mœurs, les ridicules de ses contemporains. Ajoutez à cela que ses critiques, comme toutes les observations faites sur le fond même de l'esprit humain, se trouvent souvent applicables à tous les temps. Ainsi le lord des sessions, 'bon vivant à complexion sanguine, inaugurant sa journée par une soupe au vin et tenant table ouverte en permanence,' devait être le modèle parfait des magistrats provinciaux de son époque ; et aujourd'hui encore, il pourrait représenter certains juges de paix de la joyeuse Angleterre. Nos comédies n'offrent pas de meilleurs types que la
[p. 83] bourgeoise de Bath, veuve de cinq époux, 'toujours la première de sa paroisse à aller à l'offrande, et se mettant en fureur si quelqu'un l'y devançait ; du reste, excellente pour rire, causer, amuser en voyage et indiquer des recettes contre l'amour.' On en peut dire autant du médecin, 'homme des plus savants, qui faisait gagner les apothicaires et que les apothicaires faisaient gagner.' A côté de ce digne pendant des docteurs de Lesage et de Molière, figure fort bien aussi le sergent de la loi. . . . Derrière ces figures d'un comique un peu grotesque, vient le personnage modeste du clerc d'Oxford, comme pour montrer que Chaucer s'entendait aussi en comique délicat et de bon goût. Dans le portrait de ce pauvre savant, 'maigre de corps, maigrement vêtu, maigrement monté, fort logicien, du reste pas assez mondain

pour avoir un office,' se rencontre le sarcasme fin, le pinceau
à la fois juste et retenu de La Bruyère.

[p. 84] Nous pourrions puiser dans les caractères du matelot, de
l'économe, de l'intendant, du meunier, nombre de passages
aussi heureux, nombre de traits dignes d'être étudiés par
quiconque a la prétention de peindre le cœur humain, et qui
certainement ont été exploités plus d'une fois par les
écrivains anglais ; mais il est une autre face de l'introduction aux *Contes de Cantorbéry,* qui mérite aussi sa part
d'examen.

Chaucer ne s'est pas renfermé dans la peinture des défauts
ou des vices domestiques. Outre la satire privée, il a fait de
la satire sociale ; et, dans cette partie de son œuvre, il a des
droits non-seulement à l'attention du littérateur, mais encore
á celle de l'historien. Soit que l'on considère ses tableaux
comme un miroir fidèle du temps, soit qu'on y voie simplement l'opinion passionnée d'un homme, ils sont une source
précieuse de documents sur l'état des esprits et des choses en
Angleterre, au quatorzième siècle. D'abord, le lecteur y
trouve la preuve que cette hardiesse de pensée, si commune
jadis parmi nos poètes et nos romanciers, se rencontrait
aussi de l'autre côté de la Manche. Ensuite, tout en
exagérant peut-être les désordres produits, à cette époque,
par un clergé souvent sans vocation, ces satires attestent du
moins de déplorables abus ; elles en indiquent la nature et,
jusqu'à un certain point, la gravité. Les diatribes du poète
auront encore un autre intérêt, si l'on se rappelle l'adhésion
[p. 85] de Chaucer à certaines doctrines hétérodoxes de Wiclef ; car
elles seront alors l'expression vivante de l'animosité des
réformateurs anglais du quatorzième siècle, envers la
hiérarchie ecclésiastique.

Les personnages que Chaucer, dans sa galerie de portraits, a
sacrifiés en partie à la vérité historique, en partie à ses antipa-
thies de réformateur, sont le moine, le frère mendiant, l'huissier
épiscopal et le porteur d'indulgences. Le premier de ces
quatre personnages a servi de modèle à Walter Scott pour son
prieur de Jorvaulx ; seulement, le romancier écossais, avec
ce tact si remarquable en lui, n'a emprunté à l'original que des
traits et des couleurs adoucis, présumant que c'était le plus
sûr moyen de rester dans le vrai. Voici le caractère tracé
par Chaucer : on pourra le comparer avec celui du moine
d'Ivanhoe.

[The description of the monk follows.]

[p. 88]   . . . L'indignité du frère prêcheur a pour pendant l'avarice
et la fourberie de l'huissier épiscopal et du porteur d'indulgences.   Le premier est un effronté voleur, qui, fermant les
yeux pour de l'argent sur les plus grands scandales, ne se fait
aucun scrupule de tourner en dérision l'autorité dont il exé-
[p. 89] cute les ordres. Le second est aussi repoussant au moral qu'au
physique, une sorte de castrat tout bardé de reliques menson-
gères, avec lesquelles il soutire de l'argent à tout le monde.

On dira peut-être que jusqu'ici cet acharnement contre les
mœurs du clergé n'est remarquable que par la forme ; que
c'est, du reste, le fond des diatribes si fréquentes chez Boccace
et Pétrarque en Italie, chez les troubadours et les trouvères en
France : soit ; mais voici qui ajoute un trait tout particulier
à la censure de Chaucer.   Après avoir flétri les abus ecclési-
astiques et battu en brèche le clergé régulier, l'auteur songe à
élever un monument conforme à ses propres doctrines.   Cette
prétention n'est pas plus avouée que les vues subversives
cachées sous les portraits dont nous venons de rendre compte ;
mais elle se sent, elle se révèle. On va en juger. Aux indignes
personnages dont il vient de peindre les défauts et les vices,
Chaucer oppose le caractère du curé, homme instruit, de
mœurs et d'habitudes toutes primitives, et qui prêche la vraie
morale de Jésus Christ.   Ce prêtre, bon et résigné dans le
[p. 90] malheur, qui, malgré l'étendue de sa paroisse, va, malade ou
bien portant, par la pluie ou par le tonnerre, visiter à pied ses
paroissiens les plus éloignés, qui réside et n'emploie pas son
temps à briguer un bénéfice lucratif à Londres, ce prêtre tout
apostolique est le rêve du poète.   Il en fait un idéal accompli,
au sujet duquel il expose ses théories, ou plutôt celle des
Wicléfistes, qui, non-seulement voulaient élever le clergé
séculier sur la ruine des ordres monastiques, mais imposaient
[p. 91] aussi aux hommes de Dieu la pauvreté et l'innocence des
premiers temps du christianisme.

[Comparison with the *Decamerone* of Boccaccio] . . .

[p. 93]   Exception faite du récit du chevalier qui tient un rang
tout à fait hors ligne, les contes enchâssés dans le pèlerinage
de Cantorbéry, nous semblent l'emporter rarement sur les
[p. 94] nouvelles du Décaméron. . . . C'est le mérite littéraire qui
seul est en question.   Or, sous ce rapport, l'œuvre de Chaucer
prête beaucoup plus à la critique que ne le reconnaissent
généralement ses compatriotes. Aux yeux d'un juge non

prévenu, la plupart de ses contes paraîtront certainement, ou
mal choisis, ou d'une narration défectueuse. . . .

.   .   .   .

[p. 96]   . . . Il a été dit plus haut, que, parmi les contes de Cantorbéry, on en trouve un dont la supériorité est incontestable.
Ce morceau [the *Knightes Tale*] important par son étendue,
est une sorte de poème héroïque où le bon goût des idées,
l'art du style et l'intérêt des situations, sont portés à une
hauteur rare chez les écrivains du moyen âge.   Une telle
œuvre montre combien Chaucer aurait pu exceller dans les
sujets nobles et graves.   Inspirée en grande partie par un
poème de Boccace oublié maintenant, elle ne doit pour cela
rien perdre de notre estime ; car nulle composition ne mérite
davantage la qualité *d'originale* accordée si souvent, et à juste
titre, aux autres imitations de notre poète. . . .

[pp. 101-
204]   [Prose translation of the *Knightes Tale*.]

[pp. 207-
247]   [Analysis of the Prologues and Tales and extracts from
them.]

[pp. 251-
271]   [Brief examination of the shorter poems and prose translations of some of them.]

1847. **Le Roux de Lincy, A.-J.-V.** [*Review* of Gomont's book on
Chaucer in] *Le Moniteur universel*, Paris, 14 Sept. 1847, p. 2568.

[A somewhat detailed review, two columns in length.]
C'est avec raison que Geoffroy Chaucer est considéré comme
l'un des poëtes les plus éminents de la vieille Angleterre.
Son esprit observateur plein d'étendue, excellait dans une
réproduction originale et féconde des œuvres qu'il imitait . . .
toutes les œuvres de longue haleine que ce poëte nous a laissées,
bien qu'évidemment empruntées à ses prédécesseurs, n'en
ont pas moins un caractère profond d'originalité. [His life and
a notice of his works follow.] . . . [The *Canterbury Tales*.]
Malheureusement les récits qu'il met dans la bouche de ces
différents personnages ne sont pas toujours en harmonie avec
leur caractère.   Cependant plusieurs de ces récits sont très-
curieux et tout à fait dignes de remarque.   M. Gomont a
traduit en entier celui que fait le chevalier, et qui a tout
l'intérêt et toute l'étendue d'un vieux roman de chevalerie.

[1850.] **Chasles, V.-E.-Philarète.** *Etudes sur la littérature et les mœurs
de l'Angleterre au* XIX*ᵉ siècle*, Paris [1850], pp. 20, 26-7.

Du génie de la langue anglaise.
[p. 20]   Mainte phrase de Chaucer est tellement normande et

saxonne, que personne aujourd'hui ne s'en rend compte sans dictionnaire.

.   .   .   .

[p. 26]   Tout le dictionnaire des archaïsmes de Chaucer et de Layamon entrera-t-il dans le nouveau lexique ?

1850. F[orgues ?], E. *La Poësie Humoristique,* [article in the] *Revue Britannique,* July 1850, pp. 97–100.

[p. 98]   Chaucer, par exemple, dans sa naïveté plus savante qu'on ne le dirait, est bien supérieur à Butler, bien supérieur lui-même à Wolcott ; ses caricatures sont bien plus fortement burinées et rappellent bien mieux la nature. . . . On ne saurait dire le charme de cette bonhomie narquoise, de ces rares sarcasmes, pointant, çà et là, sur un fond uni et tranquille, et que relève une teinte de pédanterie, apanage du temps.   Dans ce cortège si pittoresque des Pèlerins de Canterbury, que de précieux aperçus ! quelles physionomies spirituellement esquissées et d'une ressemblance appréciable encore aujourd'hui ! [The Prioress, Clerk of Oxenford and Man of Lawe are referred to]. . . . Bref, à chaque instant, le trait malin, l'épigramme caractéristique, décochée à petit bruit, avec une absence de préoccupation, une nonchalance apparente qui en doublent le prix pour les connaisseurs.[1]

    [1] [Note by the editor of the journal, Amédée Pichot.] Le prologue des *Contes de Canterbury* est, à notre avis, un vrai chef-d'œuvre.   Traduit plusieurs fois, il l'a été par le rédacteur de cet article, il y a quelques années, ce qu'il rappelle uniquement pour attester la sincérité de son admiration.

1853. Desclozeaux, Ernest. [Article ‘ *Chaucer* ’ in the] *Dictionnaire de la conversation et de la lecture* sous la direction de M. W. Duckett, 2e édn., Paris, 1853, tom. v. [Reprinted, with some revision, from the 1st edn. of 1834.]

    Chaucer (Geoffroy).   Le premier poëte lettré qui en Angleterre ait manié la langue nationale, né à Londres, en 1328 [etc. the ordinary biographical details ; very little said about the works]. [Les] célèbres *Canterbury Tales.*   Ces contes nous font entrer dans la vie intime de l'Angleterre au xive siècle. Supérieur à celui du *Décaméron,* le plan des *Canterbury Tales* comporte des incidents qui tiennent la curiosité éveillée. Que si l'action du poëme est un événement trop simple pour distraire l'attention des récits des pèlerins, le pèlerinage lui-même est un prétexte suffisant pour réunir dans le même cadre toutes les classes de la société, depuis le noble chevalier jusqu'à l'artisan, et pour peindre les vieilles mœurs et les vieilles coutumes. Chaucer excelle surtout dans les descriptions ; on pourrait se passer de ses digressions morales, mais on ne voudrait perdre aucun de ses portraits.

1855. **Rathery**, E. J. B. *Des Relations sociales et intellectuelles, entre la France et l'Angleterre*, [in the] *Revue Contemporaine*, July 1855, pp. 410, 411 [the language of Chaucer and his debt to France] ; August 1855, pp. 41, 42.

1855. **Chatelain**, Jean Baptiste de, Chevalier. *La Fleur et la Feuille, poème avec le texte anglais en regard, traduit en vers français de G. Chaucer.*

> Dédicace, à Miss Kearsley.
> Du Grand Chaucer, de ce charmant conteur,
> Vous qui savez goûter le vieux langage,
> A vous. je viens offrir la gente fleur
> Qu'il fit fleurir sous si touffu feuillage
> Que fleur et feuille ont encor leur fraîcheur.
> Laissez la fleur ! . . . Mais conservez la feuille
> En souvenir de moi dans votre portefeuille.
> Le Chevalier de Chatelain.

Geffery Chaucer

Chaucer, que l'on peut appeler à juste titre le père de la poësie anglaise, est né en 1328 et mort en 1400. Le poëme dont nous offrons aujourd'hui la traduction, à nos lecteurs, est à notre avis du moins, une des plus gracieuses créations de son auteur. Nous donnons la version de Chaucer dans son vieux langage, parce que ce vieux langage est mille fois plus naïf que le langage modernisé, depuis Chaucer, quelquefois par des hommes d'un talent véritable. Inutile de dire que nous nous serions cru fort impertinent envers la mémoire du grand poëte, si nous eussions adopté la version de quelques-uns de ses commentateurs, qui se sont égarés à plaisir en voulant expliquer ce qui nous à paru clair comme le jour.

En 1825 Edward lord Thurlow a publié (imprimé par William Nicol, Cleveland Row, St. James's) *The Flower and the Leaf, after the famous poet Geoffrey Chaucer*. Nous croyons que le noble lord a été fort mal inspiré en reprenant ainsi Chaucer en sous-œuvre pour en faire un poëme à alinéas de toutes les grandeurs. Lord Thurlow s'est rendu coupable, selon nous, d'une pauvre contrefaçon de Chaucer, de ce poète

original qu'il a privé par son fait, du charme indicible des
strophes de sept vers dont le mètre est à la fois si original
et si musicalement agréable.

Si l'on veut savoir le pourquoi de notre prédilection pour
The Floure and the Leafe, nous dirons tout uniment que ce
sujet nous a rappelé avec bonheur les naïves poësies de
Clément Marot, qui peut être considéré lui comme le père de
la poësie française.

LE TRADUCTEUR.

1856. Taine, Hippolyte.   *Jeffrey Chaucer* [article in the] *Revue de
l'instruction publique*, 13 March, 1856, pp. 686–690.

[A long article on Chaucer, with a notice of his life and of
the *Canterbury Tales, Troylus*, and the *Flower and the Leaf*,
with lengthy French quotations from these poems.   Recast
in *l'Histoire de la littérature anglaise*, tome i, 1863, *q. v.*]

1856. Brunet, G.   [Article on *Chaucer* in the] *Nouvelle Biographie
Générale* . . . tom. x, Paris, 1856, pp. 118–120.

[Biographical and literary notice occupying three columns.]
Chaucer (Godefroy), célèbre poëte anglais, né en 1328, mort
le 25 octobre 1400.   On manque complètement de détails au
sujet de sa famille ; les uns ont cru qu'il était le fils d'un
tavernier, d'autres le regardent comme issu de parents
nobles.   [Then follow the ordinary details of his life, based
on the *Testament of Love*.   *The Canterbury Tales* are next
described.]   Les sujets graves et plaisants sont entremêlés
avec art. . . .   Le style naïf du moyen âge prête à ces contes
un charme particulier, ils font les délices des Anglais, qui y
trouvent une foule de détails curieux sur les mœurs de leurs
ancêtres.   Ils ont moins d'intérêt pour les étrangers, qui
seraient souvent rebutés de leur longueur ; aucune traduction
ne saurait d'ailleurs en donner une idée exacte.   [Stothard's
picture of the pilgrims is mentioned, and is followed by a
list of Chaucer's works.] . . .   Observateur judicieux, Chaucer
n'a en vue que des réalités ; poète essentiellement pittoresque
et dramatique, il décrit d'une façon aussi vive que naturelle ;
ses personnages sont peints d'après nature, et caractérisés
de manière à ne pouvoir être oubliés.

1856. [Le Clerc, Victor.]   *Histoire littéraire de la France, ouvrage commencé par des religieux bénédictins, de la congrégation de St Maur,
et continué par des Membres de l'Institut*, tom. xxiii, Paris, 1856,
pp. 46, 77, 83, 143, 247, 503.   [See also below under 1862.]

[p. 46]   Dès la fin du xiiie [siècle], le roman de la Rose obtint une grande célébrité, qui se maintint et s'accrut encore dans le siècle suivant.   Pétrarque en Italie et Chaucer en Angleterre eurent de l'estime pour ce poëme; Chaucer même voulut le traduire, et il reste sept mille cent vers de sa traduction.

.   .   .   .

[p. 77]   [In the study of the Fabliaux] . . . Il devait y avoir, outre le conte de la *Male vieille* qui en fait partie, un fabliau français de *Dame Siriz* dont il reste une traduction anglaise, la plus ancienne des narrations anglaises de ce genre, et qui a précédé les imitations de Chaucer, c'est le quatorzième chapitre de Pierre d'Alphonse. . . .

.   .   .   .

[p. 83]   . . . Le psautier, que *La Fontaine* emprunte de *Boccace*, a pour origine, outre les *Braies du Cordelier*, un épisode du *Renart Contrefait*, terminé vers 1320, trente trois ans avant le *Décaméron*. . . . [The Italians borrowed a good deal from the Latin fabliaux, and there are many reminiscences of their French origin in the Italian novels.] Si les Italiens se sont attribué en ce genre une fécondité inventive qui ne leur appartient pas, la critique anglaise ne s'est pas moins fourvoyée.   Elle savait d'une manière générale que l'auteur des *Contes de Canterbury* avait imité les fabliaux français; mais aucune comparaison n'avait été faite entre les modèles et le copiste.   On a félicité Chaucer d'avoir dans son Meunier de Trumpington, changé heureusement quelques détails d'une nouvelle de Boccace, qui passait pour l'inventeur : tout le mérite de Chaucer est d'avoir fidèlement transcrit l'ancien fabliau.

.   .   .   .

[p. 143]   Au xive siècle, le poëte anglais Chaucer, qui a tant imité nos rimeurs français, leur emprunta ce conte [de *Gombert et des deux clercs*], avec beaucoup d'autres, et c'est de là que vient son Meunier de Trumpington. . . . Comme tout le monde avait lu le même conte dans Boccace . . . les éloges des critiques anglais étaient inépuisables en l'honneur de Chaucer, qui, dans son imitation, avait su ajouter, disait-on, d'heureuses circonstances au récit de Boccace.   Nous savons aujourd'hui que tout ce mérite d'inventeur qu'on lui attribuait consiste à avoir fort bien copié notre fabliau.

.   .   .   .

[p. 247]   Chiche face (vilaine mine), espèce d'animal fantastique ou
de loup-garou, toujours prêt, dit-on, à dévorer les femmes,
lorsqu'elles ont le tort de ne pas contredire leurs maris . . .
Chicheface dont la maigreur prouve que les femmes ont eu
soin de ne pas lui donner l'occasion de se mieux nourrir.
Chaucer parle de celle-ci dans la copie qu'il a faite de la
Grisélidis latine de Pétrarque.

                  .   .   .   .

[p 503]   . . . En Angleterre, où le poète Chaucer fait succéder sans
pitié à toute la splendeur de la vieille chevalerie le ridicule
personnage de Sire Thopas, on trouve aussi, dans le Tournoi
de Trottenham [*sic*], les nobles cérémonies du champ clos
jouées insolemment par des bouffons.

1857. Geffroy, A. [Account of *Chaucer* in the] *Dictionnaire Général
    de Biographie et d'Histoire*, . . . par Ch. Dezobry et Th. Bachelet
    . . . Paris, 1857, première partie, p. 556.

[A short life of Chaucer, inexact, because founded on the
Testament of Love.   It concludes thus]:

    Enrichi par les bontés de la cour . . . il vécut heureux.
Jusqu'alors les poëtes anglais avaient été des savants reclus ;
Chaucer fut un homme du monde.   Encouragé par Jean
Gower, son ami, le premier guide de ses études, il assigna un
rang littéraire à la langue anglaise qu'Edouard III venait
de proclamer langue nationale, à l'exclusion du normand.
Quoiqu'il abonde en allusions classiques, il imite les auteurs
français et étrangers.   Ses poésies légères ressemblent à celles
de Froissart. . . . Le long poëme de *Troïle et Cressida* offre
des souvenirs de Pétrarque, de Boëce et d'Ovide.   Son
Temple de la Rénommée, froidement imité par Pope, est de
source provençale.   Mais ses *Contes de Canterbury*, souvent
imités de Boccace, sont surtout célèbres : on y trouve l'histoire
de Grisélidis, des satires contre les moines, une parodie des
romans chevaleresques etc.   Chaucer a un grand talent de
satire et d'observation, une imagination vive et riante ; son
style a vieilli, mais se lit encore. . . .

    [It is interesting to note that this account of Chaucer is
reprinted almost verbatim in the 12th and last edn. of this
work, Paris, 1903.   In a Preface to the 10th edn. in 1888,
M. Darsy wrote : ' Toutes les parties du Dictionnaire ont été
soumises à une revision sévère.   Tous les articles sans en,
excepter un seul, ont été contrôlés, modifiés ou remplacés

lorsqu'ils n'étaient plus en rapport avec l'état actuel de la science.' Yet we are here told that Chaucer was born in 1328, studied at Oxford, 'embrassa les erreurs de Wiclef et fut emprisonné,' and the *Testament de l'Amour* is especially cited as being one of his prose works.]

1857-61. Chatelain, Jean Baptiste de, Chevalier. *Contes de Cantorbery, traduits en vers français* . . . par le Chevalier de Chatelain. 3 tomes, London.

[t. i, p. ix] [Introduction.] Geoffrey Chaucer, le père de la Poësie Anglaise, naquit vers l'an 1328, de quelle extraction? Sa Postérité n'en sait mot; mais le Génie et l'Esprit étant la plus pure essence de la Divinité, Chaucer fut noble, le hazard l'eut-il fait naître de parents n'ayant un nom inscrit dans les fastes de la Noblesse . . . [A short life of the poet follows.]

. . . .

Les classiques, l'Astronomie, l'Astrologie, les Sciences du droit canon et du droit civil, le Commerce, l'Industrie, rien ne paraît lui [Chaucer] avoir été complètement étranger, et les Contes de Cantorbery en font foi.

. . . .

[p. xii] Sur notre traduction des Contes de Cantorbery nous avons peu de choses à dire, en laissant l'appréciation aux critiques littéraires, honnêtes, et heureusement il y en a encore un assez grand nombre en Angleterre. . . .

. . . .

[p. xiii] Regardant Chaucer comme le Boccace de l'Angleterre, le mettant sous plus d'un rapport, au moins au niveau de Shakespeare, qu'il a précédé, le considérant, nous le répétons comme le Père de la Poësie Anglaise, nous avons cru devoir élever à sa mémoire un monument Européen, en traduisant les Contes de Cantorbery en vers français; la langue de [p. xiv] Chaucer, d'un accès assez difficile pour ceux qui sont désireux d'en apprécier les beautés et d'en savourer les charmes, n'étant plus lue, même en Angleterre, que par le très petit nombre. Nous croyons donc livrer à l'admiration du continent non pas notre traduction, comme un certain *literary lawyer* (un de nos intimes ennemis qui se cache sous ce pseudonyme dans le *Morning Star*), sera tenté de nous en accuser, mais l'œuvre de Chaucer, qu'on ne se méprenne pas ! Ce n'est pas

l'habit que nous croyons digne d'admiration, c'est le moine
en chair et en os. . . .

Et bien qu'à notre avis il n'y ait pas plus de vilains mots
dans Chaucer que dans Boccace, qui a été lu par tout le
monde, encore y en a-t-il beaucoup trop pour les traduire
sans vergogne, et les jeter à la face du public dans ce dix-
neuvième siècle devenu d'autant plus prude que l'immoralité
y fleurit plus vivace. C'est en cela que notre tâche a été
fort difficile à remplir. Nous avons dû laisser autant que
possible tout son esprit à Chaucer, en adoucissant toutefois
quelques-unes de ses expressions, nous contentant de laisser
subsister sa pensée, en modifiant ou en raturant le mot trop
. . . comment dirons-nous cela ? . . . trop peu vêtu. . . .

[p. xv]   Quant à la partie matérielle de notre œuvre, nous avons
traduit les Contes de Cantorbery souvent vers pour vers,
toujours strophes pour strophes, dans les contes qui sont écrits
ainsi par leur auteur ; d'autres fois nous avons laissé courir
notre plume sans nous inquiéter d'augmenter un conte de
vingt, trente ou quarante vers, alors que nous pensions que
la narration pouvait gagner du naturel. . . .

[p. xvi]   Nous avons cru devoir comprendre dans la collection des
Contes de Cantorbery, le Conte de Gamelyn raconté par le
Cuisinier, bien qu'il y ait incertitude s'il est ou non de
Chaucer. . . .

Nous avons cru devoir rendre en vers le conte de Mélibée
raconté en prose par Chaucer, et traduit par lui d'un manu-
scrit français qui fait aujourd'hui partie du *Ménagier de
Paris*, publié par la société des *Bibliophiles Français* ; nous
avons traduit également en vers le *Conte du Curé*, ce long
Traité . . . nous paraissant moins lourd en vers.

. . . .

[t. ii,
p. vii]   [*Introduction.*] Messieurs les Puritains ont crié cependant
haro sur nous et sur notre traduction des Contes de Cantorbéry et pourquoi ? . . . Ils seraient, nous le croyons, très
embarrassés de le dire : car nous avons énormément adouci
l'expression de Chaucer dans les passages scabreux de
quelques-uns de ses contes. Nous serions vraiment tenté de
croire que la langue française étant de nos jours plus facile à
lire et à comprendre que le langage à l'écorce rude de Chaucer,
ces pudiques écrivains (Anglais) viennent de lire *le Père de la
Poësie Anglaise* pour la première fois dans notre traduction.

. . . .

[p. ix] C'est donc à l'adresse de ces critiques Puritains que nous croyons devoir citer notre réponse à un journal de province qui nous fit connaître qu'il ne serait pas rendu compte dans ses colonnes de notre traduction de Chaucer, parce que nous avions traduit l'œuvre du grand poëte *in extenso;* et que suivant le conseil que nous a donné depuis le *Guardian,* nous eussions dû omettre la moitié des contes de cet infâme Monsieur Chaucer. . . .

. . . .

[*Lettre.*] *Au pape Pie IX.*

[t. iii, p. vii] Très cher Frère en Christ.

A cette anomalie agonisante que vous faites appeler en plein xix⁰ siècle, par une modestie peu digne des Apôtres, Votre Sainteté, il a plu :—

Après les massacres de Pérouse, et par suite après la perte des Romagnes,

D'excommunier mon pauvre Moi, avec 30 millions de Français, mes compatriotes, et aussi pas mal de millions d'Italiens :

Il me plaît à moi, sans permission, et malgré l'excommunication dont Vous, l'auteur du dogme impie de l'Immaculée Conception, m'avez frappé, de Vous dédier ma traduction du *Plowman,* l'un des plus beaux poèmes du grand Chaucer.

Dans cette œuvre admirable Chaucer a maudi vos prédécesseurs, Vous et Votre Mégnie, avec une force et une logique radieuses de vérité.

Or Chaucer n'étant lu que par les Anglais, un peuple de
[p. viii] parpaillots, qui ne se prosterne pas devant les idoles créées par Votre Sainteté, j'ai cru devoir le mettre à la portée de mes compatriotes les 30 millions d'excommuniés par votre dextre sainte, en le traduisant en français, à cette fin que Vous même puissiez le lire, dans vos loisirs, lorsque vous aurez été chassé de Rome, ce qui, D.V., ne peut tarder d'arriver.

Sans modestie, comme sans présomption, je crois que la malédiction formulée par Chaucer sur les Eternelles Iniquités de la Cour de Rome produira plus d'effet que le brandon de discorde que vous avez eu la prétention de jeter ce dernier carnaval *urbi et orbi,* comme vous dites là-bas.

. . . .

Le Chevalier de Chatelain.

[p. xiii] [*Introduction.*] Pour tout homme qui veut se donner la peine de réfléchir, il demeure évident que le *Plowman* n'a été laissé de côté dans les premières éditions des Contes de Cantorbéry que parce que Chaucer y dénonçait trop vertement les abus scandaleux de la Cour de Rome ; le Catholicisme à l'aide duquel on peut réduire à l'esclavage une nation, étant alors en Angleterre et malheureusement pour elle, la religion dominante.

.   .   .   .

[p. xvi] Nos lecteurs trouveront, à la suite de l'Histoire de Béryn, l'A. B. C. longtemps attribué à Chaucer, et qui est l'œuvre de Guillaume Guileville. Nous avons été heureux d'apprendre que l'auteur du *Plowman* n'a été que le traducteur de l'A. B. C. . . . nous eussions regretté de trouver Chaucer parmi ceux qui font de Marie une vierge immaculée. La vraisemblance doit être gardée même dans un conte de fées, même dans les mythologies de l'Antiquité et des temps modernes.

1859. Sandras, E. G. *Étude sur Chaucer considéré comme imitateur des Trouvères*, Paris, 1859.

[p. 1] [*Introduction.*] Je me propose de faire connaître les œuvres de Chaucer et les sources où il a puisé, sans vouloir toutefois lui contester sa part d'originalité et son génie. Ce qui m'a déterminé à entreprendre ce travail, c'est que la plupart des écrivains qui lui ont fourni des matériaux ou des modèles appartiennent à notre pays. . . .

.   .   .   .

[p. 3]   Ces poésies [all, except the *Canterbury Tales*] ne sont ni des
œuvres originales ni de fidèles copies : véritables mosaïques,
elles se composent de passages empruntés à divers auteurs ou
à divers écrits du même auteur.   Aucune page, prise séparé-
ment, n'appartient peut-être à Chaucer ; l'ensemble est à lui.
Il choisit, il traduit, il combine.   Idées, sentiments, descriptions,   portraits,   situations,   tout est de provenance
étrangère, presque toujours de provenance française.   A ce
[p. 4]   titre, chacun de ces poëmes est digne de notre attention.

.   .   .   .

[p. 35]   Chaucer . . . dès sa jeunesse, avait fait du Roman de la
Rose son livre de prédilection.   Il en traduisit une partie, et il
prit des inspirations continuelles.   C'est au point que ce
poëte, qui sentait les beautés de la nature, qui savait les
peindre, se contente souvent dans ses descriptions d'être le
copiste de G. de Lorris ; que cet érudit . . . reproduit
l'histoire romaine telle que J. de Meung la lui transmet,
altérée par l'imagination des conteurs ; que cet homme de
génie, qui mérite d'être placé entre Aristophane et Molière,
arrive à la vieillesse, toujours sous le joug de l'imitation, et
n'ayant guère composé que des poëmes allégoriques.   Quand
il renonce à cette poésie de cour si fausse, si maniérée, et
qu'il écrit le *Pèlerinage de Canterbury*, drame vivant et populaire, on retrouve dans son œuvre les traits saillants qui
caractérisent la seconde partie du Roman de la Rose, de
longues tirades contre les femmes et le ridicule jeté à pleines
mains sur les ordres religieux.   Sans doute il remonte aux
sources premières où ont puisé ses maîtres, sans doute il
[p. 37]   étudie les ouvrages de leurs disciples, ses contemporains ;
mais c'est à l'école de G. de Lorris que son goût s'est formé
ou, si l'on veut, altéré ; c'est à l'école de Jean du Meung que
s'est façonné son esprit.

[pp. 41-   [Sandras shows that *Troylus*, although translated from
50]   the *Filostrato* of Boccaccio, owes something to Benoît de
Sainte-Maure, and that this love-tale was first related by
him, and subsequently re-told by Boccaccio, Chaucer and
Shakespeare.]

[pp. 50-   [The *Knightes Tale*, translated from the *Teseide* of Boccac-
56]   cio.   There is no proof that Boccaccio took his subject from
the Greek.]   Telle qu'elle se présente, avec les couleurs
que Boccace paraît lui avoir en partie conservées, je la
rattacherais au cycle gréco-romain ; je lui ferais une place

entre le *Roman de Thèbes* et celui de *Troie*.   Au lieu de nous laisser aller aux conjectures, il est plus sage de former des vœux pour la découverte d'un texte qui nous dise que cette charmante fiction est née de notre sol.

. . . .

[p. 66.]   . . . L'imagination, dans Chaucer, est toujours l'écho de l'érudition.   Ce n'est pas dans le spectacle de la nature, dans le drame de la vie humaine telle qu'elle s'agite autour de lui et en lui, qu'il puise directement ses inspirations ; il aime les livres, les vieux livres, d'où sort *science nouvelle comme d'un vieux champ blé nouveau*.   C'est avec les souvenirs de ses lectures qu'il compose.   Ici, dans un sujet de pure fantaisie, [the *Parlement of Foules*], il a mis à contribution Cicéron, Stace, Dante, Guillaume de Lorris, Boccace, Alain de l'Isle, G. de Machault, et peut-être quelque Volucraire qui a échappé à mes recherches. . . .

[pp. 71–72]   [Sandras prints the first lines of the rondeau which is sung by the birds [*Parl. of Foules*], 'Qui bien aime a tart oublie,' and which he finds at the beginning of one of the two poems by Machaut called *Le Lay de plour*.]

[p. 74]   . . . Même en imitant les Italiens, Chaucer s'est rapproché autant que possible de nos trouvères.

. . . .

[pp. 81–89]   [Chaucer's debt to G. de Machaut in the *Dream of Chaucer* (*Dit du Lyon*) and to Marie de France (*Lai d'Eliduc*).]

[pp. 89–95]   [His debt to the *Roman de la Rose*, to Machaut, and to Froissart in the *Boke of the Duchesse*.]

. . . .

[p. 111]   Chaucer, par certains côtés, touche à la renaissance ; il domine les préjugés de son époque ; par d'autres, il reste un homme du moyen-âge.   Il n'a pas, comme son contemporain Pétrarque, le vif sentiment, la parfaite intelligence de ce que fut l'antiquité.   Il semble ne connaître les auteurs anciens qu'à travers la naïve métamorphose que leur font subir nos trouvères. . . .

[pp. 127–132]   Conclusion de la 1e partie.

[p. 130]   En résumé, voici ce que Chaucer doit à l'Italie : il a imité le *Filostrato* et la *Théséide*, poèmes qui sont, l'un certainement, l'autre vraisemblablement d'origine française.   Très-circonspect à l'égard de Pétrarque, il ne lui a pris qu'un sonnet, et s'est peut-être souvenu du *Trionfo della Fama*.   Les

emprunts qui nous sont étrangers sont ceux qui proviennent
de la Divine Comédie ; encore Chaucer, en cette occasion,
s'est-il servi du rhythme et du style de nos trouvères, de
même que, dans *Troïlus et Cresséide*, il a préféré notre vers
élégiaque à l'hendécasyllabe italien, le stance de J. de
Brienne et de Thibaut, à l'octave, et la naïveté de nos
rimeurs, à l'élégance presque classique de son modèle.

Tyrwhitt avait soupçonné, d'après le mémoire du comte de
Caylus, qu'un *Ditié* de Machault n'avait pas été inconnu. . . .
[p. 131] [à Chaucer].   Une lecture attentive . . . des poésies . . .
de notre compatriote, m'a prouvé qu'avec le Roman de la
Rose, elles ont servi de modèle à Geoffrey, pour plusieurs
de ses compositions allégoriques. . . . [Chaucer imitates
Machault], et sans doute parce qu'il voit en lui un autre
G. de Lorris ; mais il relève cette fade poésie par sa verve
caustique et d'heureux emprunts faits à nos auteurs de l'âge
précédent, entre autres à Marie de France . . . Froissart et
Chaucer offrent des passages d'une ressemblance frappante,
. . . il est . . . difficile de se prononcer sur la priorité. . . .
[p. 132] Des poëtes français que Chaucer a mis à contribution, il n'a
nommé que celui auquel il doit le moins, et qui avait le moins
à lui prêter, Gransson, gentilhomme qu'il connut à la cour de
Richard II.

.   .   .   .

[p. 135]   2ᵉ Partie.   *Pèlerinage de Canterbury.*   L'idée d'encadrer
plusieurs histoires dans une narration, nous est venue
d'Orient ; elle a été popularisée en Europe longtemps avant
Chaucer par Pierre d'Alphonse, juif converti, auteur de la
Disciplina clericalis, et par les nombreuses versions du
Roman des Sept Sages.   Ce sont des ouvrages qui paraissent
avoir servi de modèle au Pèlerinage de Canterbury plutôt
que le Décaméron, inconnu peut-être à Geoffrey.   Mais le
poëte anglais est supérieur à ses devanciers, y compris
Boccace, par la fable, qui a un dénouement, et par la diversité
des personnages qui entraîne celle des histoires.

.   .   .   .

[p. 138]   C'est sur ce sujet [the Canterbury Pilgrimage], que le
vieux Geoffrey a composé dans une langue claire, riche, har-
monieuse, une ample comédie qui le place entre Aristophane
et Molière.   Peintre, moraliste, poëte, il embrasse dans son
[p. 139] œuvre toute la société contemporaine. . . . Cette vaste composition offre à la critique deux objets d'examen nettement

séparés ; d'un côté, l'introduction et les prologues qui pré-
cèdent les contes ; de l'autre, les contes. Une distinction
plus vraie encore consiste à étudier les caractères, puis les
situations. On voit alors clairement ce qui appartient au
génie de Chaucer, dans le tissu de chaque histoire, le poëte
anglais n'est qu'imitateur : exposition, incidents, dénouement, il emprunte tout à nos écrivains. Dans la peinture
des personnages, il est inventeur . . . il a surtout pour
[p. 140] modèle la réalité qui l'entoure.

[pp 142-194] [Description of the pilgrims.]

[pp. 194-195] On serait amené à cette conviction qu'en ce siècle, où
religieux et laïcs jouaient dans les églises des farces grossières,
Chaucer créait la vraie comédie, qu'il en façonnait la langue,
qu'il enseignait l'art de dessiner des caractères. . . . On
souscrirait peut-être à cette assertion d'un critique anglais,
que Geoffrey, dans la comédie, n'est pas inférieur à Shakespeare. . . . Toutefois, en reconnaissant tout ce qu'il y a
d'originalité et d'inspiration directe dans cette partie de
l'œuvre de Chaucer, il est juste de ne pas oublier que souvent
nos trouvères ont tracé les premiers linéaments des portraits
qu'il achève si bien.

[pp. 197-251] [The sources of the Tales.]

[p. 197] Le résultat de ces investigations laborieuses [de plusieurs
écrivains] a été de constater que le poëte anglais ne doit
rien au Décaméron, et qu'il a puisé, comme Boccace, à des
sources françaises. [This point is dealt with in detail.
(1) *Legends*, The Prioresses Tale, seconde Nonnes T. (Jacques
de Voragine), Man of Lawes T. ; (2) *Breton lays*, Clerkes T.
W. of Bathes T., Franklin's T. ; (3) *fabliaux*, Phisiciens T.
(of Jean de Meung), Maniciples T. (influence of Machault
and Jean de Meung) Somnores T., (fabliau of Jacques de
Baisieux), Milleres T., Marchantes T. (Latin fabliau), Nonne
Preestes T. (Roman du Renard).]

[p. 253] Conclusion de la 2ᵉ partie. . . . Quelle est la part d'invention qui revient à Chaucer, 1° dans la fable : 2° dans les
caractères : 3° dans les contes ?

Je regarde comme sans fondement l'opinion de Tyrwhitt . . . que c'est du Décaméron qu'est venue l'idée
[p. 254] du *Pèlerinage de Canterbury*. La *Disciplina clericalis* et le
Roman des Sept Sages avaient déjà donné l'exemple de
rassembler dans un cadre commun plusieurs histoires. Dans
de nombreux passages de nos fabliaux se trouvait décrite la

coutume, qui régnait alors chez nous, d'égayer par des récits
la table d'un hôte. . . .

2° On reconnaît que c'est dans la peinture des caractères
[p. 255] que Chaucer a déployé le plus d'originalité, et a montré qu'il
savait allier l'observation la plus exacte, la réflexion la plus
profonde, à une imagination vraiment puissante. . . .
Toutefois, même dans cette partie de son œuvre, son inspiration n'est pas entièrement dégagée de réminiscences puisées
chez nos trouvères.

3° Chaucer n'est l'inventeur d'aucun des contes insérés
dans son poëme . . . j'ai constaté que, dans les légendes, le
poëte suit ordinairement le texte ; que, dans les lais bre-
tons, il mêle l'érudition et la satire à l'élément chevaleresque ; qu'enfin, dans les fabliaux, tout en se conformant au
canevas primitif, il devient créateur, à la manière de
la Fontaine. . . .

[p. 257]   Deux noms de poëtes français me semblent caractériser le
génie du père de la poësie anglaise.   Dans ses poëmes
allégoriques et chevaleresques, Chaucer adopte le genre mis
en vogue par *G. de Lorris* ; dans le Pèlerinage de Canterbury, l'élément qui domine, c'est la satire, et les traits en
sont dirigés contre les mêmes objets qu'avait attaqués la
verve érudite et impitoyable de *Jean de Meung.*

[For critical reviews of Sandras's book, see Adolf Ebert's, of 1861, translated in
Essays on Chaucer, Chaucer Society, 1869 ; F. J. Furnivall, *Trial Forewords to
Chaucer's Minor Poems,* 1871, pp. 45–53, and *Athenæum,* Aug. 3, 1872, p. 147.]

1862–72. Chatelain, Jean Baptiste de.   *Beautés de la Poësie anglaise,*
Londres, 1862, vol. i, Introduction, pp. xi, xiv, xv, xvi ; vol. v,
1872, pp. vi, vii, xxi, 43.

[Brief allusions to Chaucer.]

1862. Le Clerc, Victor.   *Histoire littéraire de la France, ouvrage
commencé par des religieux bénédictins de la congrégation de St.
Maur et continué par des membres de l'Institut (Académie des
Inscriptions et Belles-lettres),* tome xxiv, 1862, pp. 136, 400–401,
500–501, 502, 503, 504, 505–10, 520.   [See also above, 1856.]

[p. 136]   . . . l'Angleterre a son Wiclef, apôtre de la séparation
deux siècles avant l'indépendance anglicane, et dont les
enseignements se répandent sans obstacle, propagés par le
poëte Chaucer, qui les recommande à la multitude.

[pp. 400–401]   [Chaucer's prioress, and the French which she speaks.]

       .   .   .   .

[pp. 500–501]   [Chaucer satirises chivalry in *Sir Thopas*.]

       .   .   .   .

[p. 505]   De ces traductions sans nom, ou qui portent des noms peu
connus, il est temps d'arriver à quelques noms célèbres.
Chaucer avait beaucoup 'translaté'; c'est ce que proclame
[p. 506] un de ses amis, le poëte français Eustache Deschamps :

      Grant translateur, noble Geffroi Chaucier.

      Né à Londres vers l'an 1330, mort en 1400, il avait vu la
France, l'Italie, et, comme ses meilleurs disciples, Gower et
Lydgate, il avait mis à profit les poëtes des deux pays : on ne
croit pas qu'il eût étudié ceux de la Provence.

      [A list follows of his translations and imitations, pp.
506–7.]

[p. 507]   On sait que plusieurs nouvelles des autres pèlerins, comme
celle de Griselidis . . . viennent réellement de Boccace ;
mais on n'avait pas fait une observation qui est de quelque
importance dans notre sujet, c'est que diverses circonstances
des nouvelles de Chaucer, qui ont passé jusqu'ici pour d'heureux changements de son invention, sont tout simplement
traduites de nos fabliaux.   On le louait aussi d'avoir le
premier . . . laissé voir, dans son étrange figure de sir
Thopas, le côté grotesque ou héroï-comique de la chevalerie :
nous pouvons affirmer aujourd'hui que dans ce genre qui
a fait la gloire du Pulci et de l'Arioste, il avait été devancé,
ainsi que l'auteur du Tournoi ridicule de Tottenham, par le
Dit d'aventures, par les facéties trop libres d'Audigier, par le
Siége du château de Neuville, par le petit poëme sur Charlemagne à Constantinople, et même par de grandes compositions telles que le Moniage Guillaume, Rainouart, Baudouin
de Seburg.

      Ces nombreuses imitations de notre vieille poésie française
n'avaient pas été suffisamment remarquées dans Chaucer,
parce qu'on s'était préoccupé de ses rapports avec l'Italie ;
mais nous croyons que plus on comparera ses œuvres avec
celles de nos trouvères, plus on reconnaîtra combien il leur
ressemble.   C'est une ressemblance fort naturelle de la part
de celui qui disait : 'Des esprits supérieurs se sont plu à
" dicter " en français, et ils ont accompli de belles choses ' . . .
(*Test. of Love*, prolog.).

Chaucer a tous les défauts des trouvères ; il est inégal comme eux ; il s'abandonne à tous les hasards d'une imagination capricieuse ; il ignore les conditions difficiles de l'ordre et de la proportion, l'art de préparer et de lier entre elles les diverses parties d'un récit ; le style même, qui ne manque ni de force ni d'adresse, abonde, comme chez ses maîtres, en [p. 508] négligences et en trivialités. L'avantage de Chaucer est d'avoir été toujours lu et compris d'un grand nombre de ses compatriotes, tandis que nos vieux poëtes ont eu à subir, en France, un tel oubli, qu'on y a fait honneur de leurs inventions à des imitateurs étrangers.

1862. Taine, Hippolyte. *Chaucer et son temps,* [four articles in the] *Journal des Débats,* December 16, 17, 18, & 24, 1862.

I. En quoi Chaucer est du moyen âge : poèmes d'imagination.

II. En quoi Chaucer est du moyen âge : poèmes d'amour.

III. En quoi Chaucer est Français : poèmes satiriques et gaillards.

IV. En quoi Chaucer est Anglais et original : ses portraits et son style.

[Recast in the *Histoire de la littérature anglaise,* tome i, 1863, see below.]

1863. Taine, Hippolyte. *Histoire de la littérature anglaise,* tom. i, chapitre 3, *La nouvelle Langue,* pp. 135-7, 166, 171–242 [containing] :

I. Chaucer. Son éducation.—Sa vie politique et mondaine —En quoi elle a servi son talent.—Il est peintre de la seconde société féodale.

II. Comment le moyen âge a dégénéré.—Diminution de sérieux dans les mœurs, dans les écrits et dans les œuvres d'art.—Besoin d'excitation.—Situations analogues de l'architecture et de la littérature.

III. En quoi Chaucer est du moyen âge.—Poëmes romantiques et décoratifs.—*Le Roman de la Rose.*—*Troïlus et Cressida.*—*Contes de Cantorbéry.*—Défilé de descriptions et d'événements.—*La Maison de la Renommée.*—Visions et rêves fantastiques.—Poëmes d'amour.—*Troïlus et Cressida.*— Développement exagéré de l'amour au moyen âge.—Pourquoi l'esprit avait pris cette voie.—L'amour mystique.—*La Fleur et la Feuille.*—L'amour sensuel.—*Troïlus et Cressida.*

IV. En quoi Chaucer est Français.—Poëmes satiriques et gaillards.—*Contes de Cantorbéry.*—La bourgeoise de Bath et

le mariage.—Le frère quêteur et la religion.—La bouffonnerie,
la polissonnerie et la grossièreté du moyen âge.

V. En quoi Chaucer est Anglais et original.—Conception
du caractère et de l'individu.—Van Eyck et Chaucer sont
contemporains.—*Prologue des Contes de Cantorbéry.*—
Portraits du franklin, du moine, du meunier, de la bourgeoise,
du chevalier, de l'écuyer, de l'abbesse, du bon curé.—Liaison
des événements et des caractères.—Conception de l'ensemble.—Importance de cette conception.—Chaucer précurseur
de la Renaissance.—Il s'arrête en chemin.—Ses longueurs et
ses enfances.—Causes de cette impuissance.—Sa prose et ses
idées scolastiques.—Comment dans son siècle il est isolé. . . .

[p. 172]   [Vers le quatorzième siècle, en Angleterre] . . . il y
avait place pour un grand écrivain.   Un homme supérieur
parut, Jeffrey Chaucer, inventeur quoique disciple, original
quoique traducteur, et qui, par son génie, son éducation et
sa vie, se trouva capable de connaître et de peindre tout un
monde, mais surtout de contenter le monde chevaleresque
et les cours somptueuses qui brillent sur les sommets. . . .

[p. 173] Comme Froissart, et mieux que Froissart, il a pu peindre
les châteaux des nobles, leurs entretiens, leurs amours, même
quelque chose d'autre, et leur plaire par leur portrait. . . .

.   .   .   .

[p. 182] Chaucer décrit une troupe de pèlerins, gens de toute con-
dition qui vont à Cantorbéry . . . qui conviennent de dire
[p. 183] chacun une histoire. . . . Sur ce fil léger et flexible, tous les
joyaux, faux ou vrais, de l'imagination féodale viennent
poser bout à bout leurs bigarrures et faire un collier . . .
Chaucer est comme un joaillier, les mains pleines ; perles et
verroteries, diamants étincelants, agates vulgaires, jais
sombres, roses de rubis, tout ce que l'histoire et l'imagination
ont pu ramasser et tailler depuis trois siècles en Orient, en
France, dans le pays de Galles, en Provence, en Italie, tout
ce qui a roulé jusqu'à lui entrechoqué, rompu, ou poli par le
courant des siècles, et par le grand pêle-mêle de la mémoire
humaine, il l'a sous la main, il le dispose, il en compose une
longue parure nuancée, à vingt pendens, à mille facettes, et
qui, par son éclat, ses variétés, ses contrastes, peut attirer et
contenter les yeux les plus avides d'amusement et de
nouveauté. . . .

[p. 200]   [Love-poems.   In writing of *Troylus*, Taine gives a quotation from *The Cuckoo and the Nightingale*, ll. 241-250,

wherein the nightingale weeps for sadness on hearing the
cuckoo speak evil of love.]

> Eh bien, dit-il, use de ce remède, . . .
> Puis il commença bien haut la chanson
> ' Je blâme tous ceux qui sont en amour infidèles.'

C'est jusqu'à ces délicatesses exquises que l'amour, ici
comme chez Pétrarque, avait porté la poésie : même par
raffinement, comme chez Pétrarque, il s'égare ici parfois dans
le bel esprit, les concetti et les pointes. Mais un trait
[p. 201] marqué le sépare à l'instant de Pétrarque. S'il est exalté, il
est outre cela gracieux, poli, plein de mièvreries, de demi-
moqueries, de fines gaietés sensuelles, et un peu bavard, tel
que les Français l'ont toujours fait. C'est que Chaucer ici
suit ses véritables maîtres, et qu'il est lui-même beau diseur,
abondant, prompt au sourire, amateur de plaisir choisi, disciple
du *Roman de la Rose,* et bien moins Italien que Français.
La pente du caractère français fait de l'amour, non une pas-
sion, mais un joli festin, arrangé avec goût, où le service est
élégant, la chair [*sic*] fine, l'argenterie brillante, les deux
convives parés, dispos, ingénieux à se prévenir, à se plaire,
à s'égayer et s'en aller. Certainement dans Chaucer, à côté
des tirades sentimentales, cette autre veine coule, toute
[p. 202] mondaine. . . . Non seulement il est gai, mais il est moqueur
d'un bout à l'autre du récit [de *Troïlus et Criseyde*], il voit
clair à travers les subterfuges de la pudeur féminine ; il en
rit malicieusement et sait bien ce qu'il y a derrière ; il a l'air
de nous dire, un doigt sur les lèvres : 'Chut ! laissez couler
les grands mots, vous serez édifié tout à l'heure.' . . .
[p. 203] D'autres traits sont encore plus gais : voici venir la vraie
littérature gauloise, les fabliaux salés, les mauvais tours joués
au voisin, non pas enveloppés dans la phrase cicéronienne de
Boccace, mais contés lestement et par un homme en belle
humeur. Surtout voici venir la malice alerte, l'art de rire
aux dépens du prochain. Chaucer l'a, mieux que Rutebeuf,
[p. 204] et quelquefois aussi bien que la Fontaine. Il n'assomme
pas, il pique, en passant, non par haine ou indignation profonde, mais par agilité d'esprit et prompt sentiment des
ridicules ; il les jette à pleines poignées sur les personnages.
[Taine then deals with the Wife of Bath & the Monk.]

. . . .

[p. 217]   Pour la première fois, chez Chaucer, comme chez Van
Eyck, le personnage prend un relief, ses membres se tiennent, il n'est plus un fantôme sans substance, on devine son
passé, on voit venir son action . . . encore aujourd'hui,
après quatre siècles, il est un individu et un type ; il reste
debout dans la mémoire humaine comme les créatures de
Shakespeare et de Rubens.   Cette éclosion, on la surprend
ici sur le fait.   Non-seulement Chaucer, comme Boccace, relie
ses contes en une seule histoire, mais encore, ce qui manque
chez Boccace, il débute par les portraits de tous ses conteurs,
[p. 218] chevalier, huissier [etc.] . . . environ trente figures distinctes . . . chacune peinte avec son tempérament . . .
ses habitudes et son passé . . . si bien qu'on trouverait ici,
avant tout autre peuple, le germe du roman de mœurs tel
que nous le faisons aujourd'hui. . . .

[p. 222] [Portrait of the Prioress.] Voici donc la réflexion qui
commence à poindre, et aussi le grand art.   Chaucer ne
s'amuse plus, il étudie. . . . Chaque conte est approprié au
conteur. . . . Tous ces récits sont liés, et beaucoup mieux
que chez Boccace, par de petits incidents vrais, qui naissent
du caractère des personnages, et tels qu'on en rencontre en
voyage. . . .

[p. 225]   On est sur le bord de la pensée indépendante et de la
découverte féconde.   Chaucer y est.   A cent cinquante ans
de distance, il touche aux poëtes d'Élisabeth par sa galerie
de peintures, et aux réformateurs du seizième siècle par son
portrait du bon curé.

1864. Sainte-Beuve, C.-A. [Review of Taine's *Histoire de la
Littérature anglaise,* reprinted in] *Nouveaux Lundis,* tome viii,
Paris, 1867, pp. 90, 92, 132.

[p. 90]   Chaucer, le premier en date des poëtes et conteurs anglais,
est un disciple des trouvères et auteurs de fabliaux ; il y
joint pourtant, dans le tour et la façon, quelque chose de bien
à lui ; il a déjà de ce qu'on appellera *l'humour* et une grande
vivacité naturelle de description : on l'a heuresement comparé à une riante et précoce matinée de printemps.

1865. Circout, Adolphe de. [Review of *The Origin and History of
the English Language, etc.,* by G. P. Marsh, *q. v.* above, Pt. ii, sect. i,
1862, in the] *Revue Britannique,* August, 1865, pp. 474, 476.

[p. 475] *Chaucer* occupe, dans la littérature anglaise, le même rang
que Dante dans celle de l'Italie.   De même que son incom-

parable précurseur, il n'a rien inventé, dans le sens absolu de ce terme . . . ses contemporains hors d'Angleterre ne le saluaient que du titre de 'grand translateur,' c'est pourtant sur les compositions originales de Chaucer, bien plus que sur sa version métrique du *Roman de la Rose*, que repose l'édifice solide de sa réputation. Les *Récits du pèlerinage à Cantorbéry* peuvent supporter la comparaison avec le *Decamerone*, et Chaucer, en tant que poëte, l'emporte certainement sur Boccace. . . .

1866. Unknown. [Review of Taine's *Histoire de la littérature anglaise* translated from the *Edinburgh Review* of April, 1865, in the] *Revue Britannique*, January 1866, pp. 56–57, 59.

[p. 56] La langue anglaise était formée; un grand poëte parut pour en montrer la richesse. Chaucer est un gentilhomme accompli qui sait le monde. . . . Gai et léger de tempérament comme un Français, il est pourtant de son pays. A des conceptions dramatiques, à un rude esprit de satire, il joint un goût passionné pour la nature et une veine de méditation sérieuse qui caractérisent le génie anglais.

1867. Larousse, Pierre. [Article '*Chaucer*' in the] *Grand dictionnaire universel du* XIXᵉ *siècle*, tome iii, p. 1093, col. 1 and 2.

Chaucer (Geoffroy), poëte anglais, né à Londres en 1328, mort en 1400. Il était, suivant les uns, fils d'un marchand, suivant d'autres, issu d'une famille noble. Quoi qu'il en soit, il fit de bonnes études à Cambridge et à Oxford [etc., the *Court of Love*]. . . . Indépendamment de grandes qualités poëtiques, Chaucer annonça de bonne heure un esprit juste et profond, capable de s'appliquer aux sciences positives. Après être sorti des universités, Chaucer voyagea quelque temps en France et dans les Pays-Bas, puis il entra à la cour dans les pages d'Edouard III. Cette cour était alors la plus brillante et la plus polie de l'Europe. . . . Chaucer s'attacha bientôt au duc de Lancastre . . . il épousa même une des femmes de la duchesse, [et le roi] lui confia d'importantes missions diplomatiques et lui donna ensuite la place lucrative de contrôleur des douanes. A cette heureuse époque de sa vie, Chaucer composa ses poëmes si gais et qui semblent si bien appropriés à l'humeur de son temps. L'esprit galant et guerrier qu'on y rencontre était alors en vogue : aussi leur publication lui acquit-elle une grande renommée. Ses ouvrages furent généralement applaudis, excepté par les moines, dont il attaquait les mœurs dissolues, comme tous les écrivains du XIVᵉ siècle ; . . . Les moines ameutèrent la populace de Londres contre Chaucer, en même temps que contre le duc de Lancastre, qui s'était déclaré contre eux. L'hôtel même du duc fut saccagé.   Chaucer suivit les chances diverses de la fortune de son patron ; il subit l'exil, la prison ; il fut enfermé pendant trois années à la Tour de Londres. On lui a fait le reproche d'avoir abandonné ses anciens amis et de s'être rallié à la cour ; on l'a accusé même d'avoir fait, pour quitter sa prison, de coupables révélations ; mais, comme ces prétendues révélations de Chaucer n'amenèrent pour personne de résultats fâcheux, cette accusation tombe d'elle-même.   Chaucer, qui dans sa jeunesse avait traduit les *Consolations* de Boëce, n'en montrait pas plus de constance et de résignation ; la prison le consumait : il voulut en sortir et se rapprocha d'une cour qui ne demandait pas mieux que de le recevoir.

Richard II régnait alors.   Ce prince rendit au poëte ses pensions, et l'admit auprès de sa personne ; mais Chaucer se retira bientôt à Woodstock, pour y vivre dans la solitude, occupé seulement de ses travaux littéraires.   Il y revit tous ses ouvrages, qu'il corrigea avec soin, se levant avec le soleil et jouissant de tous les charmes du délicieux séjour qu'il avait choisi.   Henri IV, successeur de Richard, voulut ramener Chaucer à la cour ; le poëte se rendit à Londres ; mais la mort l'y attendait.   Il mourut le 25 octobre 1400. Il fut enseveli dans l'abbaye de Westminster, ce panthéon des *illustrations* de l'Angleterre, où les grands écrivains dorment à côté des rois et des grands capitaines.   On peut y voir encore le monument dédié à Chaucer.

Plusieurs critiques ont reproché à Chaucer de s'être servi d'une foule de mots français, et d'avoir vicié le pur et antique saxon : ' Ils n'ont pas pris garde,' dit M. H. Lucas, ' que depuis la conquête on parlait français à la cour d'Angleterre, et que les écrivains qui ont devancé Chaucer ont écrit en français lorsqu'ils n'ont pas écrit en latin.   Il faut lui savoir gré d'avoir ressuscité plutôt la langue d'Alfred et d'Egbert.'

. . . Son chef-d'œuvre est la collection de contes en vers intitulés *Contes de Canterbury*, dans la forme du *Décaméron*, et qui nous font connaître les mœurs des diverses classes de la société anglaise du XIVᵉ siècle.   On trouve dans ces

contes des portraits peints avec finesse et vérité, des traits
satiriques contre le clergé qui rappellent le *Partisan* de
Wiclef, beaucoup d'imagination, et une naïveté malicieuse
à laquelle le langage du temps prête un charme particulier
pour les Anglais. On a encore de Chaucer : *Troïle et
Cressida,* le *Temple de la Renommée,* une traduction libre du
Roman de la Rose, et divers autres poëmes remplis de
rêves, d'allégories et de dissertations morales ou théologiques
dans le goût du temps ; et où l'on peut relever des
imitations de Boccace, de Pétrarque, de Froissart et des
troubadours, mais qui étincellent de beautés originales et
vraies. Ses œuvres ont été souvent réimprimées. L'une
des meilleures éditions est celle de Harris Nicholas (Londres,
1845), avec une vie de Chaucer.

1867. Ampère, J. J. *Mélanges d'histoire littéraire,* Paris, 1867, pp. 94,
352, 450, 454.

[p. 450] Les Renaissances.

La littérature anglaise, au moyen âge, ne nous offrira
point un de ces sommets élevés que nous ont montrés
l'Italie ou l'Espagne, mais une gracieuse colline, semblable
à celles qui forment la riante parure de l'Angleterre ; et
autour de cette colline nous apercevons serpenter à l'horizon
le cortège mêlé des personnages si divers, et tous si
vivement dessinés par Chaucer, des pèlerins de Cantorbéry.
Ils vont vers la vieille cathédrale et, chemin faisant,
racontent des fabliaux un peu à la manière de Boccace :
cela est gracieux, aimable, mais n'a rien de la grandeur . .
ni de cette montagne au sommet de laquelle était Dante, ni
même de ce rocher de la vieille Castille dont la cime portait
le château fort du Cid.

1870. Circourt, Adolphe de. [Article on] *Canterbury,* [in the] *Revue
Britannique,* June 1870, p. 393.

. . . Canterbury, pendant le quinzième siècle, vit à
plusieurs reprises cent mille pèlerins inonder son étroite
enceinte. Geoffroy Chaucer et son continuateur anonyme
nous ont transmis le tableau curieusement bizarre de leurs
occupations, de leurs joyeuses cavalcades, de leurs dispositions d'esprit.

1870. Pichot, Amédée. [Notice of the poems of W. Morris in the]
Revue Britannique, June 1870, p. 561.

Son modèle est le vieux Chaucer dans le *Pèlerinage de Cantorbéry* . . . chaque mois [of the *Earthly Paradise*] fournit le texte d'un prologue qui rappelle heureusement tantôt un avant-propos de Chaucer, tantôt les gracieuses digressions de l'Arioste.

1873. Larousse, Pierre. *Grand Dictionnaire universel du* XIX° *siècle,* tome x, 1873, p. 821, article 'Lydgate (John).' [Chaucer twice named.]

1875. Dantès, Alfred. [Article '*Chaucer'* in the] *Dictionnaire biographique et bibliographique alphabétique et méthodique des hommes les plus remarquables dans les lettres, les sciences et les arts chez tous les peuples, à toutes les époques,* p. 177.

Chaucer (Geof.) 1328, Lond.—1400, Dunington. Poëte angl., envoyé en mission en Italie, puis en France, obtint les faveurs d'Edouard III et de Henri IV, mais fut persécute p. Richard II ; est considéré comme le père de la poésie angl., son style a de la vivacité et de l'éclat.

Contes de Canterbury, La Cour d'amour, Le Temple de la Renommée, Le Testament de l'amour, Troïlus et Cressida, Le Roman de la Rose.

Œuv. éd. angl. p. Thomas, Lond., 1721, fo. fig. ; p. *Tyrwhitt,* Oxford, 1798, 2. gr. 4° ; p. id. Lond., 1845, gr. 8° ; 1830, 5, p. 8°, et 1855, 8, 12° ; éd. fr. en vers. p. *Chatelain,* ib. 1857, 2, gr. 8°, et 3, 12°.

[References to Godwin, Nicolas, Gomont, and four reviews.]

1875. Dantès, Alfred. *Tableau chronologique* . . *des principaux évènements de l'histoire du monde, depuis la création jusqu'à nos jours* [Supplement to the *Dictionnaire biographique*], p. 18.

1400. Déposition de Wenceslas. Avèn. de Robert. Mort de Chaucer, poëte anglais.

1876. Chasles, V.-E. Philarète. *Voyages d'un critique à travers la vie et les livres. L'Angleterre littéraire,* Paris, 1876, pp. 4, 6–7.

[p. 4]   Les premières œuvres de talent que l'on rencontre dans la littérature anglaise avant le seizième et pendant le seizième siècle, les bons contes de Chaucer, la vision du laboureur Pierce, la prose concise et piquante de Bacon, portent ce cachet original de la langue et du génie anglais.

[p. 6]   D'époque en époque, chacune des nuances du mouvement intellectuel en Angleterre s'est caractérisée d'une manière nouvelle. Le style de Chaucer n'est pas plus celui de Shakespeare que celui de Walter Scott.

1876. Vapereau, G. [Notices on *Chaucer, Gower, Lydgate* and *Chatterton*] *Dictionnaire universel des Littératures*, pp. 440–2, 918–9, 1287.

Chaucer (Geoffrey), célèbre poëte anglais, né en 1328, mort en 1400. Son nom sous la forme française, *chaussier,* semble indiquer une origine normande et, par conséquent, une certaine noblesse ; lui-même se donna pour *Londenois* . . . Chaucer était d'un caractère aimable, porté à la méditation, et jouissait avec délices des beautés de la nature . . .

On distingue dans les œuvres de Chaucer deux influences principales, celle de la poésie française prédominante dans les premières, et celle de la poésie italienne prenant le dessus dans les dernières et les plus belles, l'inspiration du poëte restant d'ailleurs originale et bien anglaise. On y retrouve aussi celle des nouvelles idées de la réforme en matière religieuse. . . .

Parmi les ouvrages qui relèvent de l'influence française, on compte : le *Roman de la Rose, la Cour d'Amour, l'Assemblée des oiseaux, le Coucou et le Rossignol, la Fleur et la Feuille, le Songe de Chaucer, le Livre de la duchesse, la Maison de la Renommée ;* on rattache à l'influence italienne : *la Légende des bonnes femmes, Troïlus et Creseide,* et *les Contes de Canterbury* (Canterbury's Tales) [*sic*] la dernière de ses grandes productions et son chef-d'œuvre. . . .

Le *Roman de la Rose,* qui ouvre la première [série], est traduit du français. La portion de Guillaume de Lorris (5000 vers) est entièrement traduite ; celle de Jean de Meung est rapidement résumée. Là même où le traducteur est le plus fidèle, il ajoute des touches vigoureuses et poétiques au texte. . . .

[A description of the other poems is given] . . .

C'est dans ses contes de Canterbury, que Chaucer a montré tout son talent descriptif, et plus encore ce génie créateur, ce don suprême de produire des personnages vrais, vivants. . . .

Quant aux contes et récits que font ces personnages, Chaucer ne paraît pas avoir pris la peine d'en inventer aucun ; il les emprunte aux fabliaux français, au recueil célèbre des *Gesta Romanorum,* à Boccace ; ils sont, les uns pathétiques, les autres satiriques ; tous les tons conviennent à Chaucer, qui sans doute n'est pas exempt de quelque grossièreté, mais qui va de préférence à tout ce qui est honnête, noble, élevé. . . .

Chaucer a écrit en prose une traduction de la *Consolation de Boëce*, une imitation du même livre sous le titre de *Testament d'Amour.*

Chatterton. . . . . La lecture de Chaucer et de Percy com-pléta son instruction d'antiquaire. . . . . Ces œuvres [the Rowley poems] n'avaient d'antique que l'orthographe sur-chargée de consonnes et une partie du vocabulaire empruntée à Chaucer et à d'autres poëtes des xive et xve siècles.

1877. Chasles, Emile. *Extraits des classiques anglais accompagnés d'une histoire de la littérature anglaise et de notices biographiques* . . . Paris, 1877, pp. 2, 3, 4–7, 8, 10.

[p. 4]   Après la *Vision de Ploughman*, il faut citer les contes tout différents de Chaucer, qui sont trop célèbres pour ne pas mériter une mention spéciale. [Then comes pp. 4–5, a description of the pilgrims, translated from the *Prologue*.]

[p. 5]   Ainsi débute l'ouvrage célèbre intitulé *Canterbury Tales* que Chaucer écrivit dans sa vieillesse. . . . . La collection de ces contes forme un livre très-piquant, très-varié et qui aujourd'hui même peut se lire avec un vif plaisir, tant l'écrivain est observateur spirituel et peintre admirable. . . .

[p. 6]   [A short life of Chaucer.]

[p. 10]   L'inspiration de *Piers Ploughman* se retrouvera dans Bunyan et dans Milton, le trait pittoresque et familier de Chaucer dans Goldsmith. . . .

1878. Jusserand, J. J. *Le Théâtre en Angleterre depuis la conquête jusqu'aux prédécesseurs immédiats de Shakespeare*, Paris, 1878, pp. 25, 28, 66, 72, 84 *n.*, 105, 108–10, 144, 145, 153, 155–56 *n.*, 160, 207 *n.*, 216, 220.

[p. 144]   [The humour of the Middle Ages.] Ainsi, au Moyen Age, l'entendait Chaucer. Esprit ingénieux et charmant, vraiment naïf, de la même naïveté malicieuse et rieuse que nôtre bon La Fontaine, il croit que les honnêtes gens peuvent, sans grand mal, rire aux discours licencieux d'un meunier ivre ; Madame de Sévigné était de son avis. . .

[p. 145]   Chaucer avait réuni dans un cadre unique une collection complète de portraits . . . et les figures souriantes, ou grondeuses, ou réjouies, montraient surtout comment les âmes étaient faites. Il nous restait à voir quelques-uns de ces personnages sortir de leur cadre, prendre la parole et vivre un instant, sur les planches, la vie que leurs originaux menaient dans la rue. Ce fut John Heywood . . . qui les fit monter sur la scène.

1879. Sarradin, A. *Eustache Des Champs, sa vie et ses œuvres*, Paris, 1879, note, pp. 315–317.

Un fait assez curieux à noter, ce sont les relations de l'Angleterre et de la France au xiv⁰ siècle. La situation respective des deux pays amena fréquemment à la cour de Charles V ou de son fils des négociateurs anglais. Ce fut ainsi que le poète Chaucer vint en France au commencement de l'année 1377, chargé d'une mission diplomatique. Des Champs dut le voir à cette époque . . . [Deschamps' ballad to Chaucer is quoted]. . . . G. Chaucer n'a écrit qu'en anglais ; mais son ami et son émule Jean Gower a écrit en français. . . . Il est curieux de retrouver de l'autre côté de la Manche, toute la poétique en usage alors chez nous. . . . [Relations between the work of Machaut, Froissart and Chaucer].

1880. Hallberg, Eugène. *Histoire des littératures étrangères, Littératures anglaise et slave depuis leurs origines jusqu'en* 1850, p. 8. [See below, 1881, Jusserand.]

1880. Jusserand, J. J. [Review of *Chaucer*, by A. W. Ward (English Men of Letters series), 1879, in the] *Revue Critique d'Histoire et de Littérature*, November 1880, pp. 347–50.

Si le lecteur ne demande pas une exactitude absolue dans les faits et une grande précision dans les raisonnements, le livre de M. Ward lui plaira . . . pp. 45–6 [of Ward]. Les qualités de l'âme et du cœur de Chaucer sont divisées en deux catégories : les vices et les vertus ; les premiers lui viennent de France, les autres d'Angleterre, parce que le génie des deux peuples est tout différent. Sur ce point, aucune objection ; seulement pourquoi voir la marque d'un esprit français dans l'indifférence suprême d'un auteur à la licence qui peut régner dans ses écrits ? C'est faire de Shakespeare et de plusieurs autres des Français malgré eux.

p. 56 [of Ward] M. W. considère le *Romaunt of the Rose* comme œuvre authentique de Chaucer et en déduit beaucoup de conclusions sur le génie et l'esprit de l'auteur. On trouvera sa démonstration peu décisive. . . .

1881. Guillon, Félix. *Étude Historique et biographique sur Guillaume de Lorris*, Orléans et Paris, p. 100.

Geoffrey Chaucer, 'le poète, l'ami et l'allié du roi Henri vi [*sic*], d'Angleterre,' dans *The Romant of the Ross* [*sic*], traduisit entièrement la partie du poëme qui revient à G. de Lory.

1881. Jusserand, J. J. [Notice of *Littératures anglaise et slave* . . . by Eugène Hallberg, Paris, 1880] *Revue Critique d'Histoire et de Littérature,* February 1881, pp. 102, 103.

> . . . Mieux vaut passer sous silence la déclaration que l'auteur [M. Hallberg] a revu ' tous les faits, tous les noms et les dates principales de son livre,' d'après ' l'encyclopédie de la littérature anglaise ' d'Allibone . . . Chaucer [paraît-il] est né en 1328 (p. 8) ; il est l'auteur du *Testament d'amour* (p. 8) . . .

1881. Paris, Gaston. *Histoire Littéraire de la France* . . . tome xxviii, 1881, p. 181.

> [Article on William de Wadington and his *Manuel des Péchés.*] Ces traits [neglect of French grammar, metre and orthography by the Anglo-French authors] se retrouvent d'ailleurs, ainsi que nous l'avons dit, chez plus d'un des représentants de cette étrange littérature, composée en français par des Anglais, fruit de l'enseignement autant que de l'imitation, moitié morte et moitié vivante, qui, née sous l'influence de la littérature française à la suite de la conquête, ne céda que lentement le terrain à la réaction de la littérature nationale, et ne disparut qu'au moment où déjà, sous la plume de Chaucer, celle-ci brillait d'un vif éclat.

1882. Boucher, Léon. *Tableau de la Littérature anglaise,* pp. 20–26, 29, 33, 77, 97, 139, 149.

[p. 20] L'œuvre de Geoffrey Chaucer (1340–1400) présente en raccourci l'image de la société du xive siècle. C'est une véritable tapisserie de haute lice où se dressent dans les attitudes les plus variées et sous les couleurs les plus éclatantes toutes les figures du monde chevaleresque, ecclésiastique et bourgeois qui s'agite sur le seuil des temps modernes, avec son idéal, ses goûts, ses passions, son ignorance et ses appétits. . . .

    .   .   .   .

[p. 23] (Contes de Canterbury.) Récits de guerre et d'amour, légendes pieuses et romantiques, contes gracieux et spirituels,
[p. 24] toute la poésie du moyen âge qui va finir, s'y trouve représentée dans ce qu'elle a de plus naïf, de plus touchant et de plus satirique, depuis la pathétique aventure de Grisélidis, type admirable d'affection et de patience conjugales, jusqu'à la parodie même de l'idéal chevaleresque, ridiculisé dans la chanson de Sir Thopas. .

Admirable observateur de l'être humain et merveilleux
conteur, joignant au don du rire celui des larmes, et la finesse
à la naïveté, Chaucer n'est pas seulement un poëte dramatique
avant le drame et comique avant la comédie, c'est encore et
surtout le créateur de la langue poétique, le premier qui ait
su mettre de l'art et un grand art dans son œuvre.

1883. Baret, Adrien. *Étude sur la langue anglaise au* XIVᵉ *siècle.*
Thèse de Doctorat, Fac. des lettres de Bordeaux, Paris, 1883,
chapitres iv—x.

Chapitre vi. Vie de Chaucer, et description de son influence prépondérante sur la formation de l'idiome anglais.
[M. Baret says that Chaucer was born in 1328, and he seems
to regard the *Testament of Love* as authentic.]

[p. 110] [Chaucer] était Anglais par le cœur, mais Français par
l'esprit. Il nous appartenait, à son insu sans doute, par la
finesse satirique de son esprit, la multiplicité de ses aptitudes
et la forme classique de ses conceptions.

Ch. vii. 'The King's English.' Étude de la langue de
Chaucer, et ses emprunts au francais.

[p. 118] Constatons d'abord par quelques exemples que le mélange
des mots français n'y est pas fait au hasard, et qu'il dépend
toujours des exigences du sujet choisi par le poète. Dans le
style familier, dans la peinture des mœurs populaires, même
lorsque le récit est une imitation des fabliaux français,
Chaucer se garde bien de sortir du vocabulaire anglo-saxon.
[M. Baret compares the *Milleres Tale*, ll. 312–26 with the
Clerk's Prologue, ll. 15–25, or the *Hous of Fame*, ii, ll.
345–51.]

Ch. viii. 'La Versification de Chaucer.' Manière de
scander ses vers ;—ils sont basés sur l'accent tonique. Règles
de l'accentuation chaucérienne. [This chapter is based on
Skeat and Child.]

Ch. ix. La Prononciation de la langue de Chaucer [based
on Ellis].

Ch. x. Le Génie de Chaucer. Il a le tempérament
dramatique. Son style. Étude des Canterbury Tales. La
comédie chez Chaucer.

[p. 188] Chaucer . . . homme d'étude et d'observation, toujours
froid, mais toujours attentif, se plaît à étudier les mœurs de
la société qui l'environne, et il parvient à les peindre avec
un rare bonheur. Comme Homère, et La Fontaine, il sait

d'un seul mot animer une physionomie, éclairer tout un
tableau. . . .

[p. 189]   . . . L'imagination n'occupe pas le premier rang dans sa
poésie ; l'enthousiasme y est rare ; il observe bien plus qu'il
n'admire.

[p. 196]   Chaucer possède déjà toutes les qualités distinctives du
génie anglais, mais le côté dramatique de son talent est
surtout remarquable. . . .

Quel que soit son sujet . . . les personnages qu'il met en
scène agissent beaucoup plus qu'ils ne parlent. . . .

1883. Filon, Augustin. *Histoire de la Littérature anglaise depuis ses
origines jusqu'à nos jours.* Chapitre IV., *l'Age de Chaucer.* Vie
de Chaucer, pp. 52–54.—Œuvres diverses de Chaucer, pp. 54–55.—
Les contes de Canterbury, pp. 55–59. Chapitre V, *De Chaucer à
Spenser.* Les héritiers de Chaucer, p. 61.

[p. 43]   On parle encore français en Angleterre ; mais quel
français ? Celui de Stratford Atte Bowe, que Chaucer met
sur les lèvres de sa Prieure, et qui est resté proverbial.
Enfin, en 1404, deux envoyés anglais en France, dont l'un
est Sir Thomas Swynford, le neveu de la femme de Chaucer,
déclarent ' ne pas plus savoir le français que l'hébreu.'

[p. 52]   *Vie de Chaucer.* . . . Voici Chaucer, synthèse vivante des
deux races, greffée sur une puissante originalité poétique. Il
est à la fois Anglais et Normand, et, en outre, il est lui-même.

. . . On s'accorde généralement à croire que Geoffrey
Chaucer naquit en 1328 [reprinted in the edn. of 1896]. . . .

[p. 53]   Les lettrés et les poètes de l'époque le considéraient
comme leur chef et leur maître. Sa renommée avait passé
le détroit, comme le prouve cette dédicace d'un poète français
[E. Deschamps], qui lui offrit ses vers :

' Grant translateur, noble Geoffroy Chaucer.'

Chaucer mourut en 1400, dans une petite maison qui
dépendait de Westminster, et, tout naturellement, on l'en-
terra dans l'abbaye. Cette sépulture fit précédent, et créa
une tradition. Chaucer est le plus ancien habitant du *Poet's
corner.* . . .

[p. 54]   *Œuvres diverses de Chaucer.* On ne peut déterminer la date d'aucune des compositions de Chaucer ; néanmoins, s'il était permis d'établir des conjectures sur un fait qui manque lui-même de certitude, on ferait deux parts de la vie littéraire et de l'œuvre de Chaucer. On rangerait dans la première catégorie les poèmes qui portent la trace de l'influence romane et gothique, dans la seconde ceux qui offrent déjà le reflet de la Renaissance italienne.

[The *Court of Love, Flower and Leaf,* and *Cuckoo and Nightingale* are mentioned among his works.]

[p. 55] Pope n'a pas dédaigné d'imiter *The House of Fame,* et n'a pas réussi à l'égaler. Chaucer entendait le mot *fame* dans le double sens du latin *fama,* car il nous montre à la fois le temple de la Gloire et la demeure de la Renommée. Dans la *Légende des Bonnes Femmes,* nous découvrons une méthode différent, un art nouveau. Plus de rêve, plus de vision, plus d'allégorie, mais une série de tableaux ou de récits, des types plus ou moins historiques, en tout cas dramatiques et humains autant que ceux de Shakespeare. . . . En traduisant, à son tour, ce sujet grec [*Troilus and Cressida*], déjà retouché par l'art florentin, Chaucer lui enlève les derniers traits de sa physionomie originale. Il déguise un héros d'Homère en amoureux transi ; il transforme en une coquette du *Décaméron* la contemporaine d'Andromaque et de Nausicaa. . . .

[p. 58] *Les Contes de Canterbury.* . . . Puis, les récits se succèdent comme dans le *Décaméron* de Boccace, auquel cette forme de poème est empruntée. Mais combien est évidente la supériorité de Chaucer ! Combien l'art est, chez lui, plus sensible et plus délicat ! Les jeunes gens et les jeunes femmes du *Décaméron* vivent dans le même milieu, ont mêmes idées, même âge, à peu de chose près même caractère. Ici, chaque conte est approprié au conteur, et l'on vient de voir combien les conteurs diffèrent. . . . Tous ces récits sont liés, et beaucoup mieux que chez Boccace, par de petits incidents vrais, qui naissent du caractère des personnages et tels qu'on en rencontre en voyage. . . . L'ensemble du tableau est si bien [p. 59] calculé, l'aspect est si vivant et si gai, que le lecteur 'se prend d'envie de monter à cheval par une belle matinée riante, le long des prairies vertes, pour galoper avec les pèlerins jusqu'à la châsse du bon saint de Canterbury.' [Taine.]

1883. Brunetière, F. [Review of Filon's *Histoire de la littérature anglaise*] *Revue des Deux Mondes,* August 1883, pp. 699, 704.

[Brief references to Chaucer and his *Canterbury Tales.*]

1883. Beljame, Alexandre. *Le public et les hommes de lettres en Angle-terre au* xviiie *siècle*, Paris, 1883, p. 316.

[Sir William Temple does not mention Chaucer among the modern poets in his *Essay upon Ancient and Modern Learning*, and Swift attributes to Shakespeare one of Chaucer's characters, the Wife of Bath.]

1883. Dreyss, Charles Louis. *Chronologie universelle*, 5e édn, Paris, 1883, tome i, à l'an 1400 [1st edn., 1846].

1400. Mort du premier grand poète anglais, Chaucer : ses productions ressemblent un peu à celles de Boccace. Sectaire de Wiclef, après avoir été persécuté sous Richard ii, il était rentré en faveur à l'avènement des Lancastre, ses protecteurs.

1883. Montégut, Émile. *Caractères généraux de la littérature anglaise* [in] *Essais sur la littérature anglaise*, Paris, 1883, pp. 103, 104, 105.

[p. 104] Il existe bien une période anglo-normande ; mais, pendant toute cette période, le génie saxon se cache ou se tait. . . . Cette période se réduit, à proprement parler, à un seul nom, Chaucer. Celui-là est bien un Français si l'on veut, et on reconnaît en lui un contemporain de Froissard. . . .

[p. 105] Ainsi, pendant toute la période anglo-normande, il ne saurait être question de la combinaison du génie normand et du génie saxon, puisque ce dernier reste muet, et que le seul écrivain qu'on puisse citer, Chaucer, n'est qu'un Français qui s'exprime en langue anglaise.

1884. Jusserand, J. J. *La Vie Nomade et les routes d'Angleterre au* xive *siècle*, Paris, 1884, pp. 6, 16, 17, 53, 69, 70, 104, 109, 118, 119, 120, 121, 123, 132, 169, 176, 180, 186, 187, 188, 189, 190, 193, 195, 200, 203, 204, 213, 218, 221. Appendice, pp. 265, 277–8, 281, 282, 285, 286, 290, 291.

1884. Rietstap, J. B. *Armorial Général Précédé d'un Dictionnaire des Termes du Blason* . . . tom. i, 2e édn. . . . Gouda, p. 411, col. 1.

Chaucer, Parti d'arg. et de gu. ; à la bande de l'un en l'autre, C. : une tortue pass. au nat. [Armes du poète anglais, *Geoffrey Chaucer.*]

1886. Drumont, Édouard. *La France Juive*, Paris, 1886, tome ii, pp. 381–91.

[p. 381] En constatant la persistance de ces sentiments de haine chez les Juifs, il est impossible de ne point parler un peu

longuement de ce sacrifice sanglant, cette accusation mille
fois prouvée [qu'ils tuèrent les petits enfants] . . .

[p. 383]   Il n'est pas un écrivain du Moyen Age qui ne parle de
ces faits comme d'une chose ordinaire. . . .

[p. 384]   Mais c'est Chaucer peut-être qui est le plus intéressant à
consulter sur ce point.   Le poète du xv⁰ siècle [*sic*], qui
repose à Westminster et sur la tombe duquel on a gravé
quelques jolis vers de la *Fleur et de la Feuille*, fut le peintre
exact des mœurs de son temps.   *Les Contes de Canterbury*
sont une sorte de Décaméron auquel sert de prétexte et

[p. 385]   de cadre le pèlerinage . . . Réunis par hasard, des pèlerins
de toutes les conditions . . . conviennent pour charmer
l'ennui du chemin de conter tour à tour une histoire.
Rien n'est plus touchant que le Récit de la Prieure.   Il est
vraiment d'un charme si profond dans son mysticisme
féminin, que nous le traduisons presque en entier, en nous
efforçant de respecter, autant que possible, la naïveté de
l'original.   [There follows a translation of the *Prioresses
Tale*, pp. 385–90.]

1887. Gausseron, B.–H. [Article *'Chaucer'* in] *La Grande Encyclopédie, inventaire raisonné des sciences, des lettres et des arts*, tome x,
p. 930.

Chaucer (Geoffrey), poète anglais, né probablement vers
1340, et non en 1328, suivant la date ordinairement adoptée ;
mort le 25 oct. 1400.   Les travaux de la critique moderne
et tout particulièrement de ceux de sir Harris Nicolas, du
Dr. Furnivall et des érudits qui composent la 'Chaucer
Society' fondée en 1868, ont jeté quelque clarté sur les
points obscurs de la vie de Chaucer.   Son père, négociant
en vins (*vintner*) à Londres, faisait partie de la suite
emmenée par la famille royale lors du voyage en Flandre
et à Cologne, en 1338.   Cette circonstance aide à comprendre que Geoffrey Chaucer nous apparaisse, la première
fois qu'il est fait mention de son nom dans un document
(1357), en qualité de page attaché à la maison de Lionel,
duc de Clarence, second fils d'Edward iii.   En 1359, il est
dans les rangs de l'armée anglaise qui envahit la France,
et dont Froissart a raconté l'expédition.   Il y fut fait
prisonnier, et recouvra sa liberté moyennant rançon, quelque
temps avant le traité de Brétigny.   Nous le retrouvons en
1367 avec le titre de valet (*valettus*) du roi, qui lui accorde
une pension et l'emploie à des missions diverses hors

d'Angleterre en 1369 et en 1370. Il était marié dès cette
époque à la fille de sir Payne Roët, du Hainault, et sa
femme, Philippa, avait une charge de dame de la chambre
auprès de la reine.   Après une mission diplomatique en
Italie (1372–1373), il fut nommé contrôleur des coutumes
et subsides pour les laines et les peaux dans le port de
Londres et, en même temps que cette charge lucrative,
remplit celle, plus honorifique, d'écuyer du roi.   Sa carrière
de diplomate ne fut pas interrompue pour cela, et il eut
encore à soutenir les intérêts de la cour d'Angleterre en
Flandre, en France et en Italie.   La mort d'Édouard III et
l'avénement de Richard II (1377) n'ébranlèrent point d'abord
la fortune de Chaucer.   Il fut même envoyé à la Chambre
des communes par le comté de Kent.   Mais bientôt sa
charge de contrôleur lui fut retirée, sa femme mourut, et il
se débattit dès lors dans des embarras financiers dont il ne
fut délivré que vers la fin de sa vie, par la faveur du roi
Henri IV (1399), fils de son meilleur protecteur, le duc de
Lancastre, lequel était devenu son beau-frère en épousant
Catherine, veuve de sir Hugh Swynford et sœur de Philippa,
sa femme.   Nommé en 1389 secrétaire des travaux du roi
au palais de Westminster, à la Tour de Londres et aux
autres châteaux de la couronne, il perdit cette place en 1391
et dut accepter, avec un certain Richard Brittle, les fonc-
tions de garde-forestier que Roger Mortimer, comte de
March, leur offrait à North Petherton Park, dans le comté
de Somerset.   Il n'était pourtant pas complètement oublié
à la cour, car on le trouve en 1398, remplissant pour le
compte du roi des missions secrètes dans différentes parties
du royaume.   Il mourut le 25 oct. 1400, et fut inhumé dans
la chapelle de l'abbaye de Westminster, où il inaugura ce
qu'on a appelé le 'Coin des poètes.'   C'est, en effet, comme
poète que Geoffrey Chaucer s'est assuré un renom immortel.
Il est, avec Gower, et bien au-dessus de lui, le véritable
père de la poésie anglaise.   Le premier, il a su plier la
langue vulgaire, sortie du fond saxon et très fortement
mélangée d'éléments français-normands, aux nécessités et
aux fantaisies d'une pensée raffinée ; il lui a donné la soup-
lesse et la sonorité du rythme ; tout en lui conservant son
caractère populaire de familiarité et d'énergie, il en a fait le
merveilleux instrument littéraire dont tant de génies divers
se sont servis jusqu'à nos jours pour créer des chefs-d'œuvre.

La manière littéraire de Chaucer peut se diviser en trois périodes assez distinctes. Dans la première, il se montre disciple direct de nos trouvères. S'il n'est pas l'auteur de la version anglaise du *Roman de la Rose*, que beaucoup lui attribuent, c'est du moins à cette période que se rapportent *A.B.C. ou la prière de Nostre Dame* et la *Complainte à la Pitié*. Puis l'influence italienne, que ses séjours répétés en Italie devaient le disposer à subir facilement, se fait de plus en plus sentir dans des œuvres comme *the Parlement of Foules, the Complaint of Mars, Anelida and Arcite*, sa traduction en prose et en vers du *De Consolatione* de Boëce, *Troïlus and Criseyde, the House of Fame, the Legend of Good Women, the Complaint of Venus*, etc. Enfin, il se montre lui-même inventeur, créateur et grand poète, lorsque, dans un cadre dont le *Décaméron* a sans doute fourni l'idée première, il nous présente le pittoresque, saisissant et amusant défilé de tous les types caractéristiques de la société anglaise de son temps, réunis à la taverne du *Tabard*, près de London-Bridge, en route pour un pèlerinage au tombeau de Thomas Becket, et profitant de leur rencontre pour se raconter les inoubliables histoires, qui, sous le titre de *Canterbury Tales*, font à jamais partie du trésor littéraire du genre humain. La première édition en fut publiée par Caxton, vers 1478, la meilleure est celle de Furnivall (1868). Un littérateur de plus d'excentricité que de talent, le chevalier de Chatelain, a donné, dans ce siècle, un essai de traduction des *Contes de Cantorbéry*, qui ne permet pas de dire que nous en possédions une version française.

1887, etc. **Unknown.** *La grande Encyclopédie* . . . tome **xiv**, p. 1146, col. 2 ; tome **xviii**, p. 284, col. 2 ; tome **xxx**, pp. 89, col. 2 ; p. 1082, col. 1.

[t. 14]   [Article] *Dryden* (John) . . . Dryden entreprit alors la traduction en vers des œuvres de Virgile (1697) qu'il fit suivre de ses *Fables*, morceaux imités de l'*Iliade*, des *Métamorphoses* d'Ovide, et des Contes de Boccace et de Chaucer.

[t. 18]   [Article] *Furnivall* (Frederick James). Il se consacra à sa sortie de l'université de Cambridge à l'étude de la littérature anglaise du moyen âge, dont il édita nombre d'œuvres . . . six textes des *Canterbury Tales* de Chaucer (1868–75, 7 parties) . . . Il fut, en outre, l'un des fondateurs des sociétés suivantes. . . . The Chaucer Society (1868). . . . The Shettery [=Shelley] (1886).

[t. 30] [Article] *Skeat* (Walter William). . . . Parmi ses très nombreux ouvrages nous citerons . . . une excellente édition des œuvres de Chaucer (1897, 7 vols.). . . .

[Article] *Tennyson* (Alfred). . . . On lui fit à Westminster des obsèques somptueuses et on lui éleva un monument à côté de celui de Chaucer.

1889. J., Ch. [Review of Skeat's *Principles of English Etymology*, Kœrting's *Grundriss der Geschichte der englischen Litteratur*, etc., in the] *Revue Critique d'Histoire et de Littérature*, December 1889, pp. 425, 426.

[The language of Chaucer and his importance for the student.]

[1889.] Simond, Charles [ps., *i.e.*, P. van Cleemputte]. *Contes de Canterbury, traduits pour la première fois en français, avec étude biographique et littéraire* par Charles Simond. Paris, Henri Gautier. [Nouvelle bibliothèque populaire à 10 cent., No. 129.]

[A small booklet of 64 pages, containing only the *Prologue*, the *Man of Lawes Tale*, and the *Clerkes Tale* in French prose. There is a short biographical sketch, quoting Taine.]

[p. 2] Il n'existe en prose française aucune traduction complète des *Contes de Canterbury* ni des œuvres de Chaucer.[1]

[Footnote.] [1] Nous avons annoncé dans la Bibliographie de la France la prochaine publication de notre traduction complète des *Contes de Canterbury*. La regrettable lacune se trouvera ainsi réparée. T. S.

[This number was the only one which appeared, and the complete translation was never published. We add a specimen of the translation of the *Prologue :*]

Quand avril a, de ses douces averses, pénétré jusqu'au fond la sécheresse de mars et baigné toute la glèbe de cette liqueur par la vertu de laquelle est engendrée la fleur : quand Zéphyr aussi a, de sa douce haleine, soufflé dans les bosquets et les bruyères sur les tendres pousses ; quand le soleil rajeuni a, dans le Bélier, dépassé la moitié de sa course ; quand les petits oiseaux font entendre leur mélodie et dorment toute la nuit les yeux ouverts, tant la nature aiguillonne leur vaillance, alors les gens brûlent de partir en pèlerinages. . . .

1890. Paris, Gaston. *La littérature française au moyen âge*, 2ᵉ édn., 1890, pp. 114, 171, 228.

[p. 114]　Il est certain que Boccace et Chaucer, par exemple, ont parfois imité des fableaux français : mais il n'est nullement établi que ce soit toujours le cas ; ces contes circulaient oralement dans toute l'Europe (sans parler de leur admission dans les sermons et les livres pieux), et ils ont fort bien pu être recueillis indépendamment par les poètes ou les nouvellistes des différents pays.

1890. Boucher, Léon. *Histoire de la littérature anglaise*, Paris 1890, pp. 26, 28–39, 40, 41, 45, 46, 47, 49, 52, 53, 54, 58, 65, 124, 138, 221, 243, 499.

[p. 37]　*Génie de Chaucer.* Par les *Canterbury Tales*, Chaucer entre dans la phalange des rares écrivains qui ont été des créateurs. . . . . On sent ici l'homme maître de sa pensée, l'artiste maître de son instrument et de sa main. On y sent aussi l'observateur qui a vu de près la vie, le poète qui, pathétiques ou comiques, sait choisir dans les traits innombrables de la physionomie humaine et peut leur donner, en les reproduisant, un caractère plastique et une forme distincte.

[p. 38]　. . . Au don merveilleux entre tous de créer des êtres poétiques qui produisent l'illusion de la réalité Chaucer unit le talent de peindre par des mots, avec l'aspect extérieur de l'homme, la nature elle-même.

1892. Jusserand, J. J. *L'Angleterre au temps des invasions* [article in the] *Revue des Deux Mondes*, June 1892, pp. 571, 573–5.

[1892.] Dietz, H. *Les Littératures Etrangères. Angleterre. Allemagne*, pp. 29–30 [a short life of Chaucer], pp. 30–41 [his work].

1893. Jusserand, J. J. *L'Épopée Mystique de William Langland*, Paris, 1893, pp. 2, 3, 4, 15, 18, 33, 39, 63, 66, 67, 93, 104, 105, 107, 108, 142, 146, 148, 149, 155, 159, 174, 176, 177, 186, 198, 202, 237, 238.

[p. 104]　Chaucer, avec son génie et ses mérites de toute sorte, sa gaîté et sa bonne grâce, sa faculté d'observation et cette ouverture d'esprit qui lui permet de sympathiser avec les spécimens les plus divers de l'humanité, a tracé une immortelle et incomparable peinture de l'Angleterre au moyen âge. Sur certains points cependant le tableau est incomplet, et il faut emprunter à Langland des traits pour l'achever. . . .

　　　・　　・　　・　　・　　・　　・　　・　　・　　・　　・

[p. 176]   On a beaucoup reproché à ce dernier [Chaucer] d'avoir
donné, par son génie, droit de cité dans la langue anglaise à
quantité de mots français. Le reproche est injuste ; Chaucer
écrivit la langue de son temps, telle qu'elle existait, sans la
modifier, la franciser ou la fausser ; et Langland, au besoin,
en fournirait la preuve. . . .

.   .   .   .

[p. 185]   Langland est un vrai Anglais, comme Chaucer ; il l'est
peut-être même davantage. Un trait important manque à
Chaucer : il n'est pas *insulaire* ; son esprit a des ramifications
[p. 186] françaises et italiennes ; au fond assurément il est anglais
et très anglais ; par certains points cependant il est un peu
cosmopolite.

1893. Jusserand, J. J. [Article on *Chaucer* from the] *Revue des
Deux Mondes* of April 15, pp. 815–54 ; *Études Anglaises. La
vie et les œuvres de Geoffrey Chaucer.* [39 pages, re-cast in the
Histoire littéraire du peuple anglais, 1894, pp. 269–349.]

1893. Bédier, Joseph. *Les Fabliaux*, 1re édn., Paris, 1893, pp. 278,
419. [A few words only on the *Reeves Tale* and the fabliau
d'Auberée.]

1894. Darmesteter, Mary (Madame). *Froissart* [in the series] *Les
Grands Écrivains français :* p. 19.

Geoffrey Chaucer, page à la suite d'Édouard III, commençait à tirer une langue belle et puissante du dialecte
informe des pauvres. . . .

Soyez sûrs que toute cette renaissance échappa au jeune
Froissart. Il n'était pas homme de lettres : il prononce à
peine le nom de Geoffrey Chaucer, son cadet de quelques
mois, qui était comme lui à la cour, et qu'il a dû rencontrer
plus d'une fois chez sir Richard Stury, et encore ne parle-t-il
de lui que comme diplomate.

1894. Jusserand, J. J. *Histoire littéraire du peuple anglais.* Paris,
1894, tom. 1, pp. 124, 165–6, 220, 226, 232, 240, 245, 246 [chap-
ter ii, CHAUCER], pp. 269–349, pp. 351, 354, 355, 360, 362, 363,
367, 371, 373, 374, 379, 380, 382, 383, 384, 385, 390, 393, 399, 400,
401, 403, 404, 411, 412, 413, 414, 423, 424, 435, 464, 478, 487, 488,
496, 513, 514, 515, 516, 517, 518, 519, 521, 522, 523, 524, 525, 528,
529, 530, 542.

[pp. 269–349, a lengthy sketch of Chaucer's life and
works, more especially of the *House of Fame, Troilus* and
the *Canterbury Tales.*]

[p. 319]   [Prologue to the Tales.] Voici à présent, dans un livre
anglais, une foule d'êtres vivants, pris sur le fait, aux

[p. 320] mouvements souples, aux types variés comme dans la vie, représentés au naturel, dans leurs sentiments et dans leur costume, si bien qu'on croit les voir et que, lorsqu'on les quitte, ce n'est pas pour les oublier ; les connaissances faites 'au Tabart près de la Cloche' ne sont pas de celles qui s'effacent du souvenir ; elles durent toute la vie.

Rien de ce qui peut servir à accrocher, à ancrer dans notre mémoire, la vision de ces personnages n'est omis. Un demi-vers, qui dévoile le trait saillant de leur caractère, devient inoubliable ; leur posture, leurs gestes, leur costume, leurs verrues, le son de leur voix, leurs défauts de pronociation : 'somwhat he lipsede for wantonnesse,' leurs tics, la figure rouge de l'hôte et jaune du bailli, leurs élégances, leurs flèches à plumes de paon, leurs cornemuses, rien n'est omis ; leurs chevaux et la manière dont ils les montent sont décrits ; Chaucer regarde même dans les sacs de ses personnages et dit ce qu'il y trouve.

La nouvelle Angleterre a donc son Froissart, qui va conter des apertises d'armes et des histoires d'amour aux couleurs éclatantes, et nous promener de çà de là, par les villes et par les chemins, prêtant l'oreille à tout récit, observant, notant, racontant ? Ce jeune pays a Froissart et mieux que Froissart. Les peintures sont aussi vives et aussi claires, mais deux grandes différences distinguent les unes des autres : l'humour et la sympathie. Déjà, chez Chaucer, l'humour existe ; ses malices pénètrent plus profondément que les malices françaises : il ne va pas jusqu'aux blessures, mais il fait plus que piquer l'épiderme ; et, ce faisant, il rit d'un rire silencieux : 'Un homme jadis était fort riche, c'est pourquoi tout le monde vantait sa sagesse.' . . .

[p. 321] De plus, Chaucer sympathise ; il a un cœur vibrant que les larmes émeuvent et que toutes les souffrances touchent, celles des pauvres et celles des princes. Le rôle du peuple, si marqué dans la littérature et la politique anglaises, s'affirme ici, dès la première heure . . . Chaucer, dès le quatorzième siècle, est curieux de voir ce que c'est que l'homme dans un 'cuisinier de Londres' et que la femme dans une 'bourgeoise de Bath.' Combien de misérables périssent dans Froissart ! Que de sang, quelles hécatombes ! et combien peu de larmes ! . . .

[p. 322] Ils [the lesser people] figurent dans le récit de Chaucer parce que Chaucer les *aime ;* il aime son laboureur . ., il

souffre à l'idée des sentiers boueux que son pauvre curé suit
l'hiver pour aller, par la pluie, visiter une chaumière loin-
taine ; la sympathie est large chez le poète ; il aime, comme
il déteste, de tout cœur. . . .

. . . .

[p. 340]   Ce bon sens, qui a fait donner aux contes de Cantorbéry
un agencement si conforme à la raison et à la nature, est une
des qualités les plus éminentes de Chaucer.   Elle paraît dans
les détails comme dans l'ensemble et lui inspire, au milieu de
ses récits les plus fantaisistes, des remarques rassurantes qui
nous montrent que la terre et la vie réelle ne sont pas loin et
que nous ne courons pas le risque de tomber des nues.   Il
rappelle, avec à-propos, qu'il y a une certaine noblesse, la
plus haute de toutes, qu'on ne saurait léguer par testament ;
que les échantillons corrompus d'une classe sociale ne doivent
pas faire condamner toute la classe : 'Of every ordre some
schrew is, pardee ' ; que, dans l'éducation des enfants, il faut
se garder de les traiter trop tôt en hommes ; si on les mène
avant l'âge aux fêtes, ils deviennent effrontés, 'to soone
[p. 341] rype and bold . . . which is ful perilous' (Tale of the
Doctor of Phisik, vers. 68).   Il s'exprime fort librement sur
les grands capitaines qu'on eût qualifiés de 'brigands' s'ils
avaient fait moins de mal.   Cette dernière idée est indiquée
en quelques vers d'un humour si vraiment anglais qu'ils font
songer à Swift et à Fielding ; et l'on peut d'autant mieux en
effet songer à Fielding qu'il a consacré tout son roman de
Jonathan Wild-le-Grand à développer exactement la même
thèse.[1]

Enfin, à ce même bon sens de Chaucer, on doit une chose
plus remarquable encore : c'est que, avec sa connaissance du
latin et du français, vivant dans un milieu où ces deux
langues avaient une grande faveur, il écrivit uniquement en
anglais : sa prose, comme ses vers, son traité sur l'Astrolabe,
comme ses contes, sont en anglais.   Il appartient à la nation

---

[1] But, for the tiraunt is of greter might
By force of meyné for to sle doun right,
And brenne hous and home, and make al playn,
Lo, therfor is he cleped a capitayn ;
And, for an outlawe hath no smal meyné
And may not doon so grete an harm as he,
Ne bringe a contre to so gret mischief,
Men clepen him an outlawe or a theef.

Maunciple's Tale, vers. 123, t. iii, p. 256.   Cf. le roman de Fielding, *The Life
of Mr. Jonathan Wild the Great*, 1743.

anglaise et c'est pourquoi il écrit dans cette langue ; c'est
assez pour lui d'une telle raison. . . .

[p. 342]   La même sagesse fait encore que Chaucer ne se perd pas
en vains efforts pour tenter d'impossibles réformes et pour
marcher à contre courant. On le lui a reproché de notre
temps ; et certains, par amour des Anglo-Saxons, se sont
indignés de la quantité de mots français que Chaucer
emploie : que n'est-il remonté aux origines du langage ?
Mais Chaucer n'était pas de ceux qui, comme dit Milton,
ferment les grilles de leur parc pour empêcher les corneilles
de s'en aller. Il s'est servi du langage national, tel qu'il
existait de son temps.

. . . .

[p. 345]   Le même bon sens optimiste et tranquille qui lui a fait
adopter la langue de son pays et la versification usuelle, qui
l'a empêché de réagir avec excès contre les idées reçues, l'a
empêché aussi de se faire, par patriotisme, piété ou orgueil,
des illusions sur sa patrie, sa religion ou son temps. Il en
fut cependant autant que personne, les aima et les honora
mieux que pas un. L'impartialité de jugement de cet ancien
prisonnier des Français est extraordinaire, supérieure même
à celle de Froissart. . . .

Chaucer, d'un bout à l'autre de sa carrière, demeure le
même, et le fait est d'autant plus remarquable que sa tournure
d'esprit, son inspiration et son idéal littéraire deviennent de
plus en plus anglais, à mesure qu'il prend des années. Il
reste impartial, ou plutôt, en dehors de la grande querelle,
à laquelle cependant il avait pris part dans la réalité ; ses
œuvres ne contiennent pas un vers qui soit dirigé contre la
France, ni même un seul éloge de son pays où celui-ci soit
loué en tant que rival heureux du nôtre.

1894. Mézières, A. *Prédécesseurs et Contemporains de Shakespeare,*
Paris, 1894, pp. 11, 12.

[p. 11]   Rien . . . n'est plus conforme au génie des Anglo-Saxons
que le mélange du plaisant et du sérieux. Ils ont mis de
[p. 12] tout temps de la gaieté dans les sujets les plus graves. C'est
le trait commun de plus anciens et des plus récents de
leurs écrivains. · Depuis Chaucer jusqu'à Byron et jusqu'à
Thackeray, que de grandes et nobles œuvres variées par le
badinage et même par la bouffonnerie ! Les *Contes de
Cantorbéry* sont aussi amusants que touchants. La plupart

des personnages y ont un côté sérieux et un côté comique.
La chaste sœur Églantine, avec toutes ses vertus solides,
parle, mange et marche en personne un peu ridicule.   La
marchande de Bath enterre joyeusement ses cinq maris
dans le cours d'une dissertation très grave sur le mariage.
. . . L'indéfinissable *humour* qui donne tant de prix à
quelques-uns des ouvrages les plus célèbres de la Grande-
Bretagne n'est guère autre chose qu'une manière plaisante
et imprévue de présenter des idées sérieuses.   Il y entre de
l'imagination, du bon sens, de l'observation ; mais à plus
haute dose que tout le reste, il y entre de la gaieté.

1894. Lavisse Ernest, et **Rambaud**, Alfred N.   *Histoire Générale
du ive siècle à nos jours.   Formation des grands états,* 1270–1492,
tom. iii, chap. vii, l'Angleterre, de 1272 à 1485, pp. 383–4.

[p. 383]   [*English literature.*] . . . C'est au moment même où la
Chambre des communes se constitue définitivement que
naquit Chaucer, le père de la littérature anglaise (1340).
. . . Les autres [écrivains], ceux dont les œuvres comptent
vraiment, qui ont illustré la seconde moitié du xive siècle
sont des moralistes, moralistes gaiement satiriques comme
Chaucer, l'écrivain génial, le peintre charmant des mœurs
de son temps, ou pompeux et déclamatoires comme John
Gower. . . .

[p. 384]   Les origines de Wycliffe sont fort obscures.   Il paraît être
né vers 1320 (vingt ans avant Chaucer).

1895. Demogeot, Jacques Claude.   *Histoire des littératures étrangères.*
Littératures septentrionales, Angleterre, Allemagne, 2e édn., Paris,
1895, pp. 3–13, 24.   [The first edn. appeared in 1880, and is
identical.]

[p. 3]   Chaucer, que les Anglais considèrent comme le père de
leur poésie, n'est encore qu'un des échos de la poésie
universelle du moyen âge : c'est le frère puîné de nos
trouvères ; c'est un poète français et italien qui écrit en
anglais. . . .

[p. 6]   Deux choses toutefois distinguaient déjà les premiers
poèmes de Chaucer : d'abord un sentiment vif et personnel
du monde réel . . . Ses descriptions de la nature sont aussi
fraîches que leur modèle. . . .

[p. 7]   Un autre trait distinctif qui perçait déjà dans les composi-
[p. 8]   tions de la jeunesse de Chaucer, c'est un enjouement mali-
cieux, une douce satire ; qui assaisonne d'un sel agréable les

longues descriptions et les solennelles allégories. Dans son
Troïlus, par exemple, poème antique par le sujet, grave et
touchant par les incidents et les passions des personnages,
on entrevoit sans cesse, comme chez Pulci, comme chez
l'Arioste, comme dans nos fabliaux, le sourire du narrateur
qui s'amuse et prétend bien amuser les autres. . . .

[*Les Contes de Cantorbéry* est] l'ouvrage qui seul assure à
Geoffroy Chaucer une renommée durable . . . c'est là seulement qu'il se révèle dans toute la force de son talent,
affranchi du goût factice de ses protecteurs et de ses contemporains . . . il ose être tout à fait lui-même, donner libre
carrière à son *humour,* peindre ce qu'il a vu, dire ce qu'il a
pensé, et composer ainsi l'un des plus charmants tableaux de
genre qui aient jamais été faits.

1895. Morel, Léon. [Short study on the work of Chaucer in] *James
Thomson, sa vie et ses œuvres,* 2me partie, pp. 214–19.

[The author briefly recalls what importance the love of
nature has had in the history of English literature.] . . .

[p. 213] Pour savoir quel rôle a joué le monde des choses dans la
littérature anglaise, nous consulterons donc seulement les
plus grands parmi les maîtres. . . .

[p. 214] *Geoffrey Chaucer.*—Le sentiment de la nature se montre,
très vif et très précis, chez le plus vieux des grands poètes de
l'Angleterre, chez ce Chaucer dont l'œuvre clôt une longue
période littéraire et ouvre l'ère moderne de la poésie. . . .

.   .   .   .

[p. 215] Le même don de sympathie vibrante et de précision dans
l'observation, qui lui permet de comprendre les hommes au
milieu desquels il vit et de les faire passer dans ses poèmes
si vivement crayonnés, si vrais et si vivants, le même don
Chaucer l'applique à l'observation de la nature. . . .

Ce qu'il a surtout au cœur. . . . c'est l'amour des choses
de la campagne. Il en retrace avec complaisance les aspects,
même les plus simples et les plus ordinaires. Son œuvre est
remplie des êtres, des formes, des sons et des parfums de la
nature rustique. Les pèlerins des 'Récits de Cantorbéry'
cheminent vraiment sur une route anglaise, au milieu des
champs et des plaines, à travers les villages et les bourgs de
la vieille Angleterre. Tout le poème est baigné de grand air
et de lumière, et partout la nature fait un chaud et solide
fond de tableau à la cavalcade bigarrée. C'est un des

caractères par lesquels le poème se sépare le plus profondément de son modèle italien.   Tandis que les égoïstes causeurs
du 'Décaméron' sont, par le poète aussi bien que par leur
propre décision, isolés du reste du monde, tandis qu'ils ne
vivent qu'une existence toute mentale, les personnages de
Chaucer doivent en partie leur relief et leur vérité drama-
[p. 216] tique au contact toujours senti de la nature ambiante. . . .

Qu'on se rappelle, entre mille traits analogues, cette brève
notation d'une aurore :

'L'alouette affairée, messagère du jour,—salue de sa
chanson le gris matin,—et l'ardent Phébus s'élève si
radieux—que tout l'orient rit à sa vue,—et de ses rayons il
sèche, dans les bosquets toutes les gouttes argentées des
feuilles.'

[p. 217]   . . . Il y a manifestement là, dans la minutie de l'observation et dans la justesse de touche de la peinture, quelque
chose que le moyen âge n'avait pas connu, pas même dans
les vers gracieux, trop parés et trop spirituels, du rondeau
célèbre de Charles d'Orléans.

C'est cette précision aiguë de la vision qui sauve de la
monotonie les descriptions si fréquentes d'oiseaux, d'arbres
et de fleurs.   Dans une forêt, Chaucer donne á chaque arbre
sa physionomie propre. . . . Il voit tous les détails des
objets, et en même temps il sympathise avec toutes les
manifestations de la vie des choses.   Voyez ce que lui suggére
une averse de printemps :

[p. 218]   'Quand les douces ondées de la pluie tombent mollement,—
que le sol bien souvent—exhale de bienfaisantes vapeurs,—
et que chaque plaine se pare richement—d'une fraîche
verdure ; que les petites fleurs—éclosent çà et là dans les
champs et les prairies,—si bonnes et si bienfaisantes sont ces
ondées,—qu'elles renouvellent ce qui était vieux et mort—
pendant l'hiver ; et, de toutes les semences,—sortent les
plantes ; si bien que chacun—se sent, à la venue de la saison
nouvelle, tout joyeux et léger.'

Et cependant ces descriptions directes ne sont pas tout ce
que révèle chez Chaucer le sentiment de l'amour de la
nature. . . .

Tantôt c'est une comparaison prolongée comme celle de
Cressid avouant son amour :

'Tel le jeune rossignol timide qui s'arrête d'abord quand
il commençait à chanter' [etc. *Troilus*, bk. iii, 177–181]

Plus souvent encore, c'est une indication rapide telle que celle qui complète la description du costume d'un jeune écuyer : 'tout brodé, comme une prairie pleine de fraîches fleurs blanches et rouges.'

[p. 219]   Ainsi, la nature, directement sentie, et rappelée avec un intarissable plaisir, figure partout dans l'œuvre du père de la poésie anglaise. . . . C'est la nature aimable et riante, telle qu'elle nous charme dans la jeune saison et dans les matinées radieuses. . . . On pourrait appliquer au poète le vers par lequel il résume le portrait du jeune seigneur : 'il avait toute la fraîcheur du mois de mai.'

1896. Bédier, Joseph. *Histoire de la langue et de la littérature française* . . . publiée sous la direction de L. Petit de Julleville, tome ii, [Les Fabliaux], pp. 68, 77.

1896. Langlois, Ernest. *Ibid.*, tome ii, [Le Roman de la Rose], p. 150.

1896. Petit de Julleville, L. *Ibid.*, tome ii, [Froissart], p. 347.

1896. Brunot, Ferdinand. *Ibid.*, tome ii [la Langue française], p. 526.

Le poète Gower, après avoir commencé par écrire en français, se sert du latin, puis enfin de l'anglais, et l'immortel Chaucer, sans avoir des hésitations, l'adopte et le consacre à la fois par son génie.

1896. Legouis, Émile. *Quomodo Edmundus Spenserus ad Chaucerum se fingens in eclogis ' The Shepheardes Calender ' versum heroicum renovarit ac refecerit* [Thesis], Paris, 1896.

1896. Jusserand, J. J. *Histoire abrégée de la littérature anglaise,* Paris, 1896, pp. 44, 46–55 [on CHAUCER], 56, 57, 59, 62, 63, 65, 66, 67, 68, 71, 87, 97, 102, 104, 105, 106, 108, 112, 126, 148, 157, 195, 223, 262.

[p. 49]   En outre, la personnalité propre de Chaucer commence à paraître dans ces œuvres ['Lyf of Saint Cecile' 1373 : 'Complainte of Mars' 1380, prose translation of the 'De Consolatione' of Boethius, 'Parliament of Foules,' 'Troilus,' 1382, 'Hous of Fame' 1383–4, 'The Legend of Good Women,'] sa bienveillance, son *humour*, sa sympathie indulgente pour

[p. 50] tout ce qui est humain, ses dons d'observation, l'art du dialogue familier, la vivacité de repartie, le soin de la forme : qualités que nous avions discernées à l'état embryonnaire dans la race celtique et qui ont passé maintenant, grâce à la fusion intervenue, dans la race anglaise.

Ces dons brillent surtout dans 'Troïlus et Cressida'

admirable poème, roman et drame à la fois, plein de tendresse
et en même temps d'ironie douce, où quelque reste des
mélancolies saxonnes s'allie à la gaieté française, où Boccace
(*Filostrato*) est imité et surpassé. . . .

. . . .

[p. 53]   [Dans les contes de Canterbury] c'est toute l'Angleterre
qui nous est montrée, jeune, printanière, épanouie.   Les
génies des deux races d'autrefois se sont fondus ; le génie
celtique et latin domine toutefois dans Chaucer.   Nous le
trouvons optimiste et indulgent, n'inclinant nullement vers
le fatalisme et le désespoir.   Il voit les vices d'un regard
clair et ne se fait pas d'illusion ; il tâche de les guérir ; s'il
ne peut, il s'en console, et s'il ne peut s'en consoler, il s'en
venge du moins par une épigramme.   Ses épigrammes, il est
vrai, font plus que piquer, elles pénètrent : ce ne sont pas
de simples amusements ; à son esprit pétillant, à la française,
se mêle une forte dose d'*humour* anglais.

Il s'intéresse aux humbles et les aime ; si ce sont des
coquins, le pittoresque de leurs mœurs impures l'amuse ; s'ils
[p. 54] sont vertueux, ils lui inspirent une admiration attendrie
(portrait du bon curé).   Les ' gens de rien ' occupent déjà
dans son œuvre la place qu'ils devaient tenir dans tout la
littérature anglaise et dans l'histoire politique du pays.   Il
voit d'une vue claire, il sent d'un cœur sensible.   Il traduit
sa vision et son impression par le mot qui fait voir ou le
mot qui touche, avec une justesse inconnue jusque-là dans
son pays.   Il a un sens de la forme et de la mesure rare
avant la Renaissance ; il blâme les longueurs sans toujours
les éviter ; mais c'est déjà beaucoup de savoir que les
longueurs sont un défaut, et le mérite n'était pas banal
de son temps.   Il versifie avec soin ; la place des mots ne
lui est pas indifférente, leurs sonorités le préoccupent.   Il
a sur tous ces points des idées arrêtées, il n'écrit pas au
hasard ; il veut, il choisit ; bref, et pour la première fois
dans l'histoire des lettres anglaises, nous nous trouvons en
présence d'un *artiste*.

Avec cela, des moyens simples : nulle prétention ; il veut
et choisit, et cependant garde un air de facilité : son vocabulaire est le vocabulaire de tout le monde, sa prosodie de
même ; ce sont cette prosodie et ce vocabulaire, ces vers
rimés où les accents marquent la cadence, cette langue où
surabondent les mots français, dont nous avons exposé plus

haut la formation.   Il les prit tels qu'il les trouva, et il les
consacra par l'usage qu'il en fit. . . .

1897. Jusserand, J. J.   *Jacques Ier d'Écosse, fut-il poète ?   Étude sur
l'authenticité du ' Cahier du Roi,'* pp. 1, 2, 3, 4, 5, 7, 8, 9 note, 20–22.

1898. Soult, Amélie (Mlle).   *Chaucer.   Copie de la conférence anglaise
par laquelle Mlle. A. Soult . . . devait inaugurer, à la Sorbonne,
le 1er décembre 1897, les conferences en langue anglaise de la Société
de propagation des langues etrangères en France.*

[A short biography of Chaucer, followed by a study of
the *Canterbury Tales ;* in English.]

1898. Unknown.   [Article ' *Chaucer* ' in] *Le Nouveau Larousse illustré,*
tome ii, p. 735 [short biographical notice].

1900. Legouis, Émile.   *Quel fut le premier composé par Chaucer des
deux Prologues de la Légende des Femmes Exemplaires ?* [extract
from the *Revue de l'enseignement des langues vivantes,* Paris, April
1900].   Le Havre, 1900.

[M. Legouis maintains that the A text was composed
first.]

1900. Lecoq, J.   [Notice of Legouis, *Quel fut le premier composé par
Chaucer des deux prologues de la Légende des Femmes Exemplaires,*
in the] *Revue Critique d'Histoire et de Littérature,* 10 Dec. 1900,
p. 467.

1900. Lecoq, J.   [Notice of Skeat's *Chaucer Canon,* in the] *Revue
Critique d'Histoire et de Littérature,* 10 Dec. 1900, pp. 466–7.

1903. Raynaud, Gaston.   *Introduction* [to the] *Œuvres complètes de
Eustache Deschamps,* Société des Anciens Textes Français, tome xi,
1903, Sujets des pièces, p. 213.

Chaucer.   Toute une ballade adressée à Chaucer fait allusion à une traduction anglaise du *Roman de la Rose* aujour-
d'hui perdue, dont il était l'auteur.   Son poème *The Flower
and the Leaf* (Aldine edition, 1902, t. ix, p. 87), peut aussi
être rapproché des pièces consacrées par Deschamps à l'*Ordre
de la Fleur* et à l'*Ordre de la Feuille.*

1906. Harvey-Jellie, W.   *Les Sources du Théâtre Anglais à l'époque
de la Restauration* [Thesis], p. 32.

Waller remit en lumière les vers suivis, dont Chaucer
s'était si remarquablement servi.

1907. Gebhart, Émile. *Merry Old England* [article from the] *Gaulois,* Tuesday, April 23, 1907. [A review of the translation of the first series of the *Canterbury Tales* appearing in the *Revue Germanique,* September, 1906. See below, under 1908.]

La joyeuse vieille Angleterre ! Je ne demandais pas mieux que de souscrire à ce signalement, qui s'impose à nous par l'autorité séculaire d'un proverbe ou d'une sentence historique.

Mais j'avais beau me frotter les yeux, je ne distinguais pas très clairement, dans la vieille littérature anglaise, ce trait caractéristique de gaieté nationale.   Shakespeare n'est point d'humeur essentiellement joyeuse [M. Gebhart cites Macbeth, Hamlet and ' le gros Falstaff,' qui ' n'est qu'un bouffon de taverne.'   Sterne, Swift and Addison, and Hogarth and the other caricaturists of the eighteenth century, are not really happy (joyeux). In the history of the country itself, as in its literature and arts of design, reigns a terribly tragic note.]

Et voilà que toujours *The Merry Old England* s'obstine à se dérober à nos yeux.

Elle existe pourtant, bien originale et bien vivante, et c'est précisément aux années mêmes de l'*Aguto* et dans les horreurs de la guerre de Cent Ans, qu'elle se révèle de la manière la plus inattendue et la plus aimable.   Le premier grand poème de la littérature anglaise, les *Contes de Canterbury* de Geoffrey Chaucer, nous ménageaient cette surprise. Les plus distingués de nos maîtres *anglicisants* viennent d'en entreprendre la traduction, sous la direction de M. Émile Legouis. . . .

[A short biography of Chaucer and an account of his debt to Boccaccio's *Decamerone* follow.]

.   .   .   .

L'imagination de Chaucer fut joliment créatrice.   Voyez, en son *Prologue,* la variété individuelle, et le mouvement des personnages qui évoluent comme sur une scène de théâtre bien réglée, la face franchement tournée vers le spectateur, avec leur allure propre, leur costume, leur geste professionnel, l'inoubliable trait particulier de leur visage.

Voici vingt-neuf pèlerins qui s'en vont à Canterbury, afin d'y vénérer les reliques du grand évêque martyr.   Le hasard les a réunis en une hôtellerie du vieux Londres, à l'enseigne du *Tabard :* ils représentent, en dehors de l'aristocratie féodale, la société anglaise de l'époque. . . .

L'hôte, un joyeux drille, ravi d'une clientèle si choisie, se joint au pèlerinage et propose à ses compères de conter, le long du chemin, des histoires d'aventures 'du temps jadis.' . . . L'offre du rusé aubergiste est acclamée par enthousiasme. On tire à la courte paille. Au chevalier de parler le premier. C'est un lettré, ce chevalier. Il a lu la *Théséide* de Boccace, et raconte amplement les chevaleries du duc Thésée. Et chacun à son tour, paye son écot. C'est un défilé de contes de toutes les couleurs, surtout de couleurs assez crues, de fabliaux friands, de bons tours d'écoliers, dont quelques-uns seront repris et tendrement ciselés à neuf par La Fontaine. Madame la Prieure, les clercs et les moines auront maintes fois l'occasion de baisser les yeux, tout en cheminant vers la tombe de saint Thomas Becket.

Gaietés de saveur toute gauloise, d'importation étrangère : je n'y reconnais pas encore un signe d'originalité. La grande invention de Chaucer, c'est le portrait même de ses pèlerins. La galerie qu'il nous fait parcourir est chose merveilleuse. Chaque figure du *Prologue* est l'effigie d'un tempérament moral ; la démarche, le costume, la coiffure, le tour et le ton de la parole jusqu'aux menues confidences du poète sur le train intime ou les innocentes manies du personnage, tout concourt à la perfection du tableau. Mais notez ceci, qui est essentiel ; Chaucer ne vise point à la caricature ; il a le sens nécessairement mesuré et discret du comique, et le grotesque n'est point pour le séduire. Ses couleurs ont la fraîcheur du matin verdoyant de mai qui éclaire la marche du pèlerinage, jamais elles ne sont violentes. Il se trouvait jouir du plus charmant état d'âme : la contemplation du monde l'amusait ; il jugeait divertissants les visages et les actes quotidiens de ses semblables et n'en ressentait ni colère, ni amertume, ni tristesse. Il les caressait d'une ironie légère, et se gardait de les meurtrir d'une moquerie méchante. Soyez certains que cet homme ne s'ennuyait pas souvent et que, dans le cercle seigneurial où l'on goûtait la grâce de son esprit, la mélancolie fut une visiteuse assez rare.

Je détache l'image de la 'simple et discrète' Prieure, Mme Eglantine, dont le plus grand serment était : 'Par saint Eloi !' [A description of the Prioress follows.]

    •   •   •   ·   •   •   •   •   •   •

La miniature est exquise.

Cette allégresse de l'imagination, assaisonnée de malice et de bonhomie, fut-elle le don propre de Geoffroy Chaucer, ou bien répond-elle à l'enjouement de la société féodale anglaise, vers la fin du quatorzième siècle ? Nous saisirons enfin *The Merry Old England,* au moins dans les rangs cultivés de l'aristocratie. Sinon, le vieux conteur représenterait à lui seul la 'joyeuse vieille Angleterre.' Or, comme une hirondelle ne fait pas le printemps, je me trouverais lancé de nouveau sur une mer d'incertitude.

1907. Berger, P.	*William Blake, Mysticisme et Poésie,* pp. 87, 88.

1908. Gebhart, Émile.	*Deux Contes de Geoffroy Chaucer* [article from the] *Journal des Débats,* 11 March, 1908. [Review of the second series of the *Tales* appearing in the *Revue Germanique.* See under 1908 below.]

. . . Je ne veux aujourd'hui que présenter au lecteur l'ouvrage si peu connu, chez nous, du Boccace anglais, invention charmante, qui a toutes les grâces, les maladresses, les timidités et le joli pédantisme des créations de l'adolescence. Quand Chaucer a la bonne fortune de rencontrer quelque tragique tradition morale venue de Tite-Live, par exemple la mort de Virginie, il s'y complaît avec cette joie que les poètes du moyen âge ont savourée chaque fois qu'ils touchaient aux souvenirs de la Grèce ou de Rome. Nos aïeux, ravis de paraître si savants, s'abandonnaient alors à de délicieux bavardages : l'histoire romaine chez la portière. Mais voici un conte, qui promettait beaucoup, mais qui finira mal, ou plutôt qui ne finira pas du tout : le conte de sire Topaze ! Chaucer semblait s'abandonner à un souffle d'invention chevaleresque : ce petit jouvenceau de sire Topaze, né en Flandre, 'par delà la mer,' fils de seigneur, brave, mignon, la face blanche comme pain de luxe, les lèvres rouges comme rose, les cheveux et la barbe d'un blond de safran, s'en allait chevauchant par les collines et les vallées, sous la futaie des forêts profondes, la lance en arrêt, gaiement, follement, le galop de son cheval chassait les chevreuils, les lièvres et les sangliers hors de leurs retraites ; mais Topaze ne se souciait point des bêtes fauves : il attendait le chant des oiseaux.

. . . .

Cet élan printanier à travers la vie, cette intelligence

familière des voix de la nature, du chant des oiseaux, faisaient vaguement penser au saint Julien l'Hospitalier de Flaubert : cet amour pour une créature de rêve, toute voilée de brouillard et de rayons de lune, nous acheminait vers la féerie, vers les prestiges du roman chevaleresque, qui déjà enchantait l'imagination héroïque de l'Espagne. M. Legouis voit en effet, en ce conte, une imitation, mais une imitation ironique de cette littérature qui, au temps de Chaucer, dégénérait déjà en ballades ou poèmes populaires semi lyriques.

.　　.　　.　　.　　.　　.　　.　　.　　.

Dans le vieux fabliau, où les trois personnages essentiels sont le mari, la femme et l'amant (très souvent un moine de la race de Frère Jean des Entommeures), Chaucer se sent fort à son aise; dans l'aimable conte du *Marinier*, où le moine, dom Jean, est le cousin même du mari, il imagine des incidents et des discours franchement comiques. Ceci est la bonne veine de la littérature bourgeoise du moyen âge européen. Après tout, l'invention de Chaucer n'y porte que sur le détail des épisodes. Mais le don original du conteur est une plaisante allégresse du récit; il s'amuse infiniment aux histoires contées par ses pèlerins. Si le conte est une prédication morale, il le renforce de toute l'érudition possible, d'un véritable débordement d'exemples édifiants. Dans le conte du moine défilent les plus tragiques mésaventures, d'Adam à Pierre le Cruel : Néron y occupe une place fort ample, et Ugolin s'y montre en toute l'horreur de sa détresse. Ce dernier tableau est d'une réelle beauté, et fort curieux à étudier de près : certains traits d'un pathétique profond, à peine indiqué par Dante, ont été saisis par l'instinct poétique de Chaucer :

> Le geôlier ferma la porte de la tour.
> Il l'entendit bien, *mais ne dit mot.*

C'est le terrible *Senza far motto* de la *Cantica*. Mais, tout aussitôt, étourdi comme un écolier, notre Anglais inflige au texte italien un étrange contresens :

> *Io non piangeva · si dentro impietrai.*

'Je ne pleurais pas : tant j'avais de pierre en dedans.'

'Hélas! hélas!' gémit l'Ugolin de Chaucer, 'pourquoi suis-je né?'

'A ces mots, *les larmes tombèrent de ses yeux.*'

Le plus intéressant morceau de cette seconde série, au point de vue de l'œuvre artistique, me semble être le *Conte du prêtre de Nonnains*, du *Coq chanteclair* et de *la Poule Pertelote*, un fabliau installé dans le monde de la volaille, un démenti infligé à la tradition triomphante de maître Renard, Renard l'invincible et l'infaillible, et, mêlée à ce drame de basse-cour, une théorie de la divination et des songes d'après les meilleurs auteurs de l'antiquité.   Un pur bijou et, si le chapelain de ces petites nonnes avait, en son bréviaire, beaucoup de contes, aussi agréables, on ne devait point s'ennuyer au couvent.

·   ·   ·   ·   ·   ·   ·   ·   ·   ·

1908. Hœpffner, Ernest. *Introduction* [to the] *Œuvres de Guillaume de Machaut*, Soc. des Anc. Textes Français, tome i, p. vii.

Les œuvres de Guillaume étaient connues même au delà du domaine de la langue française.   Chaucer, le grand poète anglais, s'est inspiré du *Dit de la Fontaine amoureuse* pour son *Boke of the Duchesse* et a fait des emprunts encores à d'autres poèmes de Machaut.

1908. *Les Contes de Canterbury de Geoffroy Chaucer. Traduction française, avec une introduction et des notes.* . . . Paris, Félix Alcan, 1908.

[This appeared as No. 4 bis of the *Revue Germanique* for Sept. 1906, 1907 and 1908, and was re-issued in 1 vol. in 1908.]

[p. v]   La traduction a été ainsi répartie entre les professeurs agrégés d'anglais dont les noms suivent :

Prologue Général.—M. Cazamian, professeur adjoint à l'Université de Bordeaux.

Conte du Chevalier.   Ire partie.   M. Léon Morel, chargé de cours à la Sorbonne.

IIe partie.—M. C.-M. Garnier, professeur au lycée Henri iv.

IIIe et IVe parties.—M. Bourgogne, professeur au lycée Condorcet.

Prologue et Conte du Meunier.—M. Delcourt, professeur au lycée de Montpellier.

Prologue et Conte de l'Intendant. } M. Derocquigny, profes-
Prologue et Conte du Cuisinier. } seur à l'Université de Lille.

Introduction, Prologue et Conte de l'Homme de Loi.—M. W. Thomas, professeur à l'Université de Lyon.

Prologue et Conte du Marinier. } M. Koszul, professeur au
Prologue et Conte de la Prieure. } lycée de Lyon.

Prologue et Conte de Chaucer sur
sire Thopaze. } M. E. Legouis, profes-
Prologue du Mellibée. } seur à la Sorbonne.

Conte de Chaucer sur Mellibée.—M. Bastide, professeur au lycée Charlemagne.

Prologue et Conte du Moine.—M. Charles Petit, professeur au lycée d'Amiens.

Prologue, Conte et Épilogue du Prêtre de Nonnains.—M. C. Cestre, maître de conférences à l'Université de Lyon.

Conte et Épilogue du Médecin. { M. Clermont, profes-
Prologue et Conte du Pardonneur. { seur au lycée Janson-de-Sailly.

Prologue de la Femme de Bath.—M. Derocquigny, professeur à l'Université de Lille.

[p. vi] *Conte de la Femme de Bath.* } M. E. Wahl, professeur au
Prologue et Conte du Frère. } lycée Janson-de-Sailly.

Prologue et Conte du Semoneur.—M. Bauchet, professeur au lycée d'Évreux.

Prologue et Conte du Clerc.—M. R. Huchon, maître de conférences à l'Université de Nancy.

Prologue, Conte et Épilogue du Marchand.—M. Lavault, professeur au lycée Janson-de-Sailly.

Conte et Épilogue de l'Écuyer.—M. Bahans, professeur au lycée de Pau.

Prologue et Conte du Franklin.—M. P. Berger, professeur au lycée de Bordeaux.

Prologue et Conte de la Seconde Nonne.—M. Vallod, professeur au lycée de Nancy.

Prologue et Conte du Valet du Chanoine.—M. Castelain, professeur adjoint à l'Université de Poitiers.

Prologue et Conte du Manciple. } M. Bastide, professeur au
Prologue et Conte du Curé. } lycée Charlemagne.

[p. vii] *Avertissement.* Les traducteurs ont adopté les règles suivantes :

1° Emploi du texte des *Contes de Canterbury*, publié par Mr. W. W. Skeat dans son *Student's Chaucer* . . . le meilleur texte existant, presque définitif. Ce texte a été suivi fidèlement, mais non servilement, et les traducteurs ont cru devoir s'en séparer, en de très rares occasions, surtout en ce qui concerne la ponctuation adoptée par la critique. . . .

•   •   •   •   •   •   •   •   •

2° Notes réduites au strict nécessaire. . . .

.   .   .   .

3° Traduction linéaire, vers pour vers, d'où un style sans doute moins coulant, mais en revanche plus fidèle et peut-être plus savoureux. . . .

.   .   .   .

[p. viii] L'accueil fait à la première moitié de ce livre permet de croire qu'il vient à son heure et comble une lacune enfin devenue sensible. Le premier *Groupe* des Contes, paru en fascicule dans un numéro supplémentaire de la *Revue Germanique*, a été honoré par l'Académie française d'une partie du prix Langlois. . . .

Il est d'ailleurs difficile de ne pas voir un indice signalé du progrès des études de langues vivantes chez nous, dans le nombre, la compétence et le zèle des collaborateurs qui se sont unis spontanément en vue de mener à bien une œuvre longue, délicate, exigeant la connaissance de la vieille langue anglaise, et toute désintéressée.

La Société pour l'Étude des Langues
et Littératures modernes.

[pp. ix.–xxxii.] Introduction, par M. Émile Legouis. [See below.]

1908. Legouis, Emile. *Introduction* [to the] *Contes de Canterbury de Geoffroy Chaucer,* traduction française . . . Paris, 1908, pp. ix.–xxxii.

[p. ix] L'œuvre dont la traduction est donnée dans ce volume a déjà été à plus d'une reprise célébrée chez nous par la critique. En des pages nombreuses et brillantes, tour à tour Taine et M. Jusserand, pour ne parler que d'eux, ont proclamé que les *Contes de Canterbury* étaient non seulement le premier chef-d'œuvre en langue anglaise, mais encore l'un des poèmes capitaux de l'Europe avant la Renaissance, qu'ils pourraient bien même en être de tous le plus vivant, le plus varié et le plus réjouissant. Nul des lecteurs de leurs belles études qui n'ait senti l'attrait du vieux livre dans leurs citations et à travers leurs analyses. Or c'est un indice curieux (et inquiétant aussi) de notre tournure d'esprit que le manque persistant d'une version accessible de ces *Contes* si bien loués.

.   .   .   .

[p. x] Les *Contes de Canterbury* sont donc restés pour la France un de ces chefs-d'œuvre qu'on salue de très loin et qu'on ignore. C'est ainsi qu'il manque au lecteur désintéressé un des livres de jadis qui peuvent le plus pour son amusement ; à l'historien un tableau unique de la vie populaire du xɪvᵉ siècle ; au littérateur un des plus remarquables prolongements à l'étranger de notre poésie nationale, et avec cela une œuvre qui, fondée sur le passé, fait mieux qu'aucune prévoir le progrès de la littérature européenne.

Il est un autre regret auquel le manque de cette traduction peut justement donner lieu. Faute de lire les *Contes de Canterbury* les Français se sont refusé la seule entrée de plain-pied qui leur fût possible dans la littérature anglaise . . .
Ce pas est à peine franchi que la communion devient parfaite :

[p. xi] pensées, sentiments, histoires, plaisanteries, tours d'esprit et de style, on y retrouve ce qu'on a laissé derrière. On y est chez soi, avec l'agrément d'être en même temps hors de chez soi ; on y apprend selon des modes familiers des choses curieuses sur un pays différent. . . . Nul écrivain anglais ne nous communique au même degré que Chaucer le sens de cette entente cordiale primitive. Ce n'est certes pas que nous songions à le revendiquer comme nôtre ; il nous est préférable que ses vers et ses contes aient essaimé de chez nous pour former au dehors une ruche nouvelle, riche et prolifique. Ainsi pouvons-nous dans la suite, après avoir séjourné quelque temps auprès de lui, passer mieux préparés aux autres grands poètes anglais, vrais indigènes ceux-là et parfois très étrangers à notre esprit, mais qui ont tous été à quelque degré ses élèves, et tous ont salué en lui le maître et le père.

. . . .

[p. xviii] La galerie des portraits qui mène aux contes est la seule partie de l'édifice qui ait été achevée définitivement, ou presque définitivement. Les vingt-neuf compagnons de route de Chaucer y figurent fixés en des traits et des couleurs que les années n'ont fait, semble-t-il, qu'aviver. . . .

Ils sont là une trentaine appartenant aux professions les plus dissemblables.

. . . .

[p. xix] Nul doute que Chaucer, en quête de conteurs distincts, ne se soit d'abord avisé de cette différenciation la plus facile et la plus nette qui consiste dans le contraste des professions. Cela fait—et faisait surtout alors—une bigarrure de couleurs et de costumes dont l'œil est saisi d'emblée, une suite d'habitudes et de tendances que l'esprit entend à demi-mot. Il suffisait de noter les traits génériques, les caractères moyens de chaque métier, pour obtenir déjà des portraits fortement accusés et qui ne risquaient pas d'être confondus.   Plus d'une fois le poète s'en tient à un simple relevé des indices professionnels. . . .   Néanmoins il va souvent au delà ; ces signes de métier qu'il n'omet jamais, et qui donnent à tous les pèlerins une généralité par quoi ils sont vraiment représentatifs, il lui arrive de les resserrer et de les diriger en inclinant soit à l'idéalisation, soit à la satire.   Aussi vrai que son Chevalier est le parangon des preux, que son Curé de village est le modèle des bons pasteurs, que son Clerc d'Oxford est le type de l'amour désintéressé de l'étude,— inversement son Moine, son Frère, son Semoneur, son Pardonneur, rassemblent les traits les moins estimables de leurs congénères.   Parfois aussi une généralisation d'une autre espèce vient croiser et enrichir celle du simple métier : l'Écuyer est en même temps la Jeunesse : le Laboureur est encore la Charité parfaite chez les humbles ; la Drapière de Bath est du même coup l'essence de la satire contre la femme.

[p. xx]   Enfin il ne s'en tient pas là ; il vivifie et rajeunit les descriptions convenues ou les généralisations antérieures en ajoutant des détails que lui fournit l'observation directe. Il superpose les traits individuels aux génériques ; il donne, même quand il peint le type, l'impression de peindre une personne unique, rencontrée par hasard. . . .   Cette combinaison des divers éléments est chez lui d'un dosage variable, extrêmement adroit sans qu'il y paraisse.   Un peu plus de généralité, et ce serait le symbole figé, l'abstraction froide ; un peu plus de traits purement individuels, et ce serait la confusion où l'esprit s'égare faute de points de repère.

La vraisemblance est d'autant mieux obtenue que nulle trace d'effort ou de composition ne se révèle :

> Ses nonchalances sont ses plus grands artifices.

Les détails semblent se succéder au petit bonheur : les traits de costume ou d'équipement alternent avec les notations de caractère ou de moralité.   Cela paraît à peine trié et ordonné.   Ajoutez que la naïveté des procédés rappelle sans cesse celle des peintres primitifs, par je ne sais quel air de gaucherie, par la raideur inexperte de certains contours, par une insistance sur des minuties qui fait d'abord sourire, par

la recherche des couleurs vives et en même temps par l'unique
emploi des teintes plates à l'exclusion des tons dégradés. La
présentation des pèlerins est faite avec une simplicité mono-
tone dont le plus rude artiste ne se contenterait pas aujour-
d'hui. Un à un, en des cadres rangés à égale distance l'un
de l'autre, placés sur le même plan, et tous à la même hauteur,
ils nous regardent tous de face. . . .

. . . .

[p. xxii]   Chaucer a donc pu rivaliser avec le peintre. . . . Mais le
poète a des ressources refusées au peintre ; il dispose des sons
comme des couleurs. Chaucer use de cet avantage avec un
égal bonheur. Il nous fait entendre les grelots qui, à la
bride du beau cheval brun monté par le Moine, tintent au
vent siffleur 'aussi clair et aussi fort que la cloche d'une
chapelle.'

. . . .

Mieux encore, ces portraits achevés, Chaucer s'est avisé
de les faire descendre de leur cadre. Il ne passe pas du
[p.xxiii] portrait au conte sans intermédiaire. . . . Les prologues et
les épilogues particuliers ramènent sans cesse l'attention des
contes aux pèlerins qui les disent ou les écoutent, et soulignent
le dessein du poète : faire de chacun de ces récits l'expression
naturelle et vraisemblable de tel ou tel individu.

. . . .

A pèlerins divers de costume et de caractère il prêta des
contes différents de fond et de forme. Son poème est une
sorte d'Arche de Noé où des spécimens de tous les genres
littéraires alors existants ont trouvé place, chacun y gardant
la singularité de sa physionomie. La prose, les distiques, les
stances, se succèdent et se croisent.

. . . .

[p. xxiv]   Il fallait encore—et ce n'était pas le moins difficile de la
tâche—attribuer à chaque pèlerin celui de ces contes qui
convenait à sa caste et à sa nature. Cela encore Chaucer
l'a fait admirablement où il a eu le temps de le faire, et la
réussite est telle dans les parties achevées de son poème
qu'on peut, qu'on doit admettre qu'il y eût triomphé d'un
bout à l'autre s'il avait mené l'œuvre à sa conclusion. . . .

. . . .

[p. xxv]   Certes le conte n'est plus toujours, dans l'abstrait, si bon,
si rapide, si lestement et habilement tourné qu'il pourrait
l'être, ni si souvent relevé de spirituels mots d'auteur. . . .

Ainsi, pris à part, le conte de la Bourgeoise de Bath est inférieur en aisance, en dextérité et en brillant à *Ce qui plaît
aux Dames* de Voltaire.   Mais le conte tel qu'il est dans
Chaucer ne sort pas de la bouche du poète ; il émane d'une
commère qui y met sa philosophie de la vie et s'en fait un
argument ; il lui sert à proclamer son idée des rapports entre
mari et femme.   Vu de cette manière, il prend une richesse
et un comique qui font paraître minces et sans portée les
vers agiles du poète francais.   D'ailleurs ce conte n'est ici
que parcelle—la moins importante et savoureuse—de cette
immense confession que nous fait la Bourgeoise.   Du rôle
principal il a passé à celui d'accessoire.

· · · · · · · · · ·

[p. xxviii] Enfin, dernier pas, Chaucer va jusqu'à nous offrir des
histoires dont il nous permet de nous moquer, si même il ne
nous invite pas à les juger en soi fastidieuses ou ridicules.
Le Moine essaie de compenser sa mine trop fleurie de joyeux
veneur, sa carrure de grand 'engendreur,' en psalmodiant la
plus lugubre des complaintes sur la fin tragique des illustres
de ce monde ; il est assez cuirassé d'embonpoint et d'indifférence, lui, pour soutenir avec calme le choc de ces infortunes
anciennes ; mais le bon cœur du Chevalier souffre et proteste ;
l'Aubergiste bâille et déclare que 'ce conte ennuie toute la
compagnie.'   Le chapelet funèbre ne sera pas égrené jusqu'au
bout, et le Moine rentrera dans le silence, après avoir par la
force soporifique de sa parole rétabli l'opinion de sa gravité
dans l'esprit des pèlerins.   Chaucer non plus ne pourra pas
mener au terme le conte qu'il s'est attribué.   L'Aubergiste
sensé le rabrouera pour ce qu'il chante une ballade de chevalerie qui rime beaucoup mais ne rime à rien.   Sommé de dire
une histoire où il y ait moins d'assonances et plus de doctrine,
[p. xxix] il se vengera de son critique sournoisement en lui obéissant
à la lettre.   Il renoncera aux vers et répétera en prose la
redoutable et interminable allégorie où Dame Prudence
prouve à son époux, par tous les Pères de l'Eglise et tous les
docteurs du stoïcisme, qu'il doit prendre en douceur les maux
peu communs dont il est affligé.   Dans ces trois cas, il serait
malavisé, le lecteur qui chercherait son plaisir dans l'excellence
des contes, au lieu de l'extraire, comme le poète, de leur
absurdité ou de leur ennui.

***

Ainsi se transforment les contes, simplement par la justesse
de l'attribution, alors que, pour le reste, ils conservent visible
leur marque d'origine.   Mais il faut se garder de croire qu'à
l'intérieur même des contes nul progrès ne se révèle. . . .
La même faculté vivifiante qui donna corps et âme aux
pèlerins court et circule dans beaucoup des récits qu'ils
font.   Ici sans doute l'apport de Chaucer est très inégal
selon les cas. . . . Il faut convenir que Chaucer est très
faiblement original dans la partie sérieuse, proprement
poétique, des *Contes de Canterbury*.   L'histoire de ce
genre qu'il ait le plus remaniée est sûrement la *Théséide* de
Boccace. . . .

Mais ailleurs Chaucer est ou traducteur littéral, comme
pour le conte de Mellibée, ou adaptateur très voisin du
modèle comme pour le sermon du curé, pour la vie de sainte
Cécile [etc.]. . . .

[p. xxx]   Tout autre est le cas pour les histoires comiques et réalistes
analogues à nos fabliaux.   Ici l'enrichissement est tel qu'on
pourrait parler de création.   Et cela reste en partie vrai,
même si nous comparons Chaucer avec l'auteur du *Décaméron*,
qui sut infuser à un genre originairement si sec tant de chaleur
et de rougeur de sang.   Mais tandis que Boccace, gardant la
concision du genre, ne dépasse guère le tableau de mœurs,
Chaucer, moins dense et moins passionné, s'avance progressive-
ment vers l'étude des caractères ; il reproduit à l'intérieur de
plus d'un de ces contes cet effort pour saisir l'individu qui
fait la gloire de son Prologue.   Boccace mène au roman
picaresque ; Chaucer montre déjà la voie à Molière et à
Fielding.   C'est à ce point que chez lui l'intrigue, l'anecdote
initiale, qui fut le tout du fabliau et qui reste le principal
dans Boccace, passe à l'arrière-plan, s'efface, n'est plus guère
qu'un prétexte.   Dès le *Conte du Meunier* on s'en aperçoit à
l'importance que prennent les portraits : celui de l'étudiant,
celui du clerc Nicolas, celui d'Alison.   Mais le plus caractéristique à cet égard est le *Conte du Semoneur*.   Tout ce qui
importe, ce sur quoi Chaucer s'étend, c'est la mise en scène
[p.xxxi]du Frère mendiant, ses façons à la fois patelines et familières,
ses extraordinaires efforts d'éloquence pour arriver à escroquer
l'argent de son malade.   Quand on atteint la grosse farce
primitive, le meilleur du conte est achevé, et plus des deux
tiers en est dit.   Ce qui fut l'unique raison d'être du fabliau
de Jacques de Basiu n'est plus ici que la simple conclusion

d'une étude de caractère ensemble très approfondie et
merveilleusement comique.

. . . .

[p. xxxii] Sans cesse nous éprouvons en lisant les *Contes de Canterbury*,
surtout les contes plaisants, l'impression que quelque chose
est en train de naître.   Un levain d'observation et de vérité
fermente à l'intérieur de genres fixes, qui eurent leur perfection spéciale, mais étroits et condamnés.   Ce travail qui
s'opère, c'est le théâtre moderne, voire le roman moderne,
qui donnent leurs premiers signes manifestes d'existence.

Cet Anglais du xivᵉ siècle, parfois empêtré dans une
syntaxe enfantine, encore imbu de scolastique, la mémoire
surchargée de citations et d'autorités bibliques ou profanes,
ayant sur sa tête un ciel astrologique plus étrange aux regards
européens d'aujourd'hui que celui de l'hémisphère sud,—ce
'translateur' docile d'œuvres disparates et souvent elles-
mêmes surannées,—se trouve en vérité avoir ouvert une ère
nouvelle.   C'est qu'en lui le désir de voir et de comprendre la
vie a passé avant l'ambition de la transformer.   Poète exilé
pour péché d'humour des régions les plus hautes de la poésie,
la curiosité l'a décidément emporté chez lui sur la foi, et la
joie des yeux ou de l'intelligence sur celle de l'enthousiasme.
Les paroles qu'il a entendues lui ont paru toujours réjouis-
santes, et même véridiques, du moins comme indices de la
nature et de la pâture de qui les disait.   Il mène le groupe,
sans cesse accru, des contemplateurs qui accepteront comme
un fait, avec une indulgence amusée, sans prétendre à reteindre
l'étoffe d'une couleur unique, l'entrecroisement des fils de
diverses nuances dont se compose le tissu bigarré d'une
société.   Il a sans doute jugé certaines couleurs plus belles
que d'autres, mais c'est sur le contraste de toutes qu'il a
fondé à la fois sa philosophie de la vie et les lois de son art.

1909. Unknown. [Review of the translation of the *Canterbury Tales*
in the] *Revue Universitaire*, January 15, 1909.   [Very brief.]

1909. Maury, Lucien. [Review of the translation of the *Canterbury
Tales* in the] *Revue Bleue* of January 23, 1909, pp. 120–122.

D'Assise a Canterbury

Voici une étonnante nouvelle : les contes de Chaucer
n'étaient pas traduits en français ! depuis le temps que ces

contes sont populaires en Angleterre! Depuis le temps
qu'ils constituent l'un des monuments de la littérature britannique, et, sans doute, de la littérature européenne! Eh bien!
non, nul ne s'était encore rencontré pour franciser ce livre
célèbre, tandis que par milliers les plus médiocres ouvrages . . .
passaient dans notre langue. Le cas est surprenant. . . .

Était-ce donc l'énormité de la tâche qui découragea les
bonnes volontés? Elles ne furent certes point déroutées par
l'étrangeté de ces récits; bien au contraire; tous ceux de
nos Français qui en ont parlé ont vanté la grâce limpide
et le charme accessible de ces vieilles aventures; la matière
n'en est guère originale, et si Anglais qu'il soit, Chaucer parut
toujours très voisin, par son art et son humeur de nos anciens
conteurs. . . . Et peut-être ce fait suffit-il à expliquer l'espèce
de défaveur dont son œuvre, sinon son nom, souffrit en
France; pourquoi demander à autrui ce que nous possédions
nous-mêmes? . . .

Enfin voici une traduction . . . qu'il était scandaleux que
nous n'eussions point : vingt et un professeurs d'anglais l'ont
faite : . . . rajeunir Chaucer c'eût été le trahir; ses vingt
traducteurs le rajeunissent le moins possible; ils ne tiennent
point la ridicule gageure de muer entièrement son anglais
hésitant et savoureux en français du XIVe ou du XVe siècle;
mais ils se souviennent des emprunts que nous fit Chaucer;
emprunts est-ce assez dire? quand souvent des passages et
parfois des récits entiers sont passés presque mot pour mot
de l'un de nos fabliaux ou de nos romans dans le texte
de Canterbury. . . . Recourir à ces fabliaux . . . recourir
même à Pétrarque, à Stace était indiqué . . . s'inspirer
du latin et des formes oubliées du français . . . extraire
des écrits de Jacques de Basiu (ou Boisieux) . . . du Roman
de la Rose . . . des termes, des tournures et des métaphores,
était légitime; labeur minutieux, qui fut accompli avec plus
ou moins de bonheur, . . . à qui nous devons çà et là de
prestigieuses réussites et au total un Chaucer français qui
n'est point indigne du Chaucer anglais.

.   .   .   .

Hâtons-nous de témoigner notre gratitude aux vingt
traducteurs de ce merveilleux livre.

1910. Legouis, Émile. *Geoffroy Chaucer* [in the series *Les Grands Écrivains Étrangers*], Bloud, Paris, 1910.

[This is the first book written in French on Chaucer as man and artist, giving an account of his environment and his poetical development, with a detailed study of the poems. The following is a table of the contents.]

Chapitre I.—Biographie du poète.

 I. Vie de Chaucer.
 II. Son caractère.
III. Relation de son œuvre avec l'histoire de son temps.
 IV. Son patron Jean de Gand.

Chapitre II.—Sa formation poétique.

 I. État de la langue anglaise vers 1360.
 II. Chaucer à l'école de nos trouvères.
III. Sa poésie lyrique.

Chapitre III.—Les poèmes allégoriques.

 I. Le Livre de la Duchesse.
 II. Le Parlement des Oiseaux.
III. La Maison de Renommée.
 IV. La Légende des Femmes Exemplaires.

Chapitre IV.—Chaucer et l'Italie

 I. Influence de Dante, Pétrarque et Boccace sur Chaucer.
 II. *Troïlus et Crisède.*

Chapitre V.—Les Contes de Canterbury.
Sources et Éléments.

 I. Origine et conception de l'œuvre.
 II. Le réalisme de Chaucer. Chaucer historien.
III. Limites de son impartialité. L'art et la satire.
 IV. Sources de ses *Contes.*

Chapitre VI.—Les Contes de Canterbury.
Analyse.

 I. À l'auberge du Tabard.
 II. Première journée de route :

[Here follows a detailed examination and criticism of all the Canterbury Tales, illustrated with charming translations into French verse of portions of the poems.]

Chapitre VII.—Les Contes de Canterbury.

Étude Littéraire.

I. Les Portraits.
II. La Mise en mouvement des Pèlerins.
III. Adaptation des Contes aux conteurs.
IV. Valeur des Contes.
V. Le style.

Conclusion.

ADDENDA TO APPENDIX B.

[1385 ?] Froissart, Jean.   *Le Paradys d'Amour.*   (Oeuvres.—Poésies publiées par M. Aug. Scheler, 1870–72, 3 vols., vol. i, pp. 1, 2.)

> Je sui de moi en grant merveille
> Comment je vifs quant tant je veille,
> Et on ne porvit en veillant
> Trouver de moi plus traveillant,
> Car bien saciés que par veillier
> Me viennent souvent travillier
> Pensées et merancolies
>
> .   .   .   .   .   .
>
> Et nonpourquant n'a pas lonc terme
> Que de dormir oc voloir ferme,
> Car tant priai a Morpheüs
> A Juno et a Oleüs
> .   .   .   .   .
>
> Et le doulc dieu fist son commant,
> Car il envoia parmi l'air
> L'un de ses fils, Enclimpostair . . .

[The whole of this, the opening passage of the poem, closely resembles that of *The Boke of the Duchesse*, and 'Enclimpostair' is Chaucer's 'Eclympasteyre.'   Baron Kervyn de Lettenhove (*Froissart*, 1857, 2 vols., vol. ii, p. 264, *q. v.* below) dates the *Paradys d'Amour* in 1385; *The Boke of the Duchesse* cannot be much later than 1369.]

1584. Thévet, André.   *Pourtraits et Vies des Hommes Illustres.   See* above, 1735.

1699. Scudéry, Madeleine de.   [*Translation of Chaucer.   See* above, pt. i, 1700, Dryden, and Introduction to App. B., pp. 2, 3.]

1764. Thiroux d'Arconville, M. G. C.   *Melanges de Poésie Angloise* . . . pp. 131–2 *n.*   Henry et Emma, poeme de Prior, imité de La Belle Brune de Chaucer.   [Prose translation.]

[Translator's note :] Chaucer, Poëte Anglois, naquit à Londres en 1328, & fut protégé par le Duc de Lancastre et par les Rois Edouard III & Richard.   Ayant donné dans les erreurs de Wiclef il fut obligé de sortir d'Angleterre :

y etant retourné quelquels tems après il fut mis en prison, mais il y resta peu de tems. Il épousa la sœur de la Duchesse de Lancastre, & mourut en 1400, âgé de 72 ans ; il fut enterré dans l'Église de Westminster. Il nous reste des Ouvrages de Chaucer en prose et en vers. Parmi ces derniers qui sont en grand nombre, on estime surtout la Piece intitulée *Le Testament d'Amour.*

1834. Desclozeaux, Ernest. *Article 'Chaucer,'* [in the] *Dictionnaire de la conversation et de la lecture,* 1833, etc., vol. xiii, 1834, pp. 433–6. *See* above, 1853.

1835. S[pach], L[ouis]. *Chaucer,* [in] *Encyclopédie des Gens du Monde,* pp. 594–6.

[An article of three columns laying the usual stress on Chaucer's imitation of French and Italian writers.]

1842. Bouillet, Marie-Nicolas. *Dictionnaire universelle d'histoire et de géographie,* art. Chaucer, p. 366.

[A short conventional biography. *Troilus* imitated from the *Roman de la Rose.* Chaucer's works now very difficult to understand.]

[The B.M. has the 1st edn., 1842, the 11th, 1856, the 20th, 1864, the 28th, 1884, and the 32nd, 1901, the last 'refondu sous la direction de L.-G. Gouraigne.' The article is slightly revised by 1856, but no error is corrected. The sentence about Chaucer's difficulty is deleted by 1864. The article in 1884 is practically identical, but by (and probably in) 1901 it is much enlarged and improved, though 1328 is still given as the birth-date, and the *Complaint of Venus* is included in the list of works.]

1850. F[orgues], E. D. *La Poësie humoristique* [*q.v.* above, p. 61].

[This article is translated by Forgues from *The Extractor,* and is a review of Leigh Hunt's *Wit and Humour.* Forgues' translation of the *Prologue,* mentioned above, we have not found, and it was perhaps never published.]

1853. Dreyss, Charles Louis. *Chronologie universelle,* p. 419.

[The Chaucer reference appears in this edition. Entered above, p. 91, from that of 1883.]

1854. Brunet, G. *Chaucer,* [in] Hoefer's *Nouvelle Biographie Générale,* vol. x, pp. 118–19.

[Entered above, p. 63, under 1856.]

[*n. a.* **1857 ?**] **Comte,** Auguste. *Calendrier Positiviste.*

 8º mois (Dante, l'Épopée moderne) 2 [July 17] Boccace, Chaucer.

 [Not in 1st edn., 1849. Comte died in 1857.]

1857. Kervyn de Lettenhove, J. M. B. C., Baron. *Froissart,* Bruxelles, 2 vols., vol. i, pp. 57 *n.* [Philippa de Roët], 226–9 [Froissart and Chaucer]; vol. ii, pp. 56–7 [the Canterbury Pilgrims; Sir Thopas], 195 [the French of Madame Eglantine], 196 [Chaucer borrows from Froissart], 264 [Enclimpostair. *See* above, 1385 ? Froissart], 289 [the Empty Purse; Chaucer's verses inferior to those of Froissart].

1858. Rietstap, J.-B. *Armorial général,* Gouda, 1858–61, livr. v, vi, 1858, pp. 240–41, armes du poète anglais Geoffrey Chaucer.

 [Entered above, p. 91, from the edn. of 1884.]

1865. Bouillet, M. N. *Atlas Universel d'Histoire et de Géographie,* p. 207.

 1400. Mort du premier grande poëte anglais, Chaucer.

1880. Demogeot, J.-C. *Histoire des Littératures étrangères. See* above, 1895.

1881. Beljame, Alexandre. *Le Public et les hommes de lettres en Angleterre au xviiiₑ siècle.*

 [Entered above from 2nd edn., 1883, which is identical.]

1888. Paris, Gaston. *La Littérature française au moyen âge.*

 [The Chaucer references in this, the 1st, edn. are identical with those in the 2nd 1890, entered above.]

1889. Meyer, Paul. [*Introduction* to the] *Contes moralisés de Nicole Bozon* . . . publiés . . . par L. Toulmin Smith et Paul Meyer, Paris, 1889, pp. xiii, xxiv, lvii.

 [p. xiii, Chaucer's Pardoner knew well the liking which the lay folk had for the old tales; p. xxiv, Bozon would say, like Chaucer's Pardoner: *Radix malorum est cupiditas;* p. lvii, English literature takes its first flight with Chaucer.]

1894. Bémont, Charles, is the author of the section cited from Lavisse and Rambaud's *Histoire générale.*

1906–7. *Les Contes de Canterbury. Traduction. See* above, 1908.

APPENDIX C.

THE work done on Chaucer by scholars in modern Germany is so vast that it would need a volume to itself to deal at all adequately with it. Here, therefore, owing to pressure of both time and space, it has been left almost wholly unrecorded. But the lack of this record here, from about the year 1880, is of comparatively little importance, owing to the many admirable bibliographies, books of reference, and magazine indexes which exist in German. Since the year 1879, practically every book and monograph and article on Chaucer has been recorded and commented on in the *Jahresbericht über die Erscheinungen auf dem Gebiete der germanischen Philologie*, Berlin, 1879 (in progress). In addition, there is the valuable Chaucer bibliography in Körting's *Grundriss der geschichte der englischen Litteratur*, Münster. i. W., 1887, 1893, and 1905, and the large amount of close and accurate information on Chaucer bibliography and criticism in *Chaucer, a Bibliographical Manual*, by E. P. Hammond, New York, 1908. In this last-named book a summary is given of the more important articles on Chaucer in German periodicals; and references to German dissertations and monographs on Chaucer, and in many cases to reviews of these, are to be found on pp. 74, 81, 237–8, 273, 275, 279, 282, 288, 365, 376, 378, 475–80, 491, 501, 503–4. Full lists of German dissertations have been published monthly since 1889 in the *Bibliographische Monatsbericht über neu-erschienene Schul- und Universitätsschriften*, Leipzig. In addition, the principal German philological periodicals and reviews, many of which contain a large number of Chaucer articles, are fully indexed, and in many cases have special detailed index volumes. See, for instance, below—

1846 ff. *Archiv für das Studium der neueren Sprachen und Litteraturen.*

1859 ff. *Jahrbuch für romanische und englische Sprache und Litteratur.*

1877 ff. *Englische Studien.*

1878 ff. *Anglia. Zeitschrift für englische Philologie.*

It would, therefore, be a comparatively easy matter, with the help of these and other books, to compile a formidable mass of German critical work on Chaucer during the past thirty or forty years, and it would be useful to have it all together. Here, however, are given a selection of the more interesting German references *before* 1860. From these it will be seen that there was fuller and more accurate knowledge of Chaucer in the 17th and 18th centuries in Germany than in any other foreign country. Specially interesting are the remarks by Ludolf in 1691, by Bodmer in 1743, by Herder in 1777 and 1796, and the long original critical essay, probably by Eschenburg, in 1793. This latter is the best account of Chaucer given by any foreign writer in the 18th century. The praise of the *Knightes Tale*, of the poet's 'powerful yet flowing verse,' of his originality in *Troilus*, of the *Squieres* and *Milleres Tales*, and, above all, of the connecting links or Prologues in the *Canterbury Tales*, shows first-hand knowledge and real appreciation of a kind which at this date is rarely found, even in England.

Wieland's debt to Chaucer's *Marchantes Tale* in *Oberon* (1780) is generally known, but Seume's translation of Chaucer's Complaint to his Purse (*c.* 1801), Breyer's excellent paraphrase of Godwin's *Life* (1812), and Tieck's use of the folio Chaucer in one of his novels may not be so familiar to English readers.

The article on Chaucer by Meyer in 1845 is specially worthy of remark. It is unusually good, accurate and fresh, written with undoubted first-hand knowledge of Chaucer's writings, his predecessors and followers, editions of his works, and the facts about his life so far as they were known in 1845. The Chaucer article in the latest edition of Meyer's *Lexikon* (1897) is entirely re-written, and although full of accurate and useful information, it lacks the feeling of really close knowledge and appreciation of the poet's work which the original article gives.

After 1860, up to 1900, only a few of the more important works on Chaucer are entered in the following list, such as Hertzberg's and von Düring's translations, ten Brink's critical writings, a few monographs, and the reviews which contain so much valuable Chaucer research and criticism. For the more recent important German work on Chaucer, the names of Ballmann, Brandl, Flügel, Kaluza, Koch, Koelbing, Schipper and Zupitza are specially to be noted.

GERMAN REFERENCES.

1574. Gesner, Conrad. *Bibliotheca, instituta et collecta primum a Conrado Gesnero.* Zurich, 1574, p. 214, col. 2.

Galfridus Chaucerus Anglus, eques auratus, Boethium de consolatione Philosophiæ transtulit in linguam Anglicam poemate vario. Scripsit Trophæum Lombardicum lib. i. De principum ruina. Emblemata moralia. Amatoria carmina. De curia Veneris. Chryseidæ testamentum. Chryseidæ querimoniam. Laudes bonarum mulierum. Cleopatræ vitam. Vitam Thysbes Babylonicæ. Vitam Didonis Carthaginensis. De Hypsipyle & Medea. Vitam Lucretiæ Romanæ. De Ariadna Cretensi. De Philomela Atheniensi. De Phyllide Thracensi. De Hypermestra Aegyptia. Somnium Chauceri. Volucrum conglobationem. Vrbanitatis florem. Misericordiæ sepulturam. De Augea & Telepho. Choream Dominarum. De astrolabij ratione. Querimoniam Nigri militis. Fœminarum encomion. Narrationes diuersorum. De Troilo & Chryseida. De Cæyce & Halcyone. In obitum Blanchiae ducissæ. Tragœdias, item Comœdias multas, ac elegias poemataque varia. Claruit anno Domini 1450.

[In the edition of 1583 this notice is precisely similar.]

1654. Quenstedt, Joannes Andreas. *Dialogus de Patriis Illustrium doctrina et scriptis virorum.* Wittebergæ, 1654, pp. 84, 85.

In Oxoniensi **agro** est *Woodstock* oppidum, quod cum nihil habeat, quod ostentet (verba sunt *Gul. Camdeni in Britan.* p. 155) Homerum nostrum Anglicum GALFREDUM CHAUCERUM, alumnum suum fuisse gloriatur. De quo & nostris Poëtis Anglicis (pergit idem) illud verë asseram, quod de Homero & Graecis ille Italus dixit:

— Hic ille est, cujus de gurgite sacro
Combibit arcanos Vatum omnis turba furores.

128

Ille enim **extra** omnem ingenii aleam positus, & Poëtastros nostros longo post se intervallo relinquens,

— jam monte potitus,
Ridet anhelantem dura ad fastigia turbam.

Haec ille.   Opuscula ejus varia recenset *Conrad. Gesnerus in Bibl.*

[The passage is identical in the 2nd edition of 1691.]

1678. König, G. M.   *Bibliotheca vetus et nova*, Altdorfi, 1678, p. 186.

Chaucerus (Galfr.) Anglus, A. 1400. obiit. Vid. *Ghilinus,* vol. 2. pag. 102.   *Quenst.* pag. 84.

<small>[For the Quenstedt reference *see* above, 1654.   Ghilinus is Girolamo Ghilini, *Teatro d'Huomini Letterati*, Ven. 1647.]</small>

1682. Morhof, D. G.   *Unterricht von der Teutschen Sprache and Poesie,* Kiel, 1682, p. 238.

Der Aelteste Englische Poet wird von dem Ubersetzer des Rapini gesetzet Geoffry Chaucer, der im Jahr 1400 gelebet. Selbiger ist mit unter den Chymischen Poeten, und findet sich in dess Ashmols seinen Tractat ein Getichte [*sic*], dessen Uberschrifft The Tale of the Chanons Yeoman; worinnen er von dieser Kunst handelt.   Sein Bildnusz und sein Epitaphium, welches in der Kirchen zu Westmünster zu finden, hat er dabey abmahlen lassen.   Dieser gebraucht sich vieler alten Wörter und Redensarten, die nicht mehr gebräuchlich seyn.

[There were subsequent editions of this work in 1700 and 1718.   The notice of Chaucer is repeated in them with slight verbal alterations.]

1691. Ludolf (or **Leutolf**), Hiob.   *Jobi Ludolfi alias Leutholf dicti ad suam Historiam Æthiopicam ante hac editam Commentarius* . . . Francofurti ad Mœnum, 1691, p. 440.

L. iii, c. 6, N. lxxi.

Seldenus id etiam olim in Britannia inter Christianos in usu fuisse docet, producto veteri rhythmi *Galfredi Chauceri,* qui sub *Eduardo tertio* floruit, de uxore sua Bathoniensi ante fores templi quinquies maritata, Anglicè sic cecinit:

𝔖he was a worthy woman all her libe
𝔥usbands at the Church dore had she ffbe.

Id est:

Sie war ein würdig Weib in allem ihrem Leben
Der Männer fünff bekam sie für der Kirch Thür eben.

<small>[For the Selden reference *see* above, pt. i, 1646.]</small>

1694. Bentheim, H. L. *Engeländischer Kirch- und Schulen-Staat,* Lüneburg, 1694, p. 595.

[In a list of *Gelehrte* of the fourteenth century :]

Geoffrey Chawcer, ein grosser Poet, welchen die Engeländer für ihren Homerum halten.

[This notice was much extended in a second edition. *See* 1732.]

1700. Unknown. [*A review* of Dryden's *Fables Ancient and Modern,* 1700, in] *Acta Eruditorum,* Leipzig, July 1700, p. 321–4.

[p. 321]   Quae in laudem Chauceri, poëtarum Anglorum communis velut patris, præposuisse in titulo hujus operis videtur auctor *Johannes Dryden,* ex Virgilii Æneid. Lib. 5 : [ll. 55–56.]

> Nunc ultro ad cineres ipsius, & ossa parentis
> (Haud equidem sine mente reor, sine Numine Divum.)
> Adsumus ;

non sine omine Angli jam ad ipsum Auctorem applicare poterunt.

[p. 323]   . . . Inde Ovidium quoque cum Chaucero poëta Anglo admodum vetusto comparat, & utrumque ait patriam linguam percoluisse, utrumque fuisse ingenuum, festivum, amantem, utrumque Philosophiae, Philologiae, Astronomiae operam dedisse ; facilem utrique esse dictionem, sed neutrum propriis inventis multum excellere : Ovidium quippe Graecorum fabulas descripsisse, Chaucerum Italorum sui temporis poemata in suum usum convertisse ; aliqua tamen Chaucerum invenisse, Ovidium, quantum constet, nihil prorsus. Neque minus praestare Chaucerum in affectibus atque actionibus personarum ad vivum describendis, atque ipsa verborum simplicitate, cum natura rerum minus saepe ferre videatur verborum & sententiarum flexus, quales apud Ovidium ubique ferme offendas. Quid quod Chaucerum eodem loco Anglis habendum putat, quo Graeci Homerum, & Virgilium Romani habebant? . . . [and another page of this epitome of the Preface dealing with Chaucer].

1704. Unknown. [*A review* of *The London Spy,* id est Explorator Londinensis, Londini, 1703, in] *Acta Eruditorum,* Leipzig, June 1704, p. 284. [Describing Dryden's funeral.]

Postquam itaque in templum Abbatiæ Westmonasteriensis ventum esset, cantatum est epicedium, & postrema a

quodam ejus templi Sacerdote persoluta sunt, demumque
funus, magna cum honoris significatione, medio loco inter
Chaucerum & Coulæum, insignes Anglorum Poëtas, Epicum
alterum, alterum Lyricum, tumulatum est ; quo in loco ut
splendidum monumentum, tantoque viro dignum erigatur,
Nobiliores quidam Angli procurabunt.

1709. Unknown. [*A review* of *A New View of London*, 1708, in]
Acta Eruditorum, Leipzig, March, 1709, p. 112.

[Account of Westminster Abbey, and the poets buried
there.]   Proximi sunt Cowlejo Poetæ alii, Galfridus Chaucer,
A. 1400, Edmundus Spencerus, A. 1596 [etc.].

1715. Mencke, Johann Burchard.   *Compendiöses Gelehrten-Lexicon*,
Leipzig, 1715, p. 466.

Chaucer (Godfried, oder Galfried) ein in der Mathematic,
studiis elegantioribus und Poësie wohl erfahrener Ritter,
von Woodstock in Engeland, wurde wegen seiner schönen
Verse der Englische Homerus genannt, schrieb im Engl.
laudes bonarum mulierum, vitam Cleopatræ, vitam Lucretiæ
Romanæ, und andere Schrifften, welche zu London zusammen gedruckt sind, und st. 1400.

[The notice is similar in the subsequent editions of 1726
and 1733.   In 1750–3 this work was republished as Jöcher's
Allgemeines Gelehrten-Lexicon, and the Chaucer notice in it
has slight additions (vol. i, p. 1855, col. i).   In the list of his
works, after ' vitam Lucretiæ romanæ ' is added :—' amorum
Troili de Chriseidae libros 2, welche letztern Franc.
Kingston [*sic*] in lateinische Verse gebracht, nebst andern
Schriften,' etc.   The alternative date 1402 is added for
Chaucer's death.   The later edition of this Lexicon, 1787–
1822, is merely supplementary of names up to then
omitted.]

1722. Unknown. [*A review* of Joseph Trapp's *Praelectiones Poeticae
in schola naturalis Philosophiae Oxonii habitae:* in] *Acta Eruditorum*, Leipzig, March, 1722, p. 130.

Immaturum enim Drydeni Angli judicium censet quo
ille Chauceri poema, pulcrum sane, Iliada Æneidaque
aequare imo superare contendit.

1725 Unknown. [*A review* of *The Survey of Cornwall*, etc., by Richard
Carew, 1723, in] *Acta Eruditorum*, Leipzig, March, 1725, p. 121–2.

[p. 121]   Utque probet, veteres Græcos & Romanos pares in

Anglia habuisse, Platoni *Thomam Smith*, Ionibus *Thomam Morum*, Ciceroni *Aschamum*, Varroni *Chaucerum* . . . omnes præstantissimos illius ævi scriptores Anglos, opponit.

1727. Unknown. [*A review* of J. Dart's *Westmonasterium, or the History and Antiquities of the Abbey-Church of St. Peter's, Westminster:* in] *Acta Eruditorum*, Leipzig, June, 1727, p. 243.

Galfridus Chaucer, pater Poetarum Angl. cujus vitam prolixiorem Noster nuperæ ejus Operum editioni præmisit, natus Londini A. 1328, denatus est Oct. 25 A. 1400.

1730. Unknown. *Allgemeines Historisches Lexicon*, 3te Aufl., I. Teil, Leipzig, 1730, p. 958.

CHAUCER, (Godfried oder Galfredus) ein Ritter, gebürtig von Woodstock in Engelland, wurde wegen seiner schönen verse der Englische Homerus zugenannt. Hiernächst war er auch in der mathematic und in den studiis elegantioribus wohl erfahren. Er starb an. 1400. Seine Engelländische schrifften sind an. 1561 zu London zusammen gedruckt worden ; er hat aber geschrieben, laudes bonarum mulierum ; vitam Cleopatræ ; vitam Lucretiæ Romanæ ; urbanitatis florem ; misericordiæ sepulturam ; de astrolabii ratione, &c. *Leland, Balæus & Pitsæus* de script. Angl. *Gesnerus, Camden, &c.*

[This notice is quoted from the third edition—the only edition which the British Museum possesses—but a notice on Chaucer also appeared in the first edition, Leipzig, 1709. Possibly the notice in the first edition was the same as that in Mencke's *Lexicon* (see above, 1715), as Mencke virtually based his work on the older *Historisches Lexicon*.]

1732. Bentheim, H. L. *Neu-eröffneter Engländischer Kirch-und Schulen-Staat,* 2nd Edition, Leipzig, 1732, pp. 861–2.

Geoffrey Chaucer, machte zwar die Adeliche Geburt und der Ritter-Orden, zu der Zeit gnug ansehnlich, aber seine Gelahrtheit [*sic*] und Dicht-Kunst hat ihn der Vergessenheit entzogen, und so hochberühmt gemachet, dass er noch der Engeländische Homerus insgemein genennet wird. Doch findet man heutiges Tages keinen sonderlichen Geschmack mehr an seiner Schreib-Art, weil er seine Reimen mit vielen Frantzösischen oder Normannischen Wörtern bespicket hat ;

Dennoch aber haben die Engeländer Ursache ihn annoch
hoch zu halten, weil er das Eiss in der Dicht-Kunst ihren
Landes-Leuten zuerst gebrochen hat.

[For the first edition of this work, *see* above, 1694.]

1743. Bodmer, J. J. *Sammlung critischer, poetischer und anderer
geistvollen Schriften,* siebendes Stück. Zurich, 1741–4, pp. 46–7.

Das Metrum [des mittelhochdeutschen höfischen Epos]
ist demjenigen gantz gleich, welches der Englische Schaser
noch in dem 14ten Sæculo gebraucht hat, da uns aber
verborgen ist, wie man es gelesen, oder gesungen habe.
Schaser schriebt zum Ex. :

> It stood upon so high a rock
> Higher standeth none in Spayne,
> What manner stone this rock was
> For it was like a lymed glass
> But that it schon full more clere
> But of what congeled matere
> It was, I niste redily.

> [*Hous of Fame*, Book iii, ll. 26–7 ; 33–7.]

Die Engelländer haben sich von diesem Sylbenmasse nicht
irre machen lassen, dass sie den Innhalt und die Erfindungen
darunter aus dem Gesichte verlohren hätten, ihre heutigen
Poeten finden noch ietzo die Perlen darinnen, und wissen sie
geschickt herauszunehmen. Sie halten Schasers poetisches
Naturell noch ietzo in Hochachtung, da sie seine Sprache
haben untergehen lassen. Wir aber haben unsre Schaser
mit ihrem Zahlmasse, ihrer Sprache und ihrer Poesie, unter
die Banke geworffen.

1777. Herder, Johann Gottfried von. *Von Aehnlichkeit der mittlern
englischen und deutschen Dichtkunst,* [published in] *Deutsches
Museum,* Band ii, pp. 425–6.

[p. 425] Wenn nun auch hier England und Deutschland grosse
Gemeinschaft haben, wie weiter wären wir, wenn wir diese
Volksmeynungen und Sagen auch so gebraucht hätten, wie
die Britten und unsre Poesie so ganz darauf gebaut wäre,
als dort Chaucer, Spenser, Shakespear auf Glauben des
Volks baueten, daher schufen und daher nahmen. Wo sind

unsre Chaucer, Spenser und Shakespeare? Wie weit stehen
unsre Meistersänger unter jenen! . . .

[p. 426] Ich sage nur so viel: Hätten wir wenigstens die Stücke
gesammlet, aus denen sich Bemerkungen oder Nuzbarkeiten
der Art ergäben—aber wo sind sie? Die Engländer—mit
welcher Begierde haben sie ihre alte Gesänge und Melodien
gesammlet, gedruckt und wiedergedruckt, genuzt, gelesen!
Ramsay, Percy und ihres Gleichen sind mit Beyfall aufge-
nommen, ihre neuern Dichter Shenstone, Mason, Maller [sic]
haben sich, weingstens schön und müssig, in die Manier
hineingearbeitet: Dryden, Pope, Addison, Swift sie nach
ihrer Art gebrauchet: die ältern Dichter, Chaucer, Spenser,
Shakespear, Milton haben in Gesängen der Art gelebet,
andre edle Männer, Philipp Sidney, Selden, und wie viel
müste ich nennen, haben gesammlet, gelobt, bewundert;
aus Samenkörnern der Art ist der Britten beste lyrische,
dramatische, mythische, epische Dichtkunst erwachsen;
und wir—wir überfüllte, satte, klassische Deutsche—wir!
—Man lasse in Deutschland nur Lieder drucken wie sie
Ramsay, Percy u. a. zum Theil haben drucken lassen, und
höre, was unsre geschmackvolle klassische Kunstrichter
sagen!

1780. Wieland, Christoph Martin. *Oberon,* ein Gedicht in vierzehn
Gesängen.

[The whole of the 7th song of Oberon is taken from
Chaucer's *Marchantes Tale.* Wieland himself names Chaucer
—not Pope—as his source, see 1796 below, but although
Wieland undoubtedly knew Chaucer's original version (probably in Tyrwhitt's edn. of 1775–8), he unquestionably
also follows Pope's modernisation in the main. For the
question of Wieland's debt to Chaucer and Pope respectively,
see *Das Quellenverhältniss von Wieland's Oberon,* von Dr. Max
Koch, Marburg, 1880, pp. 52–5.]

1793. [Eschenburg, J. J.?] *Gottfried Chaucer,* [in] *Charaktere der
vornehmsten Dichter aller Nationen; nebst kritischen und histori-
schen Abhandlungen über Gegenstände der schönen Künste und
Wissenschaften, von einer Gesellschaft von Gelehrten,* Leipzig, 1793,
vol. ii, pp. 113–139.

[This long and careful essay (27 pp.) is, so far as I know,
by far the best eighteenth-century account of Chaucer
written by any foreign writer. It is written with evident
knowledge of Chaucer's work at first hand, and is no mere
repetition of what others have said. The poems, and

Chaucer's sources, are discussed in detail, with accuracy
and insight.]

[p. 118]   Mit dem klassischen Alterthum war Chaucer nicht unbe-
kannt; das beweisen seine häufigen Anspielungen auf Stellen
der Alten.   Aber ihre Dichtkunst war wenigstens nicht
das Vorbild seiner Nachahmung.   Dazu war seine Welt-
kenntniss und seine Belesenheit zu mannigfaltig.   Aus den
französischen und italienischen Dichtern entlehnte er das
meiste.   Aus ihnen schöpfte er nicht nur den Stoff, sondern
die ganze Behandlungsart seiner beyden und vornehmsten
Gedichte, *The Knight's Tale*, und *The Romaunt of the Rose.*

[p. 119]   Unter Chaucer's Hand erhielt diese Dichtung (*The
Knight's Tale*) viele neue Schönheiten.   Einige vorzügliche
Gemälde und Beschreibungen, z. B. die von den Tempeln
des Mars, der Venus, und der Diana, und manche darein
verwebte Allegorien, haben durch die freye und edle Manier
des brittischen Dichters nicht wenig gewonnen.   Nicht genug
indess, dass er manch Neues und Eignes hinzuthat; er liess
auch viel Mattes und Weitschweifiges hinweg, welches die
Lesung des italienischen Originals so oft ermüdend macht.
Auch entledigte er sich der Einförmigkeit und des Zwanges der
Stanzen, und wählte das freyere Metrum des zehnsylbigen
Iamben, von dessen glücklicher Bearbeitung er in diesem
Gedichte das erste Muster gab.   Bekanntlich hat Dryden
diess Gedicht in seiner Erzählung, Palämon und Arcite,
modernisirt; aber Chaucer's kraftvoller und dabey sehr
fliessender Vers hat nicht wenig Antheil an dem Verdienste,
welches sich der Vortrag des neuern Dichters nun um so
leichter erwerben konnte. . . . [Romaunt of the Rose,
sources and characteristics.]

[p. 122]   Eine andre vorzüglich merkwürdige Arbeit Chaucer's ist
sein erzählendes Gedicht, Troilus und Kressida . . . [His
sources, ' Lollius ' and Guido de Colonna.]   Aber auch hier
ist das Eigenthümliche des englischen Dichters unverkenn-
bar; und er zeigte hier vornämlich seine Stärke in lebhafter
Erregung des Mitgefühls. . . .

[*The Hous of Fame.*   Pope's rendering is inferior.]

[p. 123]   Am berühmtesten indess von allen Werken unsers

Dichters sind seine *Canterbury-Tales.* Die Veranlassung zu diesen Erzahlüngen ist ganz sinnreich ausgesonnen. [Description of the setting, and the improvement on Boccaccio's Decameron, in that Chaucer's personages are drawn from many different parts of the country, and from different classes and trades.]

[p. 124]   Freylich aber sind diese Erzählungen, von Seiten ihres innern Gehalts, ziemlich ungleich, und nicht alle von gleichem poetischen Verdienst. Von ihrer Erfindung gehört dem englischen Dichter wohl nur wenig eigen. Die schönste darunter, nächst der schon angeführten *Knight's-Tale*, ist ohne Zweifel, *The Squirr's-Tale* [*sic*]. [Description of this and of the *Clerkes Tale*.] . . .

[p. 126]   In der komischen Gattung sind *The Tale of the Nonnes Priest* und *January and May*, durch Dryden's und Pope's Modernisirungen, die bekanntesten geworden; obgleich *The Miller's Tale* mehr ächte komische Laune hat . . . In den meisten übrigen Erzählungen Chaucer's ist mehr komische, als ernsthafte Wendung; und die Naivetät des Tons ist darin nicht weniger anziehend, als die Wahrheit und Lebhaftigkeit der ganzen Darstellung.

Mehr aber noch, als in den Erzählungen selbst, strömt die ergiebige launigte Ader unsers Dichters in den Prologen, womit er jedes Mährchen einleitet.

[p. 127]   Hier fand er zu treffenden Sittengemälden überall Gelegenheit; und diese sind wirklich meisterhaft entworfen, und mit treffender Satyre untermischt. Man bewundert den eindringenden Scharfsinn in diesen charakteristischen Schilderungen eben so sehr, als ihre glückliche Auswahl und Mannigfaltigkeit.

Dabey sind sie durchaus original und einheimisch, nicht flach, sondern äusserst individuell, und mit immer reger Lebhaftigkeit ausgeführt. Unter andern sticht der Charakter des Wirths von der Herberge der erzählenden Pilger sehr vorthielhaft hervor. Seine Zwischenreden und Bemerkungen, womit er die Erzählungen zuweilen unterbricht, sind überaus treffend; und er ist beinahe eben das, was der Chor auf der griechischen Bühne war. . . .

[Chaucer's language and verse is then discussed.]

1796. Herder, Johann Gottfried von. *Briefe zu Beförderung der Hu-*
manität, achte Sammlung, Brief 98. (Herder's Sämmtliche Werke,
herausgegeben von Bernhard Suphan, Berlin, 1877–1913, Band
xviii, pp. 100, 102, 107 [Passing references to 'Chaucer's Reime '].

[p. 100]   Der Unterschied, den das Fragment zwischen Poesie aus
Reflexion und . . der reinen Fabel-poesie macht, ist mir aus
der Geschichte der Zeiten, auf die das Fragment weiset,
ganz erklärlich worden.   So lange nämlich der Dichter
nichts seyn wollte, als Minstrel, ein Sänger, der uns die
Begebenheit selbst phantastisch vors Auge bringt und solche
mit seiner Harfe fast unmerklich begleitet, so lange ladet
der gleichsam blinde Sänger uns zum unmittelbaren An-
schauen derselben ein.   Nicht auf sich will er die Blicke
ziehen . . . er selbst ist in der Vision der Welt gegenwärtig,
die er uns ins Gemüth ruft.

Dies war der Ton aller Romanzen- und Fabelsänger der
mittleren Zeit, und (um bei der Englischen Geschichte zu
bleiben, aus der das Fragment Beispiele holet) es war noch
der Ton Gottfried Chaucers, Edmund Spensers und ihres
Gleichen.   Der erste in seinen *Canterbury-Tales* erzählt
völlig noch als ein Troubadour; er hat eine Reihe ergötz-
ender Mährchen zu seinem Zweck der Zeitkürzung
und Lehre, charakteristisch für alle Stände und Personen,
die er erzählend einführt, geordnet; Er selbst erscheint
nicht eher, als bis an ihn zu erzählen die Reihe kommt,
da er denn seinem Charakter nach, als ein Dritter auftritt.

1796. Wieland, Christoph Martin. *An den Leser,* [prefixed to] *Oberon.*
Sämmtliche Werke, Leipzig, 1794–1802, 42 vols., vol. xxii, pp. ii, iii.

[p. ii]   Aber der Oberon, der in diesem alten Ritterromane die
Rolle des *Deus ex machina* spielt, und der Oberon, der dem
gegenwärtigen Gedichte seinen Nahmen gegeben, sind zwey
sehr verschiedene Wesen.   Jener ist eine seltsame Art
von Spuk, ein Mittelding von Mensch und Kobold, der Sohn
Julius Cäsars und einer Fee, . . . der meinige ist mit dem
Oberon, welcher in Chaucer's *Merchant's-Tale* und Shakespeare's *Midsummer-Night's-Dream* als ein Feen- oder
Elfenkönig (*King of Fayries*) erscheint, eine und eben
dieselbe Person; und die Art, wie die Geschichte seines
Zwistes mit seiner Gemahlin Titania in die Geschichte
[p. iii]   Hüons und Rezia's eingewebt worden, scheint mir (mit

Erlaubniss der Kunstrichter) die eigenthümlichste Schönheit des Plans und der Komposizion dieses Gedichtes zu
seyn.

[*c.* 1801 ?] **Seume**, Johann Gottfried. *Chaucer an seine leere Börse*
[a translation of Chaucer's *Compleint to his Empty Purse*]. (*Seume's
Sämmtliche Werke*, Leipzig, 1826, Band vi, pp. 98, 99.)

[The following is the first stanza.]

Geliebte, der keine Geliebte mehr gleicht,
Ach Liebe, wie bist Du so leer ;
Wie bist Du so winzig und jämmerlich leicht ;
Das macht mir das Leben so schwer.
Und lieber schon wär' ich zur Bahre gebleicht ;
Erbarme Dich meiner, und sei wieder schwer,
Sonst leb ich nicht mehr.

1812. **Breyer**, Carl Wilhelm Friedrich. *Leben Geoffrey Chaucer's des
Vaters der englischen Dichtkunst.* Nach dem Englischen Herrn
William Godwins frey bearbeitet, Jena, 1812.

[This is an admirably done paraphrase of Godwin's *Life
of Chaucer* (1803), retaining all the essentials relating to
Chaucer and his work, and omitting the superfluous, as
Breyer indicates in his preface. Some twenty-one irrelevant
chapters are entirely omitted, and others are vastly reduced,
so that Breyer's version is a little volume of 146 pages
(+ 39 pages of quotation from the *Romaunt of the Rose*),
whereas Godwin's forms two large volumes of 489 + 642
pages.]

Vorbericht.—Es ist allerdings ein sehr angenehmes Geschenk, welches Hr. *William Godwin* mit seiner ohnlängst
erschienenen Schrift : *Life of Geoffrey Chaucer*, nicht nur
seinen Landsleuten, den Engländern, sondern den Freunden
der Poesie und Historie überhaupt, gemacht hat. Nur der
Form, in welcher der berühmte Verfasser dies Geschenk
darbrachte, müssen wir unsern Beyfall versagen. [It is
not only a life of Chaucer, but an historical account
of the fourteenth century in England, there are too many
long digressions in it.] . . .

Was wir dem deutschen Publikum hier liefern, ist daher
im strengen Sinne des Worts eine *freye Bearbeitung* des
englischen Originals. Indem wir alles Ueberflüssige weg-
schnitten, machten wir, so viel es uns möglich war, den

Vater der englischen Dichtkunst zum Mittelpunkt unsrer
ganzen Erzählung.

1827. Kannegiesser, Carl Ludwig. *Gottfried Chaucers Canterburysche
Erzählungen,* (Auswahl) übersetzt von Kannegiesser, 2 vols.,
Zwickau. (Taschenbibliothek auswärtiger Klassiker.)

[Vol. i, *Prologue* and *Knightes Tale*; vol. ii, *Frankeleyns
prologue* and *Tale, Pardoneres prologue* and *Tale, Doctor's*
[i. e. *Phisiciens*] *prologue* and *Tale, Cokes Tale,* i. e. *Gamelyn,*
not the real *Cokes Tale.* In verse.]

1837. Groneman, Sarus A. J. de Ruever. *Diatribe in Johannis Wicliffi,
Reformationis prodromi, Vitam, Ingenium, Scripta.* Trajecti ad
Rhenum, 1837, p. 231-2 *n.*

Chaucerus poëmate pulcro depinxit presbyterum quendam
ruralem, quem cum adumbrabat, ob oculos eum habuisse
Wicliffum, multi putant. [He then quotes a portion of
Chaucer's description of the parson from the *Prologue,*
ll. 477–84, 491–5, 524–8—

'A good man there was of religion,' etc.]

1839. Tieck, Johann Ludwig. *Des Lebens Ueberfluss,* Ludwig Tieck's
gesammelte Novellen, vermehrt und verbessert, 1838–42, neue
Folge, Breslau, Band 1, 1842, pp. 23, 24, 39, 104, 105, 106.

[In this story, a rare copy of Chaucer, printed by Caxton,
becomes the means of tracing the eccentric scholar, who was
forced to sell it in his poverty. The following are some of
the passages where the Chaucer is referred to.]

[p. 23]   Er nahm das Tagebuch wieder vor und schlug ein Blatt
zurück.   Er las laut : Heut verkaufte ich dem geizigen
Buchhändler mein seltenes Exemplar des Chaucer, jene alte
kostbare Ausgabe von Caxton.   Mein Freund, der liebe,
edle Andreas Vandelmeer, hatte sie mir zu meinem Geburts-
tage, den wir in der Jugend auf der Universität feierten,
geschenkt.   Er hatte sie eigens aus London verschrieben,
sehr theuer bezahlt und sie dann nach seinem eigensinnigen Geschmack herrlich und reich mit vielen gothischen
[p. 24] Verzierungen einbinden lassen.   Der alte Geizhals, so
wenig er mir auch gegeben hat, hat sie gewiss sogleich nach
London geschickt, um mehr als das Zehnfache wieder zu
erhalten.   Hätte ich nur wenigstens das Blatt herausge-

schnitten, auf welchem ich die Geschichte dieser Schenkung erzähle und zugleich diese unsre Wohnung verzeichnet hatte. Das geht nun mit nach London oder in die Bibliothek eines reichen Mannes. Ich bin darüber verdriesslich. Und dass ich dies liebe Exemplar so weggegeben und unter dem Preise verkauft habe, sollte mich fast auf den Gedanken bringen, dass ich wirklich verarmt sei oder Noth litte; denn ohne Zweifel war doch dieses Buch das theuerste Eigenthum, was ich jemals besessen habe, und welches Angedenken von ihm, von meinem einzigen Freunde! O Andreas Vandelmeer! Lebst du noch? Wo weilest du? Gedenkst du noch mein?

[He tells his wife that his friend Andreas went to the East, and he heard that he had died there of cholera. He continues to read pages in his diary—an account of the stress of poverty which led him to part with his Chaucer.]

[p. 39] So werde ich also nun doch meinen Chaucer, von Caxton gedruckt, verstossen und das schimpfliche Gebot des knausernden Buchhändlers annehmen müssen. Das Wort "verstossen" hat mich immer besonders gerührt, wenn geringere Frauen es brauchten, indem sie in der Noth gute oder geliebte Kleider versetzen oder verkaufen mussten. Es klingt fast wie von Kindern.—Verstossen!—Wie Lear Cordelien, so ich meinen Chaucer.—

[They grow poorer, and are brought to great straits, until one day a stranger drives up to the door in a magnificent carriage and pair. It is the scholar's friend Andreas, who has tracked him through the Chaucer.]

[p. 105] Aber nun lass uns auch vernünftig sprechen, sagte Andreas. Dein Kapital, welches Du mir damals bei meiner Abreise anvertrautest, hat in Indien so gewuchert, dass Du Dich jetzt einen reichen Mann nennen kannst . . . In der Freude, Dich bald wiederzusehen, stieg ich in London ans Land, weil ich dort einige Geldgeschäfte zu berichtigen hatte. Ich verfüge mich wieder zu meinem Bücherantiquar, um für Deine Liebhaberei an Alterthümern ein artiges Geschenk auszusuchen. Sieh da, sage ich zu mir selber, da hat ja Jemand den Chaucer in demselben eigensinnigen Geschmack [p.106] binden lassen, wie ich die Art damals für Dich ersann. Ich nehme das Buch in die Hand und erschrecke, denn es ist das Deinige.

1844. Fiedler, E. *Canterburysche Ezählungen,* vol. i [no more published], Dessau, 1844.

[With an introduction and notes. The Tales of the Knight, Miller, Reeve, Cook and Man of Law are translated into German verse.]

1845. Meyer, J. [Article *Chaucer* in] *Das grosse Conversations-Lexicon* für die gebildeten Stände. Hildburghausen, 1840–55, vol. vii, pt. ii, 1845, pp. 47–49.

[p. 47, col. 2] Chaucer, Geoffroy, der Vater der englischen Dichtkunst genannt. Wie eifrig bes. engl. Biographen über C.'s Lebensumstände auch nachgeforscht haben, so ist doch bis jetzt noch Vieles dunkel geblieben. Das J. 1328 wird gewöhnl. als das seiner Geburt bezeichnet [etc., a full life, based on Leland, Godwin, the Testament of Love, etc.].

[p. 48, col. 2] C.'s Werke sind in verschiedenen Handschriften aufbewahrt, was ihre fortwährende Popularität bezeugt, und nachher häufig gedruckt worden. Eines der ersten Produkte von Caxtons Presse ist eine Ausgabe der Canterbury-Erzählungen. . . . Als Beweis von C.'s Popularität in Schottland mag gelten, dass eine der frühesten Arbeiten der schottischen Presse seine "Klage des schwarzen Ritters" war, die 1508 von Chapman und Myllar . . . gedruckt wurde. [Thynne's 1532 edn. noted and Tyrwhitt's edn. of the C. Tales much praised, "ein Muster der Akkuratesse und kritischen Behandlung."]

C.'s Verdienste als Dichter sind nicht gewöhnlicher Art, [p. 49, col. 1] aber indem wir sie zu würdigen suchen, müssen wir das Zeitalter betrachten, in welchem er lebte und dichtete. C. musste die Sprache erst schaffen, in der er schrieb; auch in England herrschte die Unsitte, dass man am liebsten in fremden Zungen sprach und darüber die eigene Muttersprache vernachlässigte . . . [an account of earlier English 14th century poetry, Piers Plowman, Gower.] C. mag schon als Dichter bekannt gewesen seyn, als Langland seine Visionen schrieb, sein grösstes Werk fällt aber zwanzig Jahre später.

Sein Hauptverdienst in Bezug auf die Versifikation besteht darin, dass er sie natürlicher, regelmässiger und gedrängter machte, indem er die Alliteration abschaffte und den unregelmässigen Alexandriner in eine Kunst-

gerechtere Form brachte. Sein Versmass, die zehn- und-
achtsylbige Zeile, ist fast von allen englischen Dichtern, von
Spencer bis Byron, beibehalten worden.

In C.'s Schriften fühlt man nicht nur seinen eigenen
persönlichen Charakter und Geist, sondern auch den
Einfluss seines Verkehrs mit der Welt. [His followers
imitated his style and manner, but were quite unable to
catch his spirit and character. It is noteworthy that C.
translated many French and Italian works into English, but
always in such a way that they had far more the character
of original works than of translations.] Lebhafte Phantasie,
Eleganz und Schönheit der Beschreibungen bezeichnen alle
seine Werke ; aber all die Anmuth und Schönheit seiner
allegor. Schriften bleibt weit hinter seinem Talent zurück,
das Leben der Menschen zu schildern, wie er es in den
unsterblichen Canterbury-Erzählungen that. In diesem
Werke . . . bringt er einen bunten Haufen allerhand
" sündhaften Volkes " zusammen . . . [description of the C.
Tales.]

[p. 49,
col. 2]
Nichts übertrifft die Kunst, mit welcher die Lebensart
u. die Eigenthümlichkeiten der Pilger in der Haupteinleitung
geschildert sind. Jede einzelne Erzählung ist ein wahrer
Schatz von Humor und ein Zeugniss genauester Kenntniss
der menschlichen Natur ; dieses Werk C.'s bleibt stets eine
der schönsten Zierden der engl. Literatur.

1846, ff. *Archiv für das Studium der neueren Sprachen und Litteraturen,* herausgegeben von Ludwig Herrig und Heinrich Viehoff.
Quarterly. Elberfeld und Iserlohn, Braunschweig. In progress.

[A good many Chaucer articles have appeared in this from
time to time, see, for instance, General-Register zum Archiv,
Bd. 1–50, herausgegeben von Ludwig Herrig, Braunschweig, 1874, p. 25, and General-Register, Bd. 51–100,
von Hermann Springer, 1900, p. 67. Two early articles
are here named, see 1847, 1849, and those by Koeppel
on Chaucer Sources in vols. 84, 86, 87, 90, 101, and a paper
by Koch on *The Parlement of Foules* in vols. 111, 112, may
also be noted.]

1847. Fiedler, E. *Zur Beurtheilung des Chaucer,* [on Chaucer's debt to
Latin writers,] in Archiv für das Studium der neueren Sprachen und
Litteraturen, vol. ii, pp. 151–169 and 390–402.

1847. Gesenius, F. W.   *De Lingua Chauceri.*   Diss. Bonn, pp. 87.

[For a summary of this, see Early English Pronunciation, by A. J. Ellis, 1867–71, vol. iii, pp. 664–671.]

1849. Gesenius, F. W.   *Probe eines Chaucerschen Manuscriptes der Nationalbibliothek in Paris* [in] Archiv für das Studium der neueren Sprachen und Litteraturen, vol. v, pp. 1–15.

1853. Behnsch, Ottomar.   *Geschichte der Englischen Sprache und Litteratur* von den ältesten Zeiten bis zur Einführung der Buchdruckerkunst, Breslau 1853, pp. 180–97.

[A good short account of Chaucer and his work; his knowledge of versification is upheld and vindicated, in contradistinction to the view of English writers, *e. g.* R. Chambers in the *Cyclopædia of English Literature,* 1844, who is quoted as stating that Chaucer, whenever it suits him, "makes accented syllables short, and short syllables emphatic." Behnsch points out the different accentuation of the French words used by Chaucer (natúre, coráges, etc.), as well as the sounding of the final "e," and shows how much this affects the proper scansion of his verse.]

1856. Hertzberg, Wilhelm.   *Die Erzählung des Weibes von Bath,* aus Gottfried Chaucer's 'Canterbury-Erzählungen.' Translated into German heroic verse, [in] Deutsches Museum, hrsg. von Robert Prutz, No. 6, Feb. 7, 1856, pp. 193–202.
   Geoffrey Chaucer's Leben und Schriftstellerischer Charakter [in] Deutsches Museum, No. 8, Feb. 21, 1856, pp. 271–89.

[A very good account of Chaucer's life and work.]

[p. 288] Chaucer's Charakteristiken lösen eins der schwerigsten Probleme der Kunst : sie sind individuell und typisch zugleich; das heisst, sie machen auf uns einestheils den Eindruck [p. 289] einer concreten lebendigen Persönlichkeit und stellen doch andererseits eine ganze Classe von Personen dar, und da sie die Darstellung der aüssern Erscheinung an Eigenthümlichkeiten des menschlichen Geistes knüpfen, die zu allen Zeiten, wenn auch unter andern Formen wesentlich dieselben bleiben, so werden wir dadurch unwillkürlich und wie durch magischen Zwang in diejenigen Zeiten und Sitten zurückversetzt, deren Schilderung die nächste Aufgabe des Dichters ist. . . .
   Ich habe schon bemerkt, dass die komischen Erzählungen vortrefflich, zum Theil meisterhaft angelegt sind ; Chaucer's Hauptstärke liegt aber doch in den komischen

Charakter-Zeichnungen. Es steht ihm jeder Grad der Satire zugebote. Den Hochmuth, die Unverschämtheit, vor allem aber die Heuchelei geisselt er mit den schärfsten Hieben. Das kleine Gebrechen, das Steckenpferd, die Thorheit— er straft sie allerdings auch schon, indem er sie schildert, aber er straft sie lachend—oder vielmehr lächelnd. Es ist nichts Superkluges, keine Selbstüberhebung in dieser Ironie, es liegt darin das gutmüthige Einverständniss, dass Jedermann hienieden, dass auch er, der Dichter, sein Päckchen Thorheit trage, dass mit Alle des Ruhms mangeln, den wir haben sollen, nicht blos weil wir allzumal Sünder, sondern auch —mehr oder weniger—allzumal Narren sind. Und hiermit glaube ich, auf den feinsten und merkwürdigsten Zug in Chaucer's dichterischem Charakter hingewiesen zu haben —auf einem Zug, der von allen Dichtern der Welt zuerst bei ihm zur klaren Entfaltung gekommen, der seitdem der eigenste und vielleicht der liebenswürdigste Zug des englischen Volks-charakters geworden ist : Chaucer ist der erste Humorist.

[The above excellent criticism is embodied in the 'Einleitung' to Hertzberg's translation of the Canterbury Tales which was published ten years later. *See* below, 1866.]

1856. P., R. [*A review of*] *Englische Dichter*, eine Auswahl englischer Dichter in deutschen Übersetzungen von O. L. H . . . r [in] Deutsches Museum, No. 43, Oct. 23, 1856, p. 623.

[A passing allusion to Chaucer's times, and to the life of him in an earlier number (No. 8) of the Deutsches Museum, *q.v.* above, 1856.]

1859, ff. *Jahrbuch für romanische und englische Sprache und Litteratur,* Berlin, 1859.

[Many Chaucer articles ; a few early ones are here mentioned, *see* below, 1859, 1867, 1875.]

1859. Ebert, Adolf. *Die Englischen Mysterien* [in] Jahrbuch für romanische und englische Sprache und Litteratur, Berlin, Jan. 1859, pp. 150, 155, 166.

[p. 150] [The national originality of the characters in the mystery plays is remarkable, as in Chaucer's *Milleres Tale.*]

[p. 155] [The individual character drawing in the mysteries reminds one of the creations of the great master Chaucer.]

1859. Rapp, Carl Moritz.   *Vergleichende Grammatik,* Stuttgart und
Tübingen, vol. iii, pp. 166–179.

[For a summary of this see Early English Pronunciation,
by A. J. Ellis, 1867–71, vol. iii, pp. 672–77.]

1860. Pauli, Reinhold.   *Bilder aus Alt-England,* Gotha, 1860, chap.
vii, *Zwei Dichter, Gower und Chaucer.*

[An English translation of this book was published in 1861.]

[pp. 184–188. Chaucer's Life.]

[pp. 193–196. His early poems.]

[pp. 196–208. The *Canterbury Tales,* a detailed account.]

[p. 208. Conclusion.]   Auf dem Gebiete, das er sich so
köstlich abgesteckt und mit lebendigen Gestalten auszufüllen
gewusst, in einer Sprache, die fortdauert und niemals ganz
veralten kann, kommen ihm darum auch nur sehr wenige
nahe ; in echt poetischem Realismus hat ihn selbst Shakspere
nicht übertroffen.   Dabei versteht er mitten in der Mannig-
[p. 209] faltigkeit seiner Darstellung, wie es der Dichter soll, Mass
und Einheit inne zu halten.   Das stimmt sehr gut zu seinem
Benehmen gegenüber den grossen politischen und religiösen
Fragen seiner Zeit, die ihn niemals in die Enge getrieben wie
Gower oder in das entgegengesetze Extrem fortgerissen, über
die er vielmehr, so weit wir davon urtheilen können, im
eigenen Herzen sich völlig klar gewesen und sie daher
objectiv, wie seine ganze Natur angelegt war, zu behandeln
trachtete.   Edel und reich ausgestattet wie er selber ist also
auch die Leistung, die ihn unsterblich macht.   Zwar darf er
sich den wenigen Auserwählten, die den herrlichsten Lorbeer
tragen, nicht ebenbürtig an die Seite stellen, aber den
Ehrennamen : Vater der englischen Poesie trägt Niemand
würdiger.

1866. Hertzberg, Wilhelm.   *Chaucer's Canterbury-Geschichten* übersetzt in den Versmassen der Urschrift und durch Einleitung und
Anmerkungen erläutert von Wilhelm Hertzberg, Bibliothek aus-
ländischer Klassiker, 41, Hildburghausen, 1866.

[A good and close translation of the whole of the Canterbury
Tales, with the exception of Melibœus and the Parson's Tale.]

Vorwort, pp. 5–10.   [Dated Bremen, 1865.   The writer's
object and method in doing this translation is stated, with
some account of earlier work on Chaucer in England and in
Germany.]

Einleitung. Geoffrey Chaucer's Zeitalter, Leben und schriftstellerischer Charakter, pp. 13–64.

[A good account of Chaucer's times and life, he is shown definitely not to be the author of the *Testament of Love*, therefore that poem can not be accepted as a biographical source (pp. 36, 37). There follows a good deal of interesting and original literary criticism and appreciation, some of which had already been printed in the *Deutsches Museum* Feb. 21, 1856, and is here quoted under that date.]

[Here are two specimens of the translation. Prologue, ll. 447–57.]

[p. 79]
Ein gutes Weib war da; sie war nicht weit
Von Bath; doch etwas taub, das that mir leid.
Als Tuchfabrik war so berühmt ihr Haus,
Sie stach am Markte Gent und Cypern aus.
Kein Weib im Kirchspiel, die sich unterfing,
Dass sie vor ihr zum Messehören ging.
Und that es Eine, wurde sie so schlimm,
Dass die der Andacht ganz vergass vor Grimm.
Höchst prächtig sass ihr auf dem Kopf der Bund,
Ich schwöre traun, er wog beinah zehn Pfund,
[p. 80]
Zum mindesten, wie sie ihn Sonntags trug.

．　　．　　．　　．　　．　　．　　．

DAS REIMGEDICHT VOM HERRN THOPAS.

[p. 463]
Herrschaften, leiht mir euer Ohr,
Ein wahres Lied trag' ich euch vor
　Von Kurzweil und von Spass;
Es that vor allem Ritterchor
Sich in Turnei und Schlacht hervor
　Der edle Herr Thopas.

Er war geboren an fernem Strand,
Jenseit des Meers in fläm'schem Land,
　Zu Popering am Gestade.
Sein Vater war von gutem Stand,
Er war der Herr in diesem Land,
　So wollt' es Gottes Gnade.

1867. Hertzberg, Wilhelm. *Nachlese zu Chaucer* [in] Jahrbuch für romanische und englische Litteratur, Leipzig, 1867, Bd. viii, Heft 2, pp. 129–169.

[Various points about Chaucer's life are discussed.

Hertzberg disagrees with Mr. Bond's theory that in the
dream in the Book of the Duchesse John of Gaunt's marriage
to Blanche of Lancaster is commemorated. He criticises
and praises Sandras's ' Étude,' which has just appeared, and
Kissner's Dissertation on Chaucer's relation to Italian literature (1867). He adds some remarks arising out of his own
translation of Chaucer sent him by two German scholars,
Herr Dr. Duroy of Hamburg, and Herr Pastor Carow.]

1867. Kissner, Alfons. *Chaucer in seinen Beziehungen zur italienischen
Literatur,* Diss., Marburg, 1867.

1867. Lemcke, Ludwig. *Kritische Anzeigen: Zur Literatur über
Chaucer,* [in] Jahrbuch für romanische und englische Litteratur,
Leipzig, 1867, Band viii, Heft 1, pp. 94–110.

[A long and careful review of recent Chaucer work ; *i.e.*
Chaucer's *Poetical Works,* Bell and Daldy, 1867, 6 vols. ;
Hertzberg's translation of the *Canterbury Tales,* 1866, and
Kissner's book on Chaucer's relation to Italian literature,
1867.]

1867. Mätzner, Eduard. *Altenglische Sprachproben* . . . unter Mit-
wirkung von Karl Goldbeck, Berlin. 1867, vol. i, part 1, pp.
336–347. [For part 2 see below, 1869.]
    [pp. 336–338. Notes on Chaucer's life and work.
    pp. 338–343. *The Wyf of Bathes Tale.* 400 lines.
    pp. 344–346. *The Romaunt of the Rose.* ll. 2721–2966.
    p. 347. Rondel. ' Your two eyn will sle me sodenly.']

1867. ten Brink, Bernhard. *Zum Romaunt of the Rose,* [in] Jahrbuch
für romanische und englische Litteratur, Leipzig, 1867, Bd. viii,
Heft 3, pp. 306–14.

1869. Mätzner, Eduard. *Altenglische Sprachproben* . . . . Berlin,
1869, vol. i, part 2, pp. 273–415.

[pp. 373–5. Notes on *The Tale of Melibeus* and on
Chaucer.
    pp. 375–415. *The Tale of Melibeus.*]

1869. Petzold, E. *Ueber Alliteration in den Werken Chaucers, mit
Ausschluss der Canterbury Tales,* Diss., Marburg.

1870. ten Brink, Bernhard. *Chaucer. Studien zur Geschichte seiner
Entwicklung und zur Chronologie seiner Schriften,* Münster, 1870.

[This and Professor Child's Essay (*Observations on the
Language of Chaucer,* 1863) are perhaps the most remarkable and epoch-making single pieces of work on Chaucer

published in the 19th century. Here the development of
Chaucer's genius under external influences was first fully
discussed, and his work was for the first time divided into
' periods.'

See a sketch on ten Brink's life and work by Kölbing,
with a full bibliography of his writings, in *Englische Studien*,
xvii, 186–7.]

1871. ten Brink, Bernhard. *Prolog zu den Canterbury Tales : Versuch
einer Kritischen Ausgabe*, Marburg. [Beigabe der Marburger
Universitätschrift diem natalem . . . imperatoris ac regis Guili-
elmi I.]

1871. Zupitza, Julius. *Chaucer. The Book of the Tales of Caunterbury.
Prolog* (A 1–858). *Mit Varianten zum Gebrauch bei Vorlesungen
herausgegeben*, Marburg, 1871. Second edition, Berlin, 1882,
reprinted 1896.

1872. Lange, P. *Chaucer's Einfluss auf die Originaldichtung des
Schotten Gawain Douglas*, Diss., Leipzig.

1872. Mamroth, F. *Geoffrey Chaucer, seine Zeit und seine Abhängig-
keit von Boccaccio.* Berlin. 1872.

[Of little value.]

1873. Lechler, Gotthard. *Johann von Wiclif und die Vorgeschichte der
Reformation.* vol. i, pp. 408, 409, 453, 454 ; vol. ii, p. 4 note 2.

1875. Lindner, F. *Die Alliteration bei Chaucer* [in] Jahrbuch für
romanische und englische Litteratur, Neue Folge, Bd. ii, Leipzig,
1875, pp. 311–335.

[This paper, revised, altered and translated into English,
is in the Chaucer Society *Essays*, 1876, part III.]

1877, ff. *Englische Studien*, Heilbronn, 1877–1900 ; Leipzig, 1900 to
present. Quarterly. [In progress.]

[This periodical contains a large number of valuable
Chaucer papers. In the Index (General-Register zu Band
1–25, Leipzig, 1902), three and a quarter pages are taken up
with references to articles and notes on Chaucer.
Among the more important are the following :—

Kölbing, E. Zu Chaucer's Cœcilien-legende, i, 215.

Zu Chaucer. The Knightes Tale, ii, 528.

Zu Chaucer's Sir Thopas, xi, 495.

Byron und Chaucer, xxi, 331.

Zwei Bemerkungen zu Chaucer's C. Tales,
xxiv, 341.

Zu Chronologie Chaucer's Schriften, xvii, 189.

Koch, J.   Ein Beitrag zur Kritik Chaucers, i, 249, and see
              vii, 238, 162, etc.

Brandl, A.   Ueber einige historische Anspielungen in den
              Chaucer-dichtungen, xii, 161.

Rambeau, A.   Chaucer's 'House of Fame' in seinem Ver-
              hältniss zu Dante's 'Divina Commedia,'
              iii, 209.

ten Brink, B.   Zur Chronologie von Chaucer's Schriften,
              xvii, 1.

              Zwei Stellen in prolog der Canterbury Tales,
              xxiv, 464.

Bischoff, O.   Ueber zweisilbige Senkung und epische Cäsur
              bei Chaucer, xxiv, 353, xxv, 339.

See, for a fuller list, *Chaucer*, by E. P. Hammond, 1908,
p. 546.]

1878, ff.   *Anglia, Zeitschrift für englische Philologie*, Halle, 1878.
Quarterly. [In progress.]

[A very large number of Chaucer articles, many of great
value, by Schoepke, Bech, Lange, Uhlemann, Graef, Koeppel,
Lücke, Flügel, Ballmann, Koch, and others, have appeared
in *Anglia*. The more important are named by E. P. Hammond in *Chaucer, a bibliographical manual*, 1908, p. 543 ;
and they are practically all referred to as they appear in the
Jahresbericht (*see* below, 1879).

With *Anglia* (1886) was published an 'Uebersicht' of
books on English language and literature, for 1885–6,
giving full reference to Chaucer articles, and (in 1889) for
1888. This Uebersicht has appeared yearly since 1894,
which latter issue covered 1891. *See also* 1890, Anglia
Beiblatt.]

1878. Schoepke, O. *Dryden's Uebertragungen Chaucer's im Verhältniss zu ihren Originalen*, Diss., Halle.

[See also Schoepke in *Anglia*, ii, pp. 314–53, Dryden's
Bearbeitungen Chaucerscher Gedichte.]

1879. Wülker, R.   *Altenglisches Lesebuch*, Halle, 2 vols., 1874–
1879.

[Vol. ii, 1879, contains the *Squieres Tale*, text from
Morris ; an extract from *Troilus* and from the *Persones Tale*
and passages from *Boethius*.]

1879 Würzner, A. *Ueber Chaucer's Lyrische Gedichte.* Steyr.

1880. Koch, J. *Ausgewählte kleinere Dichtungen Chaucer's im Vers-
maasse des Originals in das Deutsche übertragen, und mit
Erörterungen versehen.* Leipzig.

[Containing—*Pity, Words to Adam, Parlement of Foules,
Truth, Gentilesse, Stedfastnesse, Fortune, Bukton, Scogan,
Purse.*]

1880. Schrader, K. A. *Das altenglische Relativpronomen, mit besonderer Berücksichtigung der Sprache Chaucers,* Diss., Kiel.

1881–1888. Schipper, Jacob. *Englische Metrik in historischer und
systematischer Entwickelung dargestellt,* 3 vols., Bonn, vol. i,
Altenglische Metrik, 1881, ch. viii. Der gereimte fünftaktige,
jambische Vers vor und bei Chaucer, pp. 434–483 [and many
Chaucer references all through this volume].

[For references to reviews of the above, and for an excellent
brief summary of Schipper's analysis of Chaucer's verse, see
Chaucer, by E. P. Hammond, 1908, pp. 476–478.]

1883. Lange, J. A. Max. *Untersuchungen über Chaucer's Boke of the
Duchesse,* Diss., Halle.

1883–6. Düring, Adolf von. *Geoffrey Chaucer's Werke,* 3 vols.
Strassburg, 1883–86.

[Vol. i, *Hous of Fame, Legend of Good Women, Parlement of Foules.* Vols. ii and iii, the *Canterbury Tales.* In
verse, with full critical remarks and appreciations, and some
notes. No more was published.]

1883. Willert, H. *The Hous of Fame: Einleitung und Text-verhält-
niss,* Diss., Berlin.

1884. ten Brink, Bernhard. *Chaucer's Sprache und Verskunst,* Strassburg.

[For reviews of this work, see *Chaucer,* by E. P. Hammond,
1908, p. 478; ten Brink's book was translated into English
in 1901, by M. B. Smith, as *The Language and Versification
of Chaucer.*]

1887. Einenkel, Eugen. *Streifzüge durch die mittelenglische Syntax
unter besonderer Berücksichtigung der Sprache Chaucer's* . . . Mit
einem Wörterbuch von W. Grote, Münster i. W.

1887, **Körting, Gustav.** *Grundriss der Geschichte der Englischen
1893** *Litteratur,* Münster i. W., 1887, chap. viii, pp. 154–70.
**and
1905.** [This work, containing a valuable Chaucer bibliography,
giving references to most of the important German work

on Chaucer, was re-issued in 1893 somewhat enlarged, and again in 1905, considerably enlarged and brought up to date. In this last issue of 1905, the Chaucer bibliography is in chap. 12, pp. 176–95.]

1888. Graef, Adolf. *Das perfektum bei Chaucer,* Diss., Kiel, 1887, pp. 96, published Frankenhausen, 1888, pp. 102.

1888. Heussler, [Hans ?] *Die Stellung von Subjekt und Prädikat in der Erzählung des Melibeus und in der des Pfarrers in Chaucer's Canterbury Tales,* Diss., Wesel.

1888. Kunz, Siegfried. *Das Verhältnis der Handschriften von Chaucer's "Legend of Good Women,"* Diss., Breslau.

1888. Willert, H. *G. Chaucer. The Hous of Fame : Text, Varianten, Anmerkungen.* Berlin.

1889. Freudenberger, M. *Ueber das Fehlen des Auftakts in Chaucer's heroischem Verse,* Leipzig.

1889. Meyer, Carl F. H. *John Gower's Beziehungen zu Chaucer und König Richard II.,* Diss., Bonn.

1889. ten Brink, Bernhard. *Geschichte der englischen Litteratur,* vol. ii, part 1, Berlin, 1889.

[The first volume of this history was published in 1887 ; vol. ii, part 1, which contains the study of Chaucer, in 1889 ; and part 2 of vol. ii, was in the press when ten Brink died suddenly in January, 1892 ; it was then corrected and edited by Brandl, Strassburg, 1893. The Chaucer portion is vol. ii, part 1, book 4, section v–xv (end of book 4), pp. 33–214 of the 1893 edition. It is extremely valuable, as ten Brink combined close and scholarly textual knowledge with real literary appreciation. This volume was translated into English by W. Clarke Robinson in 1893, Bohn's edn., vol. ii.]

1890. Haeckel, W. *Das Sprichwort bei Chaucer,* Leipzig.

1890, ff. *Beiblatt zur Anglia.* [Full title] Mitteilungen aus dem gesammten gebiete der englischen sprache und litteratur. Monatschrift für den englischen unterricht . . . herausgegeben von Ewald Flügel, Halle. [In progress.]

[This contains reviews of books, and has many Chaucer articles and notes, as well as valuable lists of articles in reviews, etc.]

1891. Ballerstedt, E. *Ueber Chaucer's Naturschilderungen,* Diss., Göttingen.

1891. Lange, H. *Die Versicherungen bei Chaucer,* Diss., Halle.

1892. Crow, C. L. *Zur Geschichte des kurzen Reimpaars im Mittelenglischen* . . . Chaucer's House of Fame, Diss., Göttingen.

1892. Hagedorn, H. *Ueber die Sprache einiger nördlicher Chaucerschüler,* Diss., Göttingen.

1893. Graef, Adolf. *Das futurum und die entwicklung von schal und wil zu futurischen tempusbildern bei Chaucer,* Flensburg. (In Jahresbericht der Flensburger Handelschule.)

1893. Kaluza, Max. *Chaucer und der Rosenroman. Eine litterargeschichtliche Studie,* Berlin.

1893. Klaeber, F. *Das Bild bei Chaucer,* Diss., Berlin.

1893. Paul, Hermann. *Grundriss der Germanischen Philologie.* Strassburg, 3 vols. 1891–93, vol. ii, 1893, part i (2nd ed., 1897).

> [Contains articles on :—
>
> (i) Mittelenglishe Litteratur by A. Brandl, Chaucer, pp. 672–682 (not of much value).
> (ii) Englische Metrik by J. Schipper (continual reference to Chaucer).]

1896. Morsbach, Lorenz. *Mittelenglische Grammatik.* Part I. Halle (Sammlung kurzer grammatiken germanischer dialekte, No. VII).

1897. Bischoff, O. *Ueber zweisilbige Senkung und epische Cäsur bei Chaucer,* Diss., Königsberg.

> [*See* some account of this in *Chaucer,* by E. P. Hammond, p. 499.]

1897. Schade, Arthur. *Ueber das verhältniss von Pope's " January und May " und " The Wife of Bath, her Prologue " zu den entsprechenden abschnitten von Chaucer's Canterbury Tales,* Diss., Darmstadt.

1898. Hampel, E. *Die Silbenmessung in Chaucer's fünftaktigem Verse,* teil I, Diss., Halle.

1899. Fischer, R. *Zu der kunstformen des mittelalterlichen Epos,* Vienna.

> [Hartmann's *Iwein,* the *Niebelungenlied,* Boccaccio's *Filostrato* and Chaucer's *Troilus.*]

ADDENDUM.

1796. Blankenburg, Friedrichs von. *Litterarische Zusätze zu J. G. Sulzers allgemeiner Theorie der schönen Künste,* 3 vols., Leipzig, 1796–1798, vol. i, pp. 53, 54, 498, 510, 541, vol. ii, pp. 58, 65, vol. iii, p. 54.

[This is a kind of Dictionary or Encyclopedia of the Fine Arts, with bibliographies. The *Romaunt of the Rose* and *House of Fame* are mentioned under 'Allegorie'; the *C. Tales* under 'Erzählung'; the *Knight's Tale, Squire's Tale, Rom. of the Rose* and *Troilus and Criseyde* under 'Heldengedicht,' and *Sir Thopas* and *Rom. of the Rose* under 'Satire.']

[vol. i, p. 498] Erzählungen in Versen von englischen Dichtern :—[references to Warton, early legends, etc.]. Der älteste, merkwürdigste Dichter in dieser Gattung ist unstreitig Jeffrey Chaucer († 1400. Seine Erzählungen sind unter dem Nahmen der Canterbury Tales bekannt. [List of Tales follows, with references to Tyrwhitt, Bell, Warton, etc.]

INDEX

The references are to the parts as originally issued by the Chaucer Society.
The following table shews their relation to the volumes of the Cambridge
re-issue :—

Chaucer Society.					Cambridge.
Part I	...	...	...	...	...	Vol. I.
Part II	...	...	...	...⎫	...	Vol. II.
Part III	...	...	...	...⎭		
Part IV	...	...	...	...⎫	...	Vol. III.
Part V	...	...	...	...⎭		
Part VI (Introduction) ...			...	...	Vol. I.

In the index, in contradistinction from the text, modern spellings of book
titles have been adopted where possible.

Abbess, the Prioress; so called in error.
See Prioress.

A.B.C. See Chaucer, G. [VIII. *Works.*—
(g.) 1.]

A Beckett, G. A., *The Canterbury
Pilgrims* (opera), 1884, iii. 135.

Adam, B., *Lennæ Redeviva* (1676?),
claims C. as a native of Lynn, i.
252.

Adam Scrivener. See Chaucer, G.
[VIII. *Works.*—(g.) 2.]

Adams, J., *The Pronunciation of the
English Language,* 1799, i. 501.

Addison, J., *An Account of the Greatest
English Poets,* 1694, his condemna-
tion of C. in, introd. xxx, i. 266.

—— *Spectator,* No. 73, 1711, i. 314.

Adolphus, J. L., *Memoranda,* 1827, ii.
164–5.

Aikin, J., *General Biography* (Chaucer),
1801, ii. 1; (Gower), 1803, ii. 6.

—— *Letters to a Young Lady,* 1804,
ii. 14.

Akenside, M., *For a Statue of Chaucer
at Woodstock,* in Dodsley (a. 1758), i.
413.

Alcæus, ps., letter in *Gentleman's
Magazine,* Aug. 1740, i. 386–7.

Alchemy. *See* Chaucer, G. [VIII.
Works.—(f.) 15. *Canon's Yeoman's
Tale.*]

Alcilia. See C., J.

Aldgate, the dwelling above, leased
to C., 1374, i. 3; to Richard Forster,
1386, i. 8; the lease discovered by
H. T Riley, 1859, iii. 51.

Allen, T., *The History and Antiquities of London,* 1828, ii. 168.

Allgemeines Historisches Lexicon, 1709,
1730, v. 132.

Alliteration, the mark of Northern poets
in C.'s time (Sir W. Scott, 1804,
1814), ii. 19, 65.

Allusions, classified, introd. lxxiii sqq.;
collected by Sir T. P. Blount, 1690,
i. 262; F. J. Furnivall calls for an
editor of, 1888, iii. 138.

Alves, R., *Sketches of a History of
Literature,* 1794, i. 495.

Amadis de Gaul, review of Southey
and Rose's, 1803, ii. 13.

*Amatory Poetry, selected from Chaucer,
Lidgate,* etc., 1737, i. 378.

Ames, J., MS. notes and letter, 19 Aug.
1741, i. 389.

—— *Typographical Antiquities,* 1749,
i. 398–9; ed. by Herbert, 1785–90,
i. 477–8, 483, 491; by Dibdin, 1810–
19, ii. 49, 58, 81, 114.

Ampère, J. J., *Histoire de la littérature
française au moyen âge,* 1841, v.
54.

—— *Mélanges d'histoire littéraire,* 1867,
v. 82.

Ancient Songs, ed. by Ritson, 1790, i.
491.

Ancient State of the Jews in England
(in *London Magazine*), 1820, ii.
128–9.

Anderson, R., his *Poets of Great
Britain,* preface to, 1795, i. 496, ed.
of C., with *Life,* in, 1793, i. 494.

Andrews, J. P., letter on Donnington,
1759, i. 475–6.

Anelida and Arcite. See Chaucer, G.
[VIII. *Works.*—(g.) 3.]

Caxton, W., printed *The Book of Courtesy* [*a.* 1477], i. 57; *Assembly of Fowls,* etc. [1477–8], *Anelida and Arcite,* etc. [1477–8], *C. T.* [1477–8], *Boethius* [*a.* 1479], with epilogue, i. 58; *Troilus* [*c.* 1483], i. 60; *House of Fame* [*c.* 1483], with epilogue, and *C. T.* (2nd edn.) [*c.* 1483?], with proem, i. 61–3.

—— transl. *The Recuyell of the Histories of Troy,* inserting a reference to *Troilus,* 1474, iv. 8.

—— imperfection of his edns. of *C. T.* (F. Thynne, 1598), i. 155.

—— lives of, by J. Lewis, 1737, i. 380–81; by C. Knight, 1844, ii. 256; by W. Blades, 1861–3, iii. 55.

—— *Proposals for an Account of the Books printed by* (R. Minshull, [1741?]), i. 389.

—— his praise of C., and work for for him, introd. xiv, cxv.

Cazamian, L., transl. *C. T. Prol.* into French, 1908, v. 111.

Cestre, C., transl. *Nuns' Priest's T.* into French, 1908, v. 112.

Chalmers, A., *Works of C.,* ed. by, 1810, ii. 48–9.

—— his statement that C.'s popularity has gone by, controverted by Southey (?), 1814, ii, 66.

Chalmers, G., Henryson's *Robene and Makyne* and *Testament of Cresseid,* ed. by, 1824, ii. 149.

—— notes to Sir David Lyndsay, 1806, ii. 27.

—— *Poetic Remains of Scottish Kings,* 1824, ii. 149.

Chambers, R., *The Book of Days,* 1863–4, iii. 67.

—— *Encyclopædia of English Literature,* 1843, iv. 106.

Chances of the Dice [*c.* 1440], i. 44–5.

—— attributed to Chaucer by Stowe, 1598, i. 159.

Chanoun Yemannes Tale. See Chaucer, G. [VIII. *Works.—*(f.) 15.]

Chapman, G., *Achilles' Shield,* 1598, on C.'s importation of new words, i. 156.

—— *Sir Giles Goosecap, Knight* (by G. C.?), 1606, the plot drawn from *Troilus,* i. 177–8; influence of C. in, iv. 57–60.

Chappell, W., *The Ancient Minstrelsy of England,* 1838, ii. 221.

Charaktere der vornehmsten Dichter (by J. J. Eschenburg ?), 1793, v. 134–6.

Charon, L. M., *see* Chaudon, L. M.

Charteris, H., preface to his edn. of Sir D. Lindsay's Works, 1568, i. 101.

Chasles, E., *Extraits des classiques anglais,* 1877, v. 85.

Chasles, V. E. P., *Études sur la littérature et les mœurs de l'Angleterre du XIX* Siècle,* 1850, v. 60–1.

—— *Littérature anglaise* (in *Revue des Deux Mondes,* 1842), v. 54.

—— *Voyages d'un critique,* 1876, v. 83.

Chateaubriand, F. R. de, *Essai sur la Littérature anglaise,* 1836, v. 10, 49; reviewed by A. F. Villemain, v. 10, 50; in *Edinb. Review,* ii. 220–1.

Chatelain, J. B. de, *Beautés de la Poësie Anglaise,* 1862–72, v. 74.

—— *L'Hostellerie du Tabard* (poem), 1866, iii. 82.

—— transl. *C. T.,* 1857–61, v. 12, 66–9.

—— criticized by B. H. Gausseron, 1887, v. 12, 94.

—— transl. *The Flower and the Leaf,* 1855, iii. 20; v. 62–3.

—— finds the original of the *Squire's Tale* (A. H. Clough, 1858), iii. 41.

Chatterton, T., *Poems by Thomas Rowley* [*a.* 1770], i. 432–5; MS. extracts, notes, and articles, ib.

—— ed. by Tyrwhitt, 1777, i. 432–3; reviewed, 1777, i. 448; Tyrwhitt's *Appendix* to, 1778, i. 451.

—— ed. by J. Milles, 1782, i. 468.

—— *Works,* reviewed by Scott, 1804, ii. 16–17.

—— controversy over, 1781–2, i. 459, 463, 465–9, 472–3; 1811, ii. 54.

—— *Life of,* by G. Gregory, 1789, i. 487; in *Biog. nouv. des contemp.,* v. 43.

—— for comparisons of with Chaucer, *see* Chaucer, G. [II. (g.) *Comparisons with other writers.*]

Chaucer, Alice, *see* Chaucer, G. [I. *Biog.* (d.) 3.]

Chaucer, Geoffrey.

SYNOPSIS

I. Biography.
    (*a*) Evolution.
    (*b*) Life Records.
    (*c*) General Accounts of C.
    (*d*) Family, etc.
    (*e*) Phases and Episodes.
    (*f*) Portraits.

Chaucer, Geoffrey. § I. (a–c.)

I. BIOGRAPHY

Chaucer, Geoffrey. § I. (d–e.)

51–3; H. Gomont, 1847, v. 55–60; A. Geffroy, 1857, 1903, v. 65–6; P. Larousse, 1867, v. 80–2; B. H. Gausseron, 1887, v. 92–4; E. Legouis, 1910, v. 121–2.

3. *German :*

by C. W. F. Breyer (based on Godwin), 1812, v. 138–9; in Meyer's *Grosse Conversations-Lexicon*, 1845, v. 141–2; by O. Behnsch, 1853, v. 143; W. Hertzberg, 1856, 66–7, v, 143–7; R. Pauli, 1860, v. 145.

(d) *Family, etc. :*

1. *Genealogy :*

Glover's pedigree, introd. cvii; Vertue's, described by Gray, 1760, i. 417–18; J. Skelton, 1823, ii. 147–8; S. Bentley, 1831, ii. 180–1; the surname, 1855, iii. 28; Stowe, 1600, i. 164–5; Fuller, 1655, i. 230; of Walloon descent (R. Verstegan, 1605), i. 176.

2. *Arms and Seal :*

Arms : T. Robson, 1830, ii. 179; J. B. Rietstap, 1858, 1884, v. 91, 125. *Seal :* 1409, i. 19; J. Hunter, 1850, ii. 284.

3. *Other holders of the name :*

records of, contributed by F. Thynne, introd. cvii. *Walter le C.*, 1292–3, iii. 31; *Richard C.*, vintner, supposed to be C.'s father by Stowe, 1598, i. 159; by J. P. Malcolm, 1803, ii. 11; '*Sir*' *John*, his father (T. Allen, 1828), ii. 168; *Philippa*, his wife, Stowe, 1600, i. 164–5; Anna Jameson, 1829, ii. 172; S. Bentley, 1831, ii. 180–1; Sir N. H. Nicolas, 1844, ii. 256; her annuity, 1374, i. 3; *Thomas*, his son, 1409, i. 19; Stowe, 1600, i. 164–5; T. Gascoigne, 1434–57, i. 43; P. Le Neve, 1701, i. 289; Vertue, i. 418; Sir N. H. Nicolas, 1826, ii. 163; *Alice de la Pole*, Duchess of Suffolk, his grand-daughter, i. 486, ii. 181, iv. 66; first stated

by Leland to be C.'s sister, introd. cv; by Pits, 1613, iv. 64–5; *see also* Ewelme.

(e) *Phases and Episodes :*

1. *Birth :*

Leland [*c.* 1545], iv. 13; Pits, 1613, iv. 63; H. Wharton [*c.* 1687], iv. 78; *Encycl. Brit.*, 1778, i. 452; C. Cowden Clarke, 1842, ii. 244; his noble birth, first stated by Leland, introd. cv; his birth in London, first stated by Speght (from *Testament of Love*), introd. cvii. For his birth at Woodstock, *see* Woodstock. For the date of *c.* 1340, *see below* [I. *Biog.* (e.) 5. *Scrope-Grosvenor Controversy.*]

2. *Education :*

at Oxford, Leland [*c.* 1545], iv. 13; Leland the first to state this, introd. cv; Pits, 1613, iv. 63; W. Covell, 1595, i. 141–2; G. Powel [1604], i. 174; G. Jacob, 1720, i. 349; at Cambridge, first stated by Speght (from *Court of Love*), introd., cvii; G. Jacob, 1720, i. 349; *Penny Cycl.*, 1837, ii. 219; doubted by H. Wharton [*c.* 1687], iv. 78 (*see also Court of Love*); in France, Leland [*c.* 1545], iv. 13; Pits, 1613, iv. 63; at Temple, Leland [*c.* 1545], iv. 14; Pits, 1613, iv. 63–4; H. Wharton [*c.* 1687], iv. 78; Hazlitt, 1826, ii. 161; L. Hunt, 1835, ii. 197; while there is fined for beating a Franciscan friar, Speght's story doubted by F. Thynne, 1598, i. 154; alluded to by Fuller, 1655, i. 230; by Chatterton, 1770, i. 434; by De Quincey, 1841, ii. 229; by G. H. Kingsley, 1865, iii. 77–8; suggested by Lamb as a subject for Haydon to paint, 1827, ii. 165.

3. *His diplomatic and other journeys abroad :*

Prisoner, ransomed from the French, 1359–60, i. 1; at Calais, 1360, i. 1; journey to Italy in 1368, and meeting with Petr-

Chaucer, Geoffrey. § I. (e.)

arch, first suggested by Speght, introd. cvii; R. Lowth, 1759, i. 416; T. Warton, 1775, i. 441; D. H., 1803, ii. 9; Z., 1803, ii. 14; W. Carey, 1808, ii. 36; Landor, 1829, ii. 172–6; A. F. Villemain, 1830, v. 45–7; Milton [1638–9] (without mention of Petrarch), i. 219; goes abroad, 1370, i. 2; to Genoa and Florence, 1372–3, i. 2–3; abroad on the King's service, 1376–8, i. 4–6; to France and Italy, 1380, i. 6; H. Wharton [c. 1687], iv. 78; his mission to Montreuil, 1377, Froissart, i. 20; Stowe, 1592, i. 136.

4. *Appointments, annuities, grants, etc. :*

his first annuity from the Crown, 1367–89), i. 1–2; Esquire in the King's Household, 1369, i. 2; Comptroller of Custom of Wools and Wines in the Port of London, 1374, i. 3; granted an annuity by John of Gaunt, 1374, i. 3; granted a daily pitcher of wine, 1374, i. 3; appoints a Deputy Controller of Customs, 1384–5, i. 7; receives Commission of the Peace for Kent, 1386, i. 7; returned as Knight of the Shire for Kent, 1386, i. 7–8; for C.'s Knighthood *see below*, § 5; is succeeded as Controller of Customs and Petty Customs, 1386, i. 8; Commissioner in respect of the abduction of Isabella atte Halle, 1387, i. 8; Clerk of the Works from 1389, i. 9–13; Commissioner for survey of Kentish shore of the Thames, 1390, i. 9; Sub-Forester of North Petherton, 1390–1, i. 11; granted an annuity of £20 by the king, 1394, i. 12; granted a butt of wine yearly, 1398, i. 13; granted an additional annuity of 40 marks, 1399, i. 13.

5. *Other Episodes :*

in household of the Duchess of Clarence, 1357, i. 1; marriage (*see above :* (d.) 3); his Aldgate lease, 1374, i. 3; this found by H. T. Riley, 1859, iii. 51; For-

ster's lease of the same, 1386, i. 8; "raptus" of Cecily Chaumpaigne, 1380, i. 6; a witness in the Scrope-Grosvenor case, 1386, i. 8; this discovered by Godwin (Scott, 1804), ii. 17–18; G. Ormerod, 1819, ii. 118; N. H. Nicolas, 1832, ii. 185–6; Unknown, 1836, ii. 209–10; assaulted and robbed at Hatcham, 1390, i. 10–11; action for debt against, 1398, i. 12–13; his Westminster lease, 1399, i. 13–14; facsimile of, 1752, iv. 91; visits to Spalding Priory with John of Gaunt, i. 322; a knight, introd. cviii; Bale, 1548, iv. 19; 1579, i. 119; Greene, 1590, i. 131; G. Powel [1604], i. 174; 1606, i. 177; H. Peacham, 1622, i. 197; Pits, 1613, iv. 64; E. Leigh, 1656, i. 233; Aubrey, 1669, i. 245; E. Phillips, 1675, i. 250; H. Wharton [c. 1687], iv. 78; G. Jacob, 1720, i. 349; Sir N. H. Nicolas, 1845, ii. 262; a Knight of the Garter, C. Gildon, 1721, iv. 84; poet laureate, the phrase used of C. by Lydgate, i. 17; in modern sense by E. Phillips, 1675, i. 250, introd. cviii; in Dryden's patent, 1670, i. 247; by W. Howell [1679;], i. 254; G. Jacob, 1720, i. 349; friendship with Gower, etc., *see* Gower, J.; income, *Encycl. Brit.*, 1778, i. 453; disgrace, imprisonment, flight, stated by all biographers accepting the *Testament of Love*, including Speght, 1598, introd. cvii; H. Wharton [c. 1687], iv. 79; *Encycl. Brit.*, 1778, i. 453; C. Cowden Clarke, 1835 (repeated in 1870), 1842, ii. 194, 244; G. G. Cunningham, 1835, ii. 194–5 (*see also* Usk, T., *Testament of Love*); a Wycliffite and Reformer, *see below :* [II. (f.) 6], and Wycliffe, J.; personally known and valued by Richard II, Henry IV and V (Leland [c. 1545]) iv. 18, introd. cv; H. Peacham, 1622, i. 197; most of his career not literary; his late development (A. W. Pollard, 1894), iii. 145; retirement to Donnington, *see* Donning-

Chaucer, Geoffrey. § II. (a–c.)

424; Gray, 1760, i. 417–18; in a *Catalogue of Engraved British Portraits*, by H. Bromley, 1793, i. 494; *see also above : Original : Hoccleve's.*

3. *Modern :*

by Barry, 1783, i. 472; by Ford Madox Brown, 1845–51, ii. 259; by Burne Jones, 1874, iii. 61; casts of statue of Chaucer purchasable (Dodsley, 1761), iv. 93; proposal to erect a statue in Houses of Parliament, 1845, ii. 260; the natural portrait in an "Egyptian pebble" (J. van Rymsdyk, 1778), iv. 95; (I. D'Israeli), 1793, iv. 100; verbal, in *Greene's Vision* [1592], i. 137.

II. CRITICISM

(a) *Evolution :*

introd. cxxiv, etc., cxl–cxliii; traced by J. H. Hippisley, 1837, ii. 213–14; by T. S. Baynes, 1870, iii. 99–107; vagueness of early praises, introd. cxxxi; growth of knowledge in 18th and 19th centuries, introd. xli, xlix–lxxii; various aspects illustrated by analysis of allusions: literary, introd. lxxiv–v, moral, ib. lxxix–lxxx; as authority or precedent, ib. lxxx; C.'s reputation traced by R. H. Horne, 1841, ii. 235–8; fluctuated like Dante's, introd. cxliii–iv; C. praised or talked of, but neglected, G. Sewell, 1720, i. 351–2; H. Headley, 1787, i. 486; 1836, ii. 208; A. Smith, 1862, iii. 65–6; in France, E. Legouis, 1908, v. 113–114; in the 16th cent. C. chiefly regarded as a moral poet, introd. xix–xxi, as a learned poet, ib. xcv; in the 16th–18th as a comic and indecent poet, ib. xxi, liii–iv, in the early 19th as an historian of manners, ib. lvii; present day reasons for admiring, ib. cxxix; some workers and editors, ib. cxiv–cxxiv; T. S. Baynes, 1870, iii. 99–107; Furnivall appeals for an editor of the praises of C., 1888, iii. 138.

(b) *General, selected :*

W. Webbe, 1586, i. 129; Dryden, 1700, i. 272–85; Warton, 1774, i. 439–41; J. J. Eschenburg (?), 1793, v. 135–7; Southey, 1814, ii. 66–7; C.B., 1818, ii. 94; S. T. Coleridge, 1818, ii. 95–6; H. Hallam, 1818, ii. 97; Hazlitt, 1818, ii. 98–106; Campbell, 1819, ii. 110–3; Hazlitt, 1824, ii. 150; in *Retrosp. Rev.*, 1824, ii. 153–5; H. Neele, 1827, ii. 166; Southey, 1831, ii. 183; L. Hunt, 1835, ii. 195–6; H. Hallam, 1837, ii. 212; H. Hippisley, 1837, ii. 212–17; A. F. Villemain, 1830, v. 45–7; 1837, v. 50; D'Israeli, 1841, ii. 231–3; E. B. Barrett-Browning, 1842, ii. 242–3; Thoreau, 1843, ii. 250–2; L. Hunt, 1844, ii. 253–5; Christopher North, 1845, ii. 262–3; L. Hunt, 1846, ii. 269–71; M. P. Case, 1854, iii. 15–17; H. H. Milman, 1855, iii. 23–5; Unknown, 1859, iii. 51–2; E. G. Sandras, 1859, v. 69–74; in *Nat. Rev.*, 1862, iii. 66; Taine, 1862–3, v. 76–9; A. Smith, 1863, iii. 70–1; F. D. Maurice, 1865, iii. 78–9; T. S. Baynes, 1870, iii. 98–107; J. R. Lowell, 1870, iii. 108–11; F. J. Furnivall, 1873, iii. 113–4; J. R. Green, 1874, iii. 117–9; Sir A. W. Ward, 1879, iii. 124–6; M. Arnold, 1880, iii. 126–30; A. C. Swinburne, 1880, iii. 131–2; T. R. Lounsbury, 1891, iii. 140–4; A. W. Pollard, 1893, iii. 144–5; J. J. Jusserand, 1894, v. 97–100, and 1896, v. 104–6; W. P. Ker, 1895, iii. 148–50; E. Gebhart, 1907–8, v. 107–11; E. Legouis, 1908, v. 113–19; *see also above :* I. (c.)

(c) *Language :*

1. *General :*

B. Jonson, 1640, iv. 70; E. Coles, 1676, iv. 77; E. Gibson, 1691, iv. 80–81; L. Welsted, 1724, i. 367; T. Morell, 1737, i. 381–2; Gray [1760–1 ?], i. 418–21; Tyrwhitt, 1775, i. 442–6; Horne-Tooke, 1786, i. 486; J.

Chaucer, Geoffrey. § II. (c.)

Chaucer, Geoffrey. § II. (c–d.)

Chaucer, Geoffrey.

Chaucer, Geoffrey. § II. (f.)

Chaucer, Geoffrey.   § II. (f–g.)

iii. 16; Ruskin, 1856 (C.'s love of forests and hatred of the sea), iii. 33–4; Card. Wiseman, 1855 (C.'s love of nature associated with wantonness), iii. 29; this denied by L. Hunt, 1859, iii. 49; S. A. Brooke, 1871, iii. 111–2; A. W. Ward, 1879, iii. 126; L. Morel, 1895, v. 102. *See also Flower and the Leaf, the.*

13. *Happiness : cheerfulness :*
Spenser, 1590–96, i. 133; T. Dekker [1607], i. 178; Coleridge, 1817, ii. 85, 1834, ii. 190; Unknown, 1842 (' Chaucer's blithe old world, for ever new '), ii. 246; Furnivall, 1873, iii. 114; Swinburne, 1880, iii. 131–2.

14. *Learning :*
often mentioned in 16th cent., introd., xcv–vi; by Hoccleve, 1412, i. 21; Sir B. Tuke, 1532, i. 79; G. B., 1569, i. 103; Foxe, 1570, i. 105; Holinshed, 1577, i. 114; Spenser, 1579, i. 118; Puttenham [1584–8], i. 125; G. Harvey [c. 1585], i. 127; Churchyard, 1587, i. 130; *Cobbler of Canterbury,* 1590, i. 132; Hakluyt, 1598, i. 157; F. Thynne, 1598, i. 155; Speght, 1598, i. 147, 1602, i. 169; Harsnet, 1603, i. 173; Stowe, 1603, i. 174; Selden, 1612 (C.'s knowledge ' transcending the common rode '), i. 186; Freeman, 1614, i. 188; Basse [c. 1622], i. 196; Unknown, 1622, i. 198; Webster, 1624, i. 199; Milton, 1641 (' our learned C.'), i. 221; E. G., 1646, i. 225; E. Leigh, 1656, i. 232; B. Whitelock [a. 1675], i. 251; H. Wharton [c. 1687], ' vir extra controversiam doctissimus '), iv. 79; E. Howard, 1689, i. 262; Dryden, 1700, i. 274; E. Hatton, 1708, i. 296; J. Grainger, 1769, i, 431; R. Henry, 1781, i. 460; G. Dyer [1811], ii. 53; G. F. Nott, 1815–16, ii. 77–80; E. G. Sandras, 1859, v. 71.

15. *Universality :*
Unknown, 1755, v. 33; Unknown, 1756, i. 412; W. Ros-

coe, 1824, ii. 152; H. Neele, 1827, ii. 166; L. Hunt, 1844, ii. 255; G. P. Marsh, 1858–9, iii. 44.

16. *Prolixity :*
Pinkerton, 1786, i. 484; Campbell, 1819, ii. 112; Unknown, 1846, ii. 273; A. Smith, 1862, iii. 65; Unknown, 1873, iii. 117.

17. *Brevity :*
Lydgate, 1430, i. 42; Caxton [c. 1483], i. 61–2, introd. xiv; J. Rastell (?) [1520], i. 73; Sir B. Tuke, 1532, i. 80, introd. xvii.

18. *Eloquence :*
the common opinion [c. 1400–1550], introd. xciii–iv; Lydgate [c. 1403, etc.], i. 17, 19, 24, 27, 35; J. Walton, 1410, i. 20; Hoccleve, 1412, i. 21; James I., 1423, i. 34; Unknown [c. 1440], i. 45; J. Shirley [c. 1450], i. 49; Unknown [1450–60 ?], i. 53; Unknown [a. 1477], i. 57; Caxton [a. 1479], i. 58; Dunbar, 1503, i. 66; Hawes [1503–4], i. 66; H. Bradshaw, 1513, i. 71; Douglas, 1513, i. 71–2; Skelton, 1523, i. 74; Unknown [1525 ?], i. 75; J. Grange, 1577, i. 107 (in Cambridge issue only).

19. *Facility :*
Landor, 1811, iv. 103–4; J. R. Lowell, 1870, iii. 110; T. R. Lounsbury, 1891, iii. 143.

20. *Artificiality :*
Anna Seward, 1806, ii. 28; Unknown, 1877, iii. 122–3.

21. *Heaviness :*
Unknown, 1861 (' wanting in a certain lightness of touch, conciseness and melody '), iii. 60.

22. *Originality :*
J. R. Lowell, 1871 (' one of the most purely original of poets '), iii. 111.

(g) *Comparisons of, with other Writers.*
Some of these writers are merely equalled with or preferred to Chaucer by enthusi-

Chaucer, Geoffrey. § II. (*g.*)

Chaucer, Geoffrey. § II. (h.)–§ III. (b.)

(h) *Influence of, on other poets :*
on Arthur Broke, iv. 29–33; on William Browne, iv. 62; on Lyly, iv. 41–2; on Shakespeare, i. 396; iv. 45–6 (*see also* Shakespeare, W.); on Spenser, i. 118–19; on Surrey, iv. 19; on Wyatt, iv. 12; on the author of *Sir Gyles Goosecappe* (Chapman ?), iv. 57–60.

III. MODERNIZATIONS

(a) *General :*
See also below (b) 10, Dryden.

1. *Praised or defended :*
as saving C. from oblivion, by C. B., 1749, i. 399; H. Dalrymple (?), 1761, i. 421; as superior to originals, by Walpole, 1774, i. 439, 1781, i. 464; as incitement to read originals, by Leigh Hunt, 1855, iii. 22–3; called for by J. Dart, 1718, i. 346.

2. *Condemned :*
by W. Harrison, 1706, i. 293; T. Warton, 1754, 1762, 1774, i. 409, 423, 439–40; Unknown, 1826, ii. 164; Landor [*n.a.* 1841], ii. 238–9, introd. lviii; Unknown, 1847, ii. 275.

3. *Criticized :*
by Leigh Hunt, 1817, ii. 89, introd., lxvi; J. Johnstone, 1828, ii. 169–170; E. B. Browning, 1840, ii. 226–7; R. H. Horne, 1841, ii. 237; J. Saunders, 1845–7, ii. 264–6; introd. xliii–vii.

(b) *Particular :*
1. *Bell, R.,* 1841, ii. 234.
2. *Betterton, T.* [*a.* 1710], i. 312; see below : Pope.
3. *Browning, E. B.,* 1841, ii. 235.
4. *Budgell, E.,* see Grosvenor.
5. *Catcott, A. E.,* 1717, i. 345.
6. *Clarke, C. Cowden,* 1833, ii. 187; 1835, ii. 194.
7. *Cobb, S.,* 1725, iv. 84.
8. *Cooke, W.,* 1774, i. 438.
9. *Dart, J.,* 1718, i. 346.
10. *Dryden, J.,* 1700, i. 272–85; praised by J. Hughes [*c.* 1707], i. 294; Walpole, 1775, iv. 94;

C. Reeve, 1785, i. 479; condemned by W. Harrison, 1706, i. 293; Southey, 1803, ii. 12; Hazlitt, 1815, 1818, ii. 70, 105–6; Lowell, 1845, ii. 261; A. Smith (Dryden and Pope 'committed assault and battery' on C.), 1862, iii. 65; criticized by Johnson, 1779–81, i. 456–7; Scott, 1808, ii. 39–41; O. Schoepke, 1878, v. 149; spoken of as if the originals, by J. Aikin, 1804, ii. 14–15.
11. *Dunkin, W.* [*a.* 1765], iv. 93.
12. *Grosvenor* [i.e. *E. Budgell* ?] [1733], iv. 86.
13. *Harte, W.,* 1727, iv. 84.
14. *Haweis, M. E.,* 1876, iii. 121.
15. *Horne, R. H.,* and others, in *Chaucer Modernized,* 1841, ii. 234–8; Landor declines to contribute to, ii. 238–9; reviewed, ii. 241; Wordsworth on, ii. 228–9, 242, introd. lvii–lix.
16. *Hunt, Leigh, Pardoner's Tale,* 1820, ii. 126, 1845, ii. 260, 1855, iii. 22–3; *Squire's Tale,* first version, 1823, iv. 105; second version, 1841, ii. 235, 1855, ii. 144, iv. 105.
17. *Jackson, A.,* 1750, i. 401.
18. *Johnstone, J.,* 1827, ii. 165.
19. *Lipscomb, W., Pardoner's Tale,* 1791, i. 493; *C.T.,* 1795, i. 496–7.
20. *Markland, J.,* 1728, i. 370; in Ogle, 1741, i. 389–90.
21. *Maynwaring, A.,* 1709, i. 310.
22. *Milnes, M.,* 1844, ii. 256.
23. *Ogle, G., Clerk's Tale,* 1739, i. 384–6; with others, *C.T.,* 1741, i. 389–90.
24. *Penn, J.,* 1794, i. 495–6.
25. *Pitt-Taylor, F.,* 1884, iii. 135–6.
26. *Pope, A., January and May,* 1709, i. 310; used by Wieland in his *Oberon,* 1780, v. 134.
   The Temple of Fame, 1711, i. 318, attacked by J. Ralph, 1728, iv. 84–5; praised by Dr. Johnson, 1779, i. 457; J. Warton, 1782, i. 471.
   Wife of Bath's Prol., 1714, i. 330.
   Franklin's Tale, lines on love, paraphrased from, in *Eloisa to Abelard,* 1717, i. 346, 489.

Chaucer, Geoffrey. § III. (b.)–§ IV (b.)

Chaucer, Geoffrey. §§ V, VI, VII.

V. ILLUSTRATIONS

1. *Blake, W.,* ' The Canterbury Pilgrims '; described by himself, 1809, ii. 42–6; admired by Lamb, 1810, ii. 49, 1824, ii. 151; condemned by A. Cunningham, 1830, iv. 106; by T. F. Dibdin, 1836, ii. 203–4; original oil sketch for, owned by R. C. Jackson, 1864, iii. 74; selections from *C.T. Prol.* printed to illustrate, 1812, ii. 56; used as the sign of the Tabard Inn, 1812, iv. 104. *See also below,* 9. Stothard.
2. *Burne Jones, Sir E. C., Prioress's Tale,* 1858, iii. 41; *Assembly of Fowls* (' Cupid's Forge.'), 1861, iii. 55; *L.G.W.* (designs), 1862, iii. 61, praised by Ruskin, 1867, iii. 93; (glass at Peterhouse), 1864, iii. 72; *Isle of Ladies* (' Chaucer's Dream '), 1865, iii. 75; *Works* (Kelmscott ed.), 1896, iii. 150 (in Cambridge issue only), introd. lxx.
3. *Corbould, E., Cant. Tales,* 1853, iii. 12.
4. *Dixon, R. W., Merchant's Tale* (?) (' A Wedding Scene '), 1855, iii. 21.
5. *Hamilton, W., Knight's Tale* (' The Death of Arcite '), 1790, iv. 98.
6. *Hooper, W. H.,* engraved woodcuts after the Ellesmere MS. for the Six Text *C.T.,* 1868, iii. 95; after Burne Jones for the Kelmscott *Works,* 1896, iii. 150 (in Cambridge issue only), introd. lxx.
7. *Jeffereys, J.,* ' The Canterbury Pilgrims ' [c. 1780 ?], i. 458–9.
8. *Mortimer, J. H., Cant. Tales,* [n.a. 1779], i. 447, iv. 96.
9. *Stothard, T.,* ' The Canterbury Pilgrims,' praised by F. Douce, 1807, ii. 31; by J. Hoppner, 1807, ii. 32; proposals for printing the engraving after, by R. H. Cromek, 1808, ii. 37; condemned by Blake, 1809, ii. 46; exhibited in all great towns, the engraving widely sold, ii. 203; at Abbotsford, 1827, ii. 164–5; preferred to Blake's by T. F. Dibdin, 1836, ii. 203–4; suggested to de Lécluze his translation of *C.T. Prol.,* 1838, v. 51–3. *See also above,* 1. Blake. Other illustrations of Chaucer, ii. 203, iv. 106.
10. *Waller, J. G.,* window in Westminster Abbey, 1868, iii. 97.
11. *Anon.,* 1824, ii. 149.

VI. MANUSCRIPTS

i. 26–64; iv. 4–8; those used by Thynne, including one inscribed ' examinatur Chaucer,' i. 151; Sir H. L'Estrange's, 1669–96, i. 245; H. Wanley, 1697, iv. 81, 1705, i. 292–3; T. Hearne, 1709, 1711, i. 297–300, 306–7, 316–17; J. Urry, 1712, 1721, i. 325–6, 358; Sir H. Sloane, 1715, i. 335; Sloane's and Bagford's lent to Hearne for Urry's ed., i. 341–2; Tyrwhitt, 1775. i. 442; the Harleian, 1769, 1808, i. 416, 424, ii. 41–2; Todd, 1810, ii. 50; Dibdin, 1817, ii. 87; Furnivall (?), 1865, iii. 76; to be printed by the Chaucer Society, 1867, iii. 89–90, 95–6; T. S. Baynes, 1870, iii. 99, 103–5: and *see below,* VIII., under the separate works.

VII. BIBLIOGRAPHY

Rarity of early bibliographical references, introd. lxxxix; lists and references by Lydgate, 1430, i. 3–43; Hawes, 1506, i. 67; Leland [c. 1545], iv. 17; Bale, 1548, 1557, iv. 19–20, 22–4; F. Thynne, 1598, i. 155; Stow, 1598, 1600, i. 159–60, 165; Pits, 1613, iv. 65; Bagford, 1709, i. 297; Hearne, 1708–15, i. 296–337; Ames, 1749, i. 398–9; Herbert, 1785–90, i. 477–8, 483, 491; Griffiths, 1815, ii. 69; Dibdin, 1809–24, iv. 103, ii. 49, 69, 87, 149–50; Watt [a. 1819], ii. 120; Hartshorne, 1829, ii. 172; Scott [n.a. 1832], ii. 186; Heber sale, 1834–6, ii. 193; Lowndes, 1834, ii. 192; King's Library catalogue, 1834, ii. 193; Douce, 1840, ii. 226; Collier, 1865, iii. 75–6.

Chaucer, Geoffrey. § VIII. (a–f.)

VIII. WORKS

(a) *Relative popularity of :*
introd. lxxvi–ix.

(b) *Table of 19th cent. edd. of (complete and separate) :*
introd. lxxi.

(c) *Chronology of :*
ten Brink, 1870, v. 147–8, introd. lxxi–ii; criticized by Minto, 1874, iii. 119; Furnivall, 1873, iii. 113; Koch, 1890, iii. 139.

(d) *Canon of :*
Skeat, 1900, iii. 150–1 (in Ch. Soc. issue), 151 (in Cambridge issue); introd., lxxii. *See also below :* [VIII. (l.) *Spurious.*]

(e) *Editions of Complete (or nearly Complete) Works :*
Pynson, 1526, i. 75; Thynne (Godfray), 1532, i. 78; this really the first English miscellany, iii. 87; Thynne (Bonham), 1542, i. 83; Thynne (Bonham, etc.) [*c.* 1545], i. 86; Stowe, 1561, i. 96; this the beginning of a projected collection of old authors, i. 100; Speght, 1598, i. 147; F. Thynne's *Animadversions* on, 1598, i. 149–55; Speght's 2nd ed., 1602, i. 168; 1687, i. 259; this readvertised in 1689, i. 262; Urry's, in preparation, 1714–15, i. 330–37; published, 1721, i. 353–61; Brome's letter on, 1733, i. 375 [*see also* Urry]; Entick's proposals for an ed., 1736, i. 377–8; one projected by Dr. Johnson [*c.* 1750], i. 401; in Bell's Poets, 1782, i. 464–5; the *Canterbury Tales* in this ed. a piracy from Tyrwhitt, 1783, i. 474; in Anderson's Poets, 1793, i. 494; a lost ed., 16mo., 1807, ii. 29; in Chalmers' *English Poets,* 1810, ii. 48–9; in *British Poets,* 1822, ii. 136; Moxon, 1843, ii. 246; Aldine ed., 1845, ii. 258; Bell's annotated ed., 1854–6, iii. 15; ed. projected by Aldis Wright, Henry Bradshaw, and Furnivall, 1864, iii. 71–2; Aldine

ed., 1866, iii. 81; ed. by R. Bell, 1878, iii. 123; by Gilman, Boston, 1878–80, iii. 123–4; by Skeat, 1894–7, iii. 146–8; the Kelmscott, 1896, iii. 150 (in Cambridge issue only), interest aroused by, introd. lxx; the Globe, 1898, iii. 150; Düring's uncompleted German version, 1883–6, v. 150.

(f) *Canterbury Tales :*
1. *Manuscripts :*
various, i. 26, 32–3, 36, 50–52, 54; Harl. 7334 used by Wright, 1847–51, ii. 274; rhyme index to Ellesmere MS., 1875, iii. 95; note in Laud MS., i. 221; those used for Chaucer Soc.'s Six-Text ed., iii. 89, 95–6; *see above :* VI.

2. *Early records of copies :*
bequeathed by J. Brinchele, 1420, i. 25–6; Eliz. Bruyn, 1471, i. 56; J. Parmenter, 1479, i. 60; Margaret, Countess of Richmond, 1509, i. 71.

3. *Editions (English) :*
Caxton, 1st ed. [1477–8], i. 58; incorrectness of this ed. pointed out to Caxton, i. 62; 2nd ed. [*c.* 1483], i. 61; Pynson [*c.* 1492], i. 64–5; Wynkyn de Worde, 1498, i. 65; Pynson, 1526, i. 75; Tyrwhitt, 1775–8, i. 442–6, 451; this the first good text, introd. liv; 2nd ed., 1798, i. 500; Cumberland [1820 ?], ii. 121; reprint of Tyrwhitt, 1822, ii. 136; 1824, with other poems, illustrated, ii. 149; Dove's Classics [*n.a.* 1841], ii. 229; Wright, 1847–51, ii. 274, 1853 (repr., 1860), iii. 12; illustr. by E. Corbould, 1853 (repr. 1878, 1882), iii. 12; Tyrwhitt, repr. with mem. by Gilfillan, 1860, iii. 52–3; Six text print (Chaucer Soc.), 1868–77, iii. 95–6; various, discussed by T. S. Baynes, 1870, iii. 104–5.

4. *Editions (French) :*
J. B. de Chatelain, 1857–61, v. 12, 66–9; P. van Cleemputte, unfinished [1869], v. 95;

Chaucer, Geoffrey. § VIII. (f.)

E. Legouis, 1906–8, v. 13–14,
111–113; reviewed, v. 107–11,
119–20.

5. *Editions (German) :*
C. L. Kannegiesser (select),
1827, v. 140 (in Ch. Soc. issue),
139 (in Cambridge issue); E.
Fiedler (four tales only), 1844,
v. 141; W. Hertzberg, 1866, v.
145–6.

6. *Abridgments for children :*
C. Cowden Clarke, 1833, 1870,
ii. 187; M. E. Haweis, 1876,
iii. 121; F. Storrs and H.
Turner, 1878, iii. 123.

7. *Modernizations :*
G. Ogle and others, 1741, i.
389–90; W. Lipscomb, 1795,
i. 496–7; anon. (unpublished)
[*n.b.* 1811], ii. 56; R. H. Horne
and others, 1841, ii. 234–8; sig-
nificance and effect of, introd.
xliii–xlviii.

8. *Sequels :*
Lydgate's *Siege of Thebes*, i. 26–
32; H. J. Richman [*c.* 1810], ii.
49; R. Warner upon this, 1830,
ii. 180; *see also below* (l.) *Spurious Works*, 3 and 8.

9. *Rhyme-Index :*
to Ellesmere MS., by H. Cromie,
1875, iii. 95.

10. *Summaries :*
B. Twyne [1608–44], i. 181.

11. *The Characters :* See under the
name of each, and also below,
under the separate Tales.

12. *Frame and Order of the Tales :*
links, i. 26, 32–3, 36, spurious,
i. 50–52; improbabilities noted
in by J. Dixon, 1865 (*N. &
Q.*), iii. 79; H. Bradshaw,
1867–71, iii. 87; the scheme
imitated in *The Cobbler of
Canterbury*, 1590, i. 131; held
original by F. Beaumont, 1597,
i. 146; by T. Warton, 1782,
i. 470; by A. P. Stanley, 1855,
iii. 27; criticized by Crabbe,
1812, ii. 57; by Unknown, 1825,
ii. 158; comparisons with the
framework of the *Decameron :*
J. J. Eschenburg (?), 1793, v.

136; Unknown, 1825, ii. 158;
E. Desclozeaux, 1853, v. 61;
A. Filon, 1883, v. 90; L. Morel,
1895, v. 102–3; E. Legouis,
1908, v. 118.

13. *Criticisms :*
In this heading and other separate works below, minor references are only indexed for the
early period.

the conception taken from
Gower's *Confessio Amantis* (W.
Gray), 1835, ii. 195; references
by Lydgate, i. 26–32, 39;
Caxton's praise of [*c.* 1483],
i. 62; Skelton can report them,
1507, i. 69; M. Hanmer finds
good decorum observed in
them, 1576, i. 112; as also do
F. Beaumont, 1597, i. 146; G.
Harvey [1598–1600?] iv. 49;
and Speght, 1598, iv. 52; this
denied by Le Roux de Lincy,
1847, v. 60; held original by
Hawes, 1506, i. 67; by Puttenham [1584–8], i. 125; and by H.
Peacham, 1622, i. 197; praised
in *The Cobbler of Canterbury*,
1590, i. 131; they should be
translated into Latin, as well as
Troilus (S. Evans), 1635, i. 210;
here is God's plenty (Dryden),
1700, i. 279; their vividness
(G. Jacob), 1720, i. 349; T.
Morell, 1737, i. 382; Dryden,
1700, i. 274; praised by J.
Warton, 1782, i. 1470; one of
the most extraordinary monuments of human genius (W.
Godwin), 1803, ii. 8–9; improb-
ability of pilgrims of different
classes forming a travelling
intimacy (G. Crabbe), 1812, i.
57; two or three of the tales
worth all that our Augustan
age produced (Miss Mitford),
1815, i. 72; praised by Campbell,
1819, ii. 113; depict middle and
low life, unlike C.'s earlier poems
(J. H. Hippisley), 1837, ii. 217;
dates of composition and publication of (De Quincey), 1841, ii.
229–30; humour in (Leigh
Hunt), 1846, ii. 269–71; value
of as social history (A. Edgar),
1852, iii. 9; drawing of ecclesiastical types in (H. H. Milman),

Chaucer, Geoffrey. § VIII. (f.)

1855, iii. 24–5; his other poems only remembered thanks to (F. D. Maurice), 1865, iii. 79; and (Unknown), 1877, iii. 122; also (J. C. Demogeot), 1895, v. 102; contrasted with *Piers Plowman* by J. R. Green, 1874, iii. 119; excluded by Ruskin from his planned ed. of C., introd. lxv.; criticized by French writers: A. Yart, 1753–6, v. 29; J. B. A. Suard, 1813, v. 41; A. F. Villemain, 1830, v. 46–7; H. Gomont, 1847, **v.** 56–60; G. Brunet, 1856, v. 63; E. G. Sandras, 1859, v. 72–4; H. Taine, 1863, v. 77; G. Vapereau, 1876 (all the tales borrowed), v. 84; L. Boucher, 1882 (variety and dramatic quality of the *C.T.*), v. 87–8 (C. in them a creator), v. 96; B. H. Gausseron, 1887, v. 94; J. J. Jusserand, 1895, v. 105; E. Legouis, 1908, 1910, v. 113–19, 121–2; by German writers: J. J. Eschenburg (?), 1793, v. 135–6; J. Meyer, 1845, v. 142; W. Hertzberg, 1856, v. 143–4; R. Pauli, 1860, v. 145; E. Kölbing, 1877, etc., v. 148; Most general criticisms of C. are largely based on the *Tales:* see above: II (a).

14. *Prologue :*
    edited separately by T. Morell, 1737, i. 381–2, by ten Brink, 1871, v. 148; by J. Zupitza, 1871, etc., v. 148; with *Knight's Tale* and *Nun's Priest's Tale*, by R. Morris, 1867, iii. 86; selections printed to illustrate Blake's Pilgrims, 1812, ii. 56; modernization of, published as by T. Betterton [*a.* 1710], i. 312; this really by Pope, i. 500; translated into French prose by E. J. de Lécluze, 1838, v. 51–3; by E. Forgues [*c.* 1850], v. 61, 124; illustrations of (in MS.) by F. J. Furnivall, 1857, iii, 37–8; praised by G. Ogle, 1739, i. 385–6; by T. Warton, 1774, i. 440; analysed by Blake, 1809, ii. 42–6; one of his few original works (H. Hallam), 1818, ii.

97; E. FitzGerald, 1851, iii. 1–2; E. Forgues, 1850, v. 61; J. J. Jusserand, 1894, v. 97–8; E. Gebhart, 1907, v. 107–8.
Criticisms and analyses of the Prologue are also embodied in nearly all criticisms of the *C. T.* at large, *q. v. above:* VIII. (f.) 13; *see also* Canterbury Pilgrims, the individual Pilgrims, and for representations, *above:* v. *Illustrations.*

15. *Canon's Yeoman's Tale :*
    quoted by T. Norton [*c.* 1477], i. 57–8; in alchemical MSS. (Sloane 1098, 1723) [*c.* 1550], i. 90; quoted and summarized by R. Scot, 1584, i. 125; Lord Coke values as illustrating the Statute against alchemy [*n.a.* 1634], iv. 66; the source of Erasmus's *Alcumnistica* and Ben Jonson's *Alchymist* (J. Wilson, 1662), i. 240; shows C. an alchemist (F. Thynne, 1576), i. 113; mentioned by Ashmole, 1652, i. 227; quoted, 1822, ii. 140.

16. *Clerk's Tale :*
    edited by W. Aldis Wright, 1867, iii. 87; MS. of, at Naples recorded by D. Laing, 1843, ii. 248; modernized by G. Ogle, 1739, i. 384–6; anon., 1794, iv. 100; by H. W. Tytler, 1828, ii. 171; anon. 1837, ii. 219; anon. (abridged), 1845, ii. 266; translated into French, 1813, v. 41–3; the subject dramatized in *Woman's Love*, 1828, ii. 171; its relation to Petrarch and Boccaccio discussed by J. P. Collier, 1841, ii. 229; retold by R. Radcliffe [*a.* 1559], i. 95; references and quotations by Lydgate [1403 ?], i. 17, 18, 36; by J. Metham, 1448–9, i. 47; in *A Remedy for Sedition*, 1536, i. 81–2; by F. W., 1612, i. 185.

17. *Cook's Tale :*
    colophon to, in MS. Hengwrt, [*c.* 1420], i. 26; spurious conclusion of, added in *Works*, 1687, i. 260.

Chaucer, Geoffrey. § VIII. (f.)

Chaucer, Geoffrey. § VIII. (f.)

common with Masuccio's tale, taken from an earlier fabliau, 1812, ii. 57.

26. *Monk's Tale :*

passages from, summarized by Lydgate [1400], i. 14; described by, 1430, i. 42–3; Trin. Coll. MS. of [c. 1470], iv. 7–8; the story of Ugolino from, modernized by T. Powell or Leigh Hunt, 1845, ii. 240; relation of this story to Dante's, L. Hunt, 1846, ii, 268–9; E. Gebhardt, 1908, v. 110.

27. *Nuns' Priest's Tale :*

edited (with *Prol.* and *K.T.*) by R. Morris, 1867, iii. 86; modernized by Dryden, 1700, i. 285; by T. Powell or Leigh Hunt, 1841, ii. 239–40; reff. to, by Lydgate, 1444, i. 46; in *Cokelbie Sow* [1440 ?], i. 44; by Skelton [1507 ?], i. 68–9; in *Tales and Quick Answers* [c. 1540], i. 83; by Drant, 1567, i. 100; by Shakespeare, in *Henry IV*, pt. i. [1596–7], i. 144, and in *Winter's Tale* [1610–11], i. 185; by Stowe, 1600, i. 164; by Camden, 1605 and 1616, i. 175, 191; by Heywood and Rowley [1607–9], i. 180; by T. Walkington, 1607, i. 180; by B. Twine, as 'the prettiest tale of all' [1608–44 ?], i. 182–3; quoted by T. Nash, 1633, i. 205; by W. Cartwright [c. 1634], i. 206; by J. Cleveland [a. 1658], i. 235; Garrick's reading of [c. 1770], i. 436; Dr. Johnson thought hardly worth Dryden's revival, 1779–81, i. 456; thought 'foolish if not worse' by W. Bell [c. 1785], i. 481; praised by Scott, 1808, ii. 41; ref. to by W. J. Thoms, 1844, ii. 257; its fall from popularity after the 17th cent., introd. lxxviii.

28. *Pardoner's Tale :*

modernized by Lipscomb, 1792, i. 493; this reviewed, *ib.*; modernized by Leigh Hunt, 1845–55, ii. 260, iii. 22–3; by the same (?). 1820. ii. 126;

quoted by Heywood, his *Four P.P.* influenced by, 1533, i. 80–81; quoted for its moral against gaming, etc., by R. Ascham, 1544, i. 85–6; in *The Institution of a Gentleman*, 1555, i. 94; and by J. Northbrooke, 1577, i. 115.

29. *Parson's Tale :*

MSS. of [c. 1420–30], i. 32; modernized, with his character from *Prol.*, 1841, ii. 240–1; the *Retractation* at the end of : texts of noted by T. Hearne, 1709, i. 306–9; E. Young [c. 1730], iv. 85; H. D. Thoreau, 1842, ii. 245; for the prose of, *see above*, II. (e.), *and also above*, IX. (f.) 23, *Melibeus.*

30. *Prioress's Tale :*

MSS. of [c. 1420–35], i. 33; modernized by Wordsworth, 1801, ii. 3; by J. Johnstone, 1827, ii. 165; translated into French by E. Drumont, 1886, v. 92; painting after, by Burne Jones, 1858, iii. 41; ref. to by Rossetti [c. 1854], iii. 19; by M. Arnold, 1880, iii. 128.

31. *Reeve's Tale :*

modernized by Betterton [a. 1710], i. 312; the plot that of the *Miller of Abingdon* [c. 1500], iv. 8; its source found in a fabliau by T. Wright, 1844, ii. 257–8; also by V. Leclerc, 1856, v. 64; dialect in, is that of Craven, Yorkshire (T. D. Whitaker, 1805), ii. 26; quoted in *The Institution of a Gentleman*, 1855, i. 94.

32. *Sir Thopas :*

MSS. of [c. 1420–30], i. 26, 32; imitated by Drayton, 1593, i. 139; by Ἀποδημουντόφιλος, 1611, i. 185; condemned by Skelton, 1510–23, iv. 10–11; by Wyatt [a. 1542], i. 83–4; by F. Thynne, 1600, i. 165–6; praised as a parody by Hurd, 1762, i. 422, 1765, iv. 93–4, introd. lii; and by Percy, 1765, i. 427–9; quoted by J. Bosswell, 1572, i. 109; by Spenser,

Chaucer, Geoffrey. § VIII. (g.)

Lydgate, 1430, i. 38; a copy bequeathed by J. Brinchele, 1420, i. 25.

7. *Book of the Duchess :*
B.M. MS. of, i. 166; ref. to, by Lydgate, 1430, i. 38; quoted by J. Bossewell, 1572, i. 108; Froissart's *Paradys d'Amour* partly imitated from, v. 123; J. A. M. Lange on, 1883, v. 150.

8. *Bukton, Envoy to :*
MS. of [c. 1445], i. 47, printed by Notary [1499–1502], i. 65.

9. *Complaint of Mars :*
Shirley's MS. of [c. 1450], i. 48; modernized by R. Bell, 1841, ii. 234.

10. *Complaint of Venus :*
Shirley's MSS. of [c. 1450], i. 48; Bodleian MS. of [c. 1488], i. 64; modernized by R. Bell, 1841, ii. 234.

11. *Complaint to his Purse :*
MSS. of [c. 1450], i. 50; printed with *Anelida and Arcite* by Caxton [1477–8], i. 58; transl. into German by J. G. Seume [c. 1801], v. 138.

12. *Complaint to Pity :*
MSS. of [c. 1440, c. 1450], i. 45, 50; tells the story of C.'s unhappy love (F. J. Furnivall, 1873), iii. 113; this disputed by W. Minto, 1874, iii. 119.

13. *Former Age :*
Cambridge MS. of [c. 1420], i. 26.

14. *Fortune :*
Shirley's and other MSS. of, [c. 1430–40], i. 43; printed by Caxton with *Parliament of Fowls* [1477–8], i. 58; by Pynson with *Troilus*, 1526, i. 75.

15. *Gentilesse :*
Shirley's MSS. of [c. 1450], i. 47–8; printed by Caxton with *Parliament of Fowls* [1477–8], i. 58; quoted by Scogan [c. 1407], i. 19; quoted by J. Bossewell, 1572, i. 108.

16. *House of Fame :*
Caxton's ed. and praise of [c. 1483], i. 61; Pynson's ed. of, 1526, i. 75; H. Willert's ed. of, 1888, v. 151; for the imitation of by Pope in the *Temple of Fame : see* Pope, A.; ref. to by Lydgate, 1439, i. 44; held original by Hawes, 1506, i. 67; ref. to in *Tales and Quick Answers* [c. 1540], i. 83; by W. Baldwin [1561], i. 95–6; quoted by J. Bossewell, 1572, i. 109; drawn on by Shakespeare (?) in *Titus Andronicus* ([1589–90 ?]), i. 131; reminiscences of, in Peele's *Honour of the Garter*, 1593, i. 140; ref. to, by F. Thynne, 1600, i. 166; Inigo Jones followed in designing scenery for Ben Jonson's *Masque of Queens* [1609], i. 184; a source for Ben Jonson's *Staple of News* [1625 ?], i. 199; criticised by Campbell, 1819, ii. 112–13; in the *Penny Magazine*, 1832, ii. 187; by H. Gomont, 1847, v. 56; its relation to Dante studied by A. Rambeau, v. 149; its short couplet studied by C. L. Crow, 1892, v. 152; foreshadowed the Crystal Palace, 1851, 1854, iii. 4, 19–20.

17. *Lack of Steadfastness :*
earlier headline to, in MS. Bodl. [c. 1445], iv. 5; quoted by M. Hanmer, 1576, i. 113.

18. *Legend of Good Women :*
MSS. of, criticised by S. Kunz, 1888, v. 151; MS. Bodl. [c. 1488], i. 64; MS. of Prol. (Text B) belonging to S. Pegge, 1758, i. 413–14; Prol. (Text A) printed from Cambridge MS. by H. Bradshaw, 1864, iii. 72; three tales from, modernized by T. Powell (?) 1841, ii. 234; Ariadne, in part modernized, 1803, ii. 13; quoted by Edward, 2nd Duke of York [1406–13], i. 18; described by Lydgate, 1430, i. 39–40; said by Hawes to be a translation, 1506, i. 67; quoted by Gavin Douglas, 1513, i. 72; by J. Bossewell,

Chaucer, Geoffrey. § VIII. (g.)

Venice, iv. 107 (in Ch. Soc. issue, 108 (in Cambridge issue); in *The Merry Wives of Windsor,* i. 161; dramatized by Dekker and Chettle in a lost play, 1599, iv. 53; in a Welsh play [c.1610], iv. 61; ballad on [1566], iv. 34; imitated in *The Return from Parnassus* [1597], i. 144; the early popularity of, noticed by T. Campbell, 1819, ii. 112; note on, by H. E. Rollins, iv. 1–3; to 1700 C.'s most popular poem, and to 1750 the most often referred to, introd. lxxvi–vii, lxxix; carried in the bosom a New Testament in the hand (Sir J. Elyot), 1533, i. 80; C. chiefly known by, according to H. Reynolds [1632 ?], i. 205; instances of *Troilus,* given as a Christian name [1600 ?], iv. 53; compared with Boccaccio's *Philostrato,* by W. M. Rossetti, 1873, iii. 116–7; *Observations on the Language of,* by G. L. Kittredge, 1894, iii. 148; a copy of, among John Paston's books [1482 ?], i. 60; praised by Sidney [1581 ?], i. 122; by Peele, for its pathos [*a.* 1596 ?], i. 143; spoken of as immoral by Sir T. Elyot, 1533, i. 80; by N. Breton, 1597, i. 144; C. made it "long or that he died," according to Lydgate, 1412, i. 24; said by Lydgate to be translated from a book called *Trophe* in Lombard tongue, 1430, i. 37; so translated by C. as to be his own (H. Peacham, 1622), i. 197; the first English heroic poem, its verse-form (H. C. Coote, 1883), iii. 133–4; the first great modern romance, a tragic novel (W. P. Ker, 1895), iii. 149–50; originally intended for one of the *C.T.* (Southey, 1812), ii. 59; miscellaneous quotations from, references to, and criticisms of (including references to Henryson's continuation, *i.e.* to Cressid's leprosy): a body of allusions, 1501–1612, iv. 9–62, *passim*; also: by Gower, 1376–9, i. 4, introd. xi; by Usk in *The Testament of Love*

[c. 1387], i. 8; ref. in *The Gest hystoriale of the destruction of Troy* [*a.* 1400], i. 14; by Lydgate, 1430, i. 37; in *The Chances of the Dice* [c. 1440], i. 45; J. Metham, 1448–9, i. 47; ref. to in *Unto my Lady the Flower of Womanhood* [1450–60 ?], i. 53; by Hawes, 1506, i. 67; Skelton, 1523, i. 74; in *la Conusaunce Damours* [1525 ?], i. 75; R. Wyer (?) [*n.b.* 1536], iv. 107 (in Cambridge issue only); by T. Berthelet, 1532, i. 77; Margaret Roper or Sir T. More, 1535, i. 8J; Wyatt [*a.* 1542], i. 83–4; Sir D. Lindsay [1548 ?], i. 88; in *Lucres of Scene* [1549 ?], i. 89; by T. Howell [1567–8 ?], i. 100; Gascoigne, 1575, i. 110; Whetstone, 1576, i. 113; Lyly [1578], i. 115; E. Kirke, 1579, i. 117; T. Howell, 1581, i. 120; R. Stanihurst, 1582, i. 122; B. Melbancke, 1583, iv. 107; J. C., 1595, i. 142; A. Scoloker, 1604, i. 175; R. Tofte, 1615, iv. 108 (in Cambridge issue only); R. Brathwait, 1621, iv. 108 (in Cambridge issue only); Sir F. Kynaston, 1642, i. 222; W. Godwin, 1803, ii. 6–8; criticized by Campbell, 1819, 1830, ii. 112, 177–8; J. P. Collier, 1832, ii. 184; Hartley Coleridge [*n.a.* 1848], ii. 276; W. W. Lloyd, 1856, iii. 30–1; R. Fischer, 1899, v. 152.

29. *Truth* ("*Fle fro the pres*" or "*Ballade of Good Counsel*") : MSS. of, i. 48, 63, 85, iv. 7; printed with *Parl. of Fowls,* etc., by Caxton [1477–8], i. 58; printed (under "Uncertain Authors") in *Tottel's Miscellany,* 1557, i. 94; first completely printed by F. J. Furnivall, 1867, iii. 88; modernized by W. Harte, 1727, iv. 84; by Unknown as C.'s "dying ode," 1815, ii. 80–1; by M. Milnes, 1844, ii. 256; paraphrased in a hymn by W. J. Fox, 1841, ii. 233; ref. to, by Beaumont and Fletcher [1610], i. 184.

Drumont, É., *La France Juive,* 1886, v. 91–2.
Dryden, J., *The Art of Poetry,* 1715, version from Boileau by Dryden (?), i. 254, ii. 188.
—— *Critical and Miscellaneous Works,* ed. by Malone, 1800, i. 503–4.
—— *Works,* ed. by Scott, 1808, ii. 39–41.
—— *Fables,* 1700, i. 272–85; reviewed in *Acta Eruditorum,* 1700, v. 130; W. Bell sets out to improve, *c.* 1785, i. 480–1; effect of, on the reputation of C., introd. xxxvii–xl; his version of *Reeve's Tale* in, quoted as Chaucer's by E. Carter, 1753, i. 406; his parallel of Ovid and Chaucer in, transl. into French, 1777, v. 36; the same ridiculed by T. Brown [*a.* 1704], i. 291–2; imitated C. before he modernized him (G. Sewell, 1720), i. 351; his translations from C. in, are his most brilliant and celebrated work (Seward, 1789), i. 490; his preface to, the best critical estimate of Chaucer (T. S. Baynes, 1870), iii. 99; originality of, introd. cxxxii.
—— neglected the antiquarian study necessary for understanding C. (Malone, 1800), i. 503–4.
—— the first to conceive of organic growth in literature, introd. cxxx.
—— repeated Leland's biographical inventions, ib. cxli.
—— letter to Mrs. Steward, 1698, i. 270; to Pepys, with the Good Parson, 1699, i. 270; Pepys thanks him for it, i. 271.
—— his *Juvenal,* 1692, i. 264–5.
—— his *Troilus and Cressida,* 1679, i. 254.
—— his *Virgil,* 1697, i. 269.
—— Johnson's *Life* of, 1779, i. 456.
—— his patent as Poet Laureate, 1670, i. 247.
—— his funeral, described by H. Playford, T. Tanner, Unknown, E. Ward, 1700, i. 286–8; by E. Thomas, 1729, i. 371; in *Acta Eruditorum,* 1704, v. 130–1; verses on, printed in or appended to *Luctus Britannici,* 1700, i. 286–7.
—— *See* Chaucer, G. [II. (g.) *Comparisons with other writers*]; *see also* ib. [III. *Modernizations.*]
Du Bartas, G. S. *Divine Weeks and Works,* transl. by J. Sylvester, 1605, 1611, i. 176, iv. 62.

Dubuc, —, transl. *Les deux Griselidis* from Chaucer and Miss Edgeworth, 1813, v. 10, 41–3.
Ducarel, A. C., correspondence with W. Barrett, 1772, i. 437.
Duchess, the Book of the, see Chaucer, G. [VIII. *Works.*—(g.) 7.]
Duclaux, Mary. *See* Darmesteter, A. Mary F.
Duering, A. von, transl. *Works* (incomplete), 1883–6, v. 150.
Dugdale, Sir W., *Origines Juridiciales,* 1666, i. 242.
—— C. his arch-poet (F. Junius, 1668), iv. 75–6.
Dunbar, W., his praise of C. in *The Golden Targe,* 1503, i. 66; *Lament for the Makaris,* 1507, i. 68.
—— his works, ed. by D. Laing, 1834, ii. 192.
—— for comparisons of, with C., *see* Chaucer, G. [II. (g.) *Comparisons with other writers.*]
Duncombe, J., *An Elegy written in Canterbury Cathedral,* 1778, iv. 95.
Dunham, S. A., *Chaucer* (in Lardner's *Cabinet Cyclopædia*), 1836, ii. 204–5.
Dunkin, W., *The Character of a Good Parson, from Chaucer* [*a.* 1765], iv. 93.
Dunlop, J. C., *History of Fiction,* 1814, comparing C. with Boccaccio, ii, 61–3; reviewed, ii. 68.
Durandus, G., *Rationale,* verses written in a copy of [*n.b.* 1506], iv. 9.
Durfey, T., *New Court Songs and Poems,* 1672, verses by R. Veal in, iv. 76.
Düring, A. *See* Duering.
Dyer, G., *On the Connection of the Arts and Sciences,* 1811, ii. 53.

Earle, J. (17th cent. writer), *Elegy on Beaumont* [1616], i. 192.
—— *Micro-cosmography,* 1628, his 'vulgar-spirited man' admires without having read C., i. 201, introd. xxix.
Earle, J. (19th cent. scholar) projected ed. of C.'s *Works* by, 1864, iii. 71.
Early English Texts (in *Edinburgh Review*), 1867, iii. 94.
Early English Text Society, the, 3rd Report of, and appeal for, by F. J. Furnivall, Chaucerian publications promised by, 1867, iii. 88.
Eastwood, James, notes in *N. & Q.,* 1857, '59, '60, '62, iii. 40, 50, 54, 64.

—— letter to J. Dunning, 1778, i. 450.

—— annotated a copy of Chaucer when in the Tower, 1794, iv. 100.

Host, the, his celebrity (T. Nashe, 1592), i. 136; was an M.P. (G.R.C., 1857), iii. 39.

Houbraken, J., his engraving of Chaucer's portrait, 1741, iv. 88.

House of Fame. See Chaucer, G. [VIII. *Works.*—(g.) 16.]

How a Lover praiseth his Lady [*c.* 1450?], praise of C. in, i. 49.

Howard, C., 10th Duke of Norfolk, *Historical Anecdotes of the Howard Family,* 1769, i. 432.

Howard, E., *Caroloiades,* 1689, i. 261.

Howard, H., 5th Earl of Carlisle, prologue to *The Father's Revenge,* ed. 1800, i. 502–3.

Howard, H., Earl of Surrey, *Complaint of a dying lover* [*n.a.* 1547], iv. 19; influence of Chaucer upon, ib.

—— *Poem on the Death of Sir T. Wyatt* (whom he puts above C.) [*c.* 1542], i. 84; praised by Leland, 1542, iv. 13.

—— *Works,* ed. by G. F. Nott, 1815–16, ii. 73–80.

—— classed with C. and Gower by T. Churchyard, 1595, i. 141.

Howell, T., *The Arbour of Amity,* 1568, iv. 36; verses by J. Keeper in, i. 102.

—— ' Chaucer's peer ' (J. Keeper, 1568), i. 102.

—— his *Devices,* 1581, i. 120.

—— *New Sonnets* [1567–8?], i. 100; verses by J. Keeper in, i. 101.

Howell, W., *Medulla Historiæ Anglicanæ* [1679?], i. 254.

Howlat, The, criticism on, by A. Thomson [*a.* 1803], ii. 5–6.

Huchon, R., transl. *Clerk's T.* into French, 1908, v. 112.

Huddesford, G., *Salmagundi,* 1791, iv. 99.

Hughes, Jabez, *Miscellanies* [*c.* 1707], i. 294.

Hughes, John, ed. *Works of Spenser,* 1715, i. 340–41.

Humour, growth of the sense of, and changes in the meaning of the word, introd. cxxxiv–ix.

—— attributed to C. *See* Chaucer, G. [II. (f). 3. *Humour.*]

Humphrey, L., *Iesuitismi pars prima,* 1582, i. 122.

Hunt, J. H. Leigh.

[Books containing substantial extracts and criticism :]

—— *Characteristic Specimens of the English Poets,* 1835, ii. 195–6.

—— *Imagination and Fancy,* 1844, ii. 253–5.

—— *Wit and Humour,* 1846, ii. 269–71; review of, in the *Extractor,* transl. by E. F[orgues?], 1850, v. 61, 124.

—— *English Poetry versus Cardinal Wiseman* (defends C.'s morality), 1859, iii. 49.

[Books and articles containing illustrative references to, and quotations from C. :]

—— *La Belle Dame sans Merci,* 1820, Chartier's title gave Keats the idea of his poem, ii. 125–6.

—— *Blue Stocking Revels,* 1837, ii. 217–8.

—— *The Book of Beginnings,* 1823, ii. 144–5.

—— *The Descent of Liberty,* 1815, ii. 71.

—— *Epistles,* in *Foliage,* 1816 (C.'s debt to Italy), ii. 83.

—— *An Essay on the Sonnet* [*c.* 1857–8], iii. 22 (entered as [*c.* 1855]); iv. 106.

—— *Essay on Washerwomen,* 1814, ii. 63.

—— *Fairies,* 1834, ii. 191–2.

—— *The Feast of the Poets,* 1812, ii. 59; 1814, ii. 64; 1815, ii. 71.

—— *A Few Thoughts on Sleep,* 1820, ii. 123–4.

—— *Fine Days in January and February,* 1828, ii. 169.

—— *Is it justifiable to reprint the Pruriencies of our Old Poets ?* 1811, ii. 54.

—— *A Jar of Honey from Mount Hybla,* 1844, ii. 253.

—— *Lord Byron and some of his Contemporaries,* 1828, ii. 169.

—— *Mayday,* 1820, ii. 124–5.

—— *My Books,* 1823, ii. 145–6; 1825, ii. 157.

—— *Pleasant Recollections of the Metropolis,* 1819, ii. 116.

—— preface to his *Poetical Works,* defends C.'s verse, 1832, ii. 185.

—— essays in *The Round Table,* 1817, ii. 89.

—— *Seamen on Shore,* 1820, ii. 124.

—— *Sonnet,* 1849, ii. 279.

CAMBRIDGE: PRINTED BY W. LEWIS AT THE UNIVERSITY PRESS
FROM STEREOTYPE PLATES SUPPLIED

in BCL^3